Multimodality Imaging in Cardiovascular Diseases

서울대학교 순환기내과

Multimodality Imaging in Cardiovascular Disease

첫째판 1쇄 인쇄 | 2021년 03월 30일
첫째판 1쇄 발행 | 2021년 04월 12일

지 은 이   서울대학교 순환기내과
발 행 인   장주연
출 판 기 획   김도성
책 임 편 집   안경희
편집디자인   주은미
표지디자인   김재욱
일 러 스 트   유학영
제 작 담 당   이순호
발 행 처   군자출판사(주)
　　　　　 등록 제4-139호(1991. 6. 24)
　　　　　 본사 (10881) **파주출판단지** 경기도 파주시 회동길 338(서패동 474-1)
　　　　　 전화 (031) 943-1888　　팩스 (031) 955-9545
　　　　　 홈페이지 | www.koonja.co.kr

ISBN   979-11-5955-688-3
정가   110,000원

Multimodality Imaging in Cardiovascular Diseases

집필진

편집장/집필진(가나다 순)

편집장	조구영	서울의대 분당서울대학교병원 순환기내과

집필진	김용진	서울의대 서울대학교병원 순환기내과
	김형관	서울의대 서울대학교병원 순환기내과
	김학령	서울의대 서울특별시보라매병원 순환기내과
	박준빈	서울의대 서울대학교병원 순환기내과
	박효은	서울의대 서울대학교병원 강남센터 순환기내과
	손대원	서울의대 명예교수
	윤연이	서울의대 분당서울대학교병원 순환기내과
	이승표	서울의대 서울대학교병원 순환기내과
	이희선	서울의대 서울대학교병원 강남센터 순환기내과
	조구영	서울의대 분당서울대학교병원 순환기내과
	조주희	서울의대 서울특별시보라매병원 순환기내과
	최수연	서울의대 서울대학교병원 강남센터 순환기내과
	최홍미	한림의대 한림대학교성심병원 순환기내과
	황인창	서울의대 분당서울대학교병원 순환기내과

발간사

2017년 9월에 손대원 교수님께서 ASH (Amyloidosis, Sarcoidosis, Hypertrophic Cardiomyopathy) Conference를 시작하였습니다. 당시 병을 정확하게 진단하고 치료계획을 수립하기 위해서는 심초음파 뿐만 아니라 MRI, CT, PET 등 다양한 영상기법이 필요하다는 것을 절실히 느꼈습니다. 아마 심장질환을 배우고 연구하는 모든 분들이 저와 같은 생각을 하였을 것입니다. 앞으로는 다양한 분야에서 융합기술이 대세가 되고 있는 것과 같이 의료도 다양한 기법을 융합하여 병을 진단하고 치료하는 기술로 발전해갈 것입니다. 이에 손대원 교수님, 김용진 교수님과 제자들 모두 뜻을 모아 환자치료에 실질적인 도움이 되고자 이렇게 'Multimodality Imaging in Cardiovascular Disease' 책을 만들게 되었습니다.

지금도 심초음파, 심장 MRI, CT 등 각 기법에 대한 많은 책들이 발간되고 있습니다. 하지만 이러한 기법들이 상호 보완적이 되었을 때 최대 효과를 나타낼 수 있음을 우리는 잘 알고 있습니다. 그리고 병에 대한 설명보다는 증례를 통해 접근하는 방식이 더 도움이 될 것이라고 생각하였습니다. 그래서, 순환기질환의 다양한 증례를 통해 multimodality imaging이 왜 필요한지, 진단하는 과정과 치료는 어떻게 하는지에 대해 근거중심 및 실질적 경험을 바탕으로 접근하여 실제 환자 치료에 도움이 되고자 많은 노력을 하였습니다.

저희 서울대학교 순환기내과 심초음파 교수님들이 모두 참여하여 2년 이상 교육적인 증례를 전향적으로 모으기 시작하였습니다. 모든 교수들이 모여서 증례를 선정하고 보안하는 작업을 수 차례 하면서 엄선된 증례만을 선별하였습니다. 또한 흔한 증례는 아니지만, 절대로 놓쳐서는 안 될 증례도 대부분 포함하였습니다. 비록 완벽하지는 않을지 모르지만, 지금까지 나온 책들 중에는 가장 교육적이면서 실질적으로 진단 및 치료에 도움을 줄 수 있는 책으로 자부합니다.

각 질환별로 5-10개의 증례를 선정하였으며, 독자분들께서 QR code를 통해 동영상을 직접 보면서 판단할 수 있고, 심초음파 이외에 MRI, CT, PET이 왜 사용하게 되었는지에 대한 공감을 가질 수 있을 것입니다.

앞으로 후배들이 새로운 증례를 통해 최신정보로 2판, 3판으로 지속적으로 발간하기를 기원하며, 모든 독자들이 큰 도움이 되기를 진심으로 기원합니다.

2021년 03월
서울대학교 순환기내과
조 구 영

축사

먼저 "Multimodality Imaging in Cardiovascular Disease"의 발간을 진심으로 축하드립니다.

심장 영상 판독의 임상사례들을 모은 이 저서는 조구영 교수의 지도 아래 서울대학교병원, 분당서울대학교병원, 서울특별시 보라매병원, 서울대학교 강남검진센터에서 근무하는 교실원 모두가 힘을 합쳐 만들어낸 역작입니다.

참여하신 모든 분들의 땀과 노력이 스며있는 본 저서에 경의를 표합니다.

이미 현장을 떠난 관계로 아쉽게도 발간을 지켜볼 수는 없었으나 저의 정년 훨씬 이전부터 편찬 작업이 시작되었기에 만드는 과정을 옆에서 지켜볼 수 있었습니다. 참여한 전원이 적합한 증례를 찾기 위해 노력하였고 한 번 지나간 증례는 다시 경험하지 못할 수도 있다는 사명감을 가지고 저술에 임했습니다.

인간이 항상 최선, 그리고 최적의 선택을 할 수는 없습니다. 부득이하게 차선의 방법을 취하게 되는 경우가 드물지 않은데, 불행히 사람의 생명을 다루는 의술의 영역에서는 이 차선의 방법이 도덕적으로 용납되지 않습니다. 법적인 책임을 추궁 당하지는 않겠지만 의사 본인이 자신의 결정에 대하여 오랫동안 후회하게 됩니다. 환자와 의사 모두에게 불행할 이런 상황을 최소화하기 위해 증례 중심의 교육이 현행 교육에 병행되어야 한다고 생각합니다.

특히 심장 영상의 판독에서는 진부한 증례들에 함몰되어 오판에 이르게 되는 경우가 드물지 않습니다. 따라서 다양한 영상 및 진료 소견에 대해 집중적으로 공부를 할 필요가 있습니다. 기존에 증례들을 모아놓은 책이 부재한 관계로 지금까지 이런 학습은 교실 단위의 간담회에서 주로 이루어져 왔습니다. 금번 발간되는 "Multimodality Imaging in Cardiovascular Disease"은 심장 영상을 공부함에 있어 증례 중심의 교육이 더 보편적으로 시행될 수 있는 기회를 제공하는 귀중한 성과입니다. 편집자인 조구영 교수뿐 아니라 모든 교원, 실원들의 노고에 다시 한 번 찬사를 드립니다. 또한 나날이 변하고 발전하는 의학지식에 발맞추어 시기에 따라 후속편이 나오기를 희망합니다.

부디 이 저서가 한 사람이라도 더 많은 의사들에게 읽혀져 심장 영상학 분야를 넘어 심장 질환 진단의 청사진이 되기를 바랍니다.

감사합니다.

2021년 03월
서울의대 명예교수
전 서울대학교병원 순환기내과 분과장 및 심혈관 센터장

손 대 원

Contents

CHAPTER

I

1

관상동맥질환/허혈성 심질환
(Coronary Artery Disease/
Ischemic Heart Disease)

CHAPTER

II

31

판막질환
(Valvular heart disease)

CHAPTER

III

79

심근증
(Cardiomyopathy)

Contents

Contents

책 속 QR코드 인식법

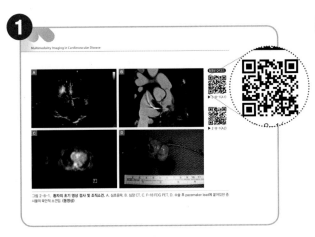

기본 카메라 어플 실행 후
QR코드 가까이 카메라 렌즈를 가져갑니다.

스캔이 될 때까지 촬영버튼을 누르지 말고 기다립니다.

QR코드가 인식되면, 화면에 메시지가 뜹니다.
메시지를 클릭하면 동영상이 재생됩니다.

동영상을 확인합니다.

※ 해당 방법으로 QR 코드 인식이 어려운 경우,
네이버 QR코드 인식을 이용하거나, 카메라 설정에서 QR 코드 스캔 기능을 활성화하시길 바랍니다.

관상동맥질환/허혈성 심질환 (Coronary Artery Disease/Ischemic Heart Disease)

1. 관상동맥의 주행

좌주간지(left main, LM)는 좌측 대동맥동(left coronary sinus)에서 기시하여 좌전하행지(left anterior descending artery, LAD)와 좌회선지(left circumflex artery, LCX)로 분지한다(그림 1-1-1A). LAD는 앞심실사이고랑(anterior interventricular groove)을 따라 주행하며 중격분지(septal branch)와 사선분지(diagonal branch)를

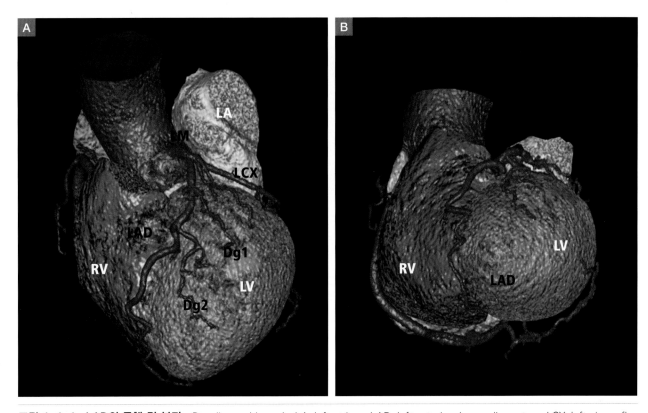

그림 1-1-1. LAD의 주행 및 분지. Dg=diagonal branch, LA=left atrium, LAD=left anterior descending artery, LCX=left circumflex artery, LM=left main, LV=left ventricle, RV=right ventricle

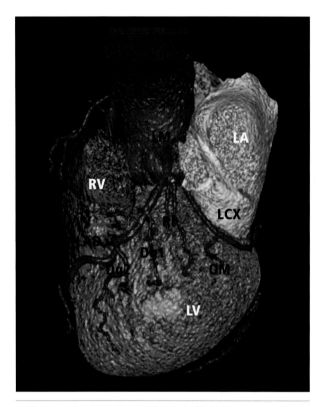

그림 1-1-2. Dg, RI, 그리고 OM의 주행. Dg=diagonal branch, LA=left atrium, LAD=left anterior descending artery, LCX=left circumflex artery, LM=left main, LV=left ventricle, OM=obtuse marginal branch, RI =ramus intermedius, RV=right ventricle

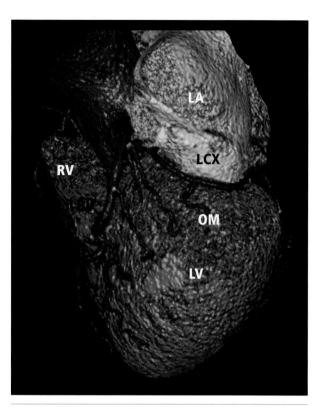

그림 1-1-3. LCX의 주행 및 분지. LA=left atrium, LAD=left anterior descending artery, LCX=left circumflex artery, LV=left ventricle, OM=obtuse marginal branch, RV=right ventricle

낸다. Septal branch는 심실중격(interventricular septum)을 향해 순차적으로 수직으로 분지하여 심실중격에 혈류를 공급하고, diagonal branch는 좌심실의 전측벽(anterolateral wall)을 향해 주행한다(그림 1-1-1A). 이후 LAD는 심첨부(apex)에 도달, 심첨부를 싸고 돈다(그림 1-1-1B).

중간가지분지(ramus intermedius, RI)는 LAD와 LCX 사이에서 기시하며, 첫 번째 diagonal branch 와 유사하게 좌심실 전측벽에 혈류를 공급한다(그림 1-1-2). LCX는 좌심방아래 좌방실고랑(left atrioventricular groove)을 따라 심장 뒤쪽으로 주행하면서 둔각변연분지(obtuse marginal branch, OM)를 내서 좌심실 측벽(lateral wall)에 혈류를

공급한다(그림 1-1-2, 1-1-3).

우관상동맥(right coronary artery, RCA)은 우측 대동맥동에서 기시하여 우측방실고랑(right atrioventricular groove)을 따라 심장하부까지 주행한다(그림 1-1-4A). RCA는 심장하부에서 후하행지(posterior descending artery, PDA)와 후측분지(posterolateral branch, PL)로 분지하는데, PDA는 LAD에 대칭으로 후심실중격에 혈류를 공급하고, PL은 좌심실의 하측벽(inferolateral wall)을 향해 주행한다(그림 1-1-4B). 약 85%의 환자에서 PDA와 PL이 RCA로부터 분지되는 우측 우세(right dominance)가 관찰되지만, 약 15%의 환자에서는 두 혈

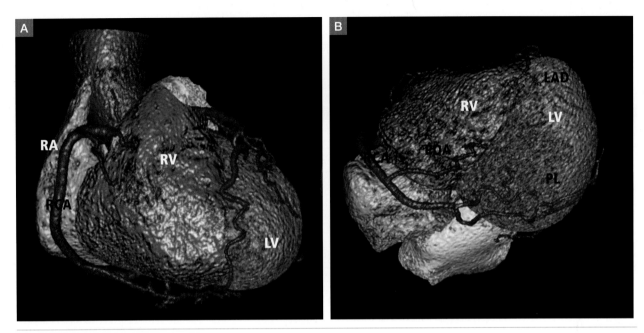

그림 1-1-4. RCA의 주행 및 분지. LAD=left anterior descending artery, LV=left ventricle, PDA=posterior descending artery, PL=posterolateral branch, RCA=right coronary artery, RA=right atrium, RI =ramus intermedius, RV=right ventricle

관이 모두 LCX에서 기시하는 좌측 우세(left dominance), 또는 PDA는 RCA에서, PL은 LCX에서 각각 기시하는 균형 우세(balanced dominance)가 관찰된다.

2. 협심증

흉통을 주소로 내원하는 환자에서 흉통이 관상동맥 질환으로 인한 증상인지 감별하는 것은 매우 중요하다. 관상동맥의 죽상경화로 인한 심근허혈이 운동 시 악화되는 흉통을 유발하는 경우가 가장 흔하며, 이러한 증상이 수 주 이상 변화가 없는 경우를 안정형 협심증(stable angina)이라고 한다. 불안정형 협심증(unstable angina)은 질병의 병태생리 및 임상양상이 심근경색(myocardial infarction)

과 비슷하며, 이 두 질환을 묶어 급성 관동맥 증후군(acute coronary syndrome)이라고 칭한다. 불안정형 협심증은 안정형 협심증과 달리, 안정 시, 최근에 시작된, 점차 심해지는 흉통을 보이는 것이 특징이다. 그러나 협심증의 임상양상은 다양하기 때문에, 의심되는 경우 여러 검사를 통해 평가하고 정확히 진단할 필요가 있다.

증례. 안정형 협심증(Stable angina)

56세 남자가 수 개월 전 시작된 비특이적인 흉통을 주소로 내원하였다. 신체 검진 시 특이 소견은 관찰되지 않았으나, 심전도(electrocardiography, ECG)에서 하부 유도의 Q파와 T파 역위(Q wave and T wave inversion in inferior leads)가 관찰되어, 하벽의 오래된 심근경색(infe-

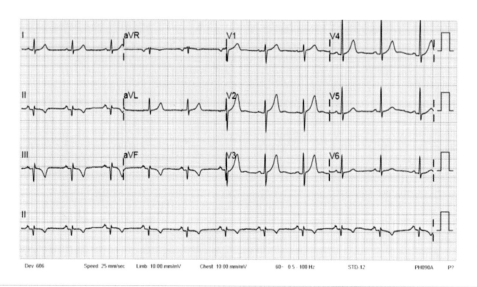

그림 1-2-1. **ECG 소견.** 하부 유도의 비정상 Q파와 T파 역위가 관찰되어 오래된 심근경색을 의심함.

rior old myocardial infarction)을 의심하였다(그림 1-2-1).

심초음파에서 좌심실 수축기능은 정상이었고(좌심실구혈률 56%), 기저부(base)부터 심첨부에 걸친 하벽(inferior wall)과 중간 하측벽(mid inferolateral wall)의 무운동증(akinesia)이 관찰되어, RCA 협착이 의심되었다(그림 1-2-2).

관상동맥의 평가를 위해 심장 CT를 시행하였고, RCA에 전반적인 비석회화 죽상경화반(noncalcified plaque) (그림 1-2-3C 화살표)이 있으며, 특히 중간부에 매우 심한 협착 소견이 확인되었다(그림 1-2-3).

RCA의 협착과 그로 인한 하벽의 심근경색의 가능성을 고려하여 하벽의 생존능을 평가하기 위해 심장 MRI (CMR)를 시행하였다. Cine MRI에서 좌심실의 크기 및 수축기능은 정상이었고(좌심실구혈률 57%) 국소벽 운동

장애의 위치 또한 심초음파와 일치하였다(그림 1-2-4A-C). 부하 심근관류 MRI (stress−rest perfusion MRI)에서는 부하기에 기저부부터 중간부의 하벽과 측벽에 관류저하가 확인되어, RCA의 협착에 의해 심근허혈이 발생함을 확인할 수 있었다(그림 1-2-4D-F). 지연조영증강 MRI (late gadolinium enhancement MRI, LGE−MRI)에서는 좌심실 하벽과 측벽에 LGE가 관찰되었으나 경벽침범도(transmurality)가 심내막하에 국한되어 해당 부위의 심근생존능이 있음을 확인하였다(그림 1-2-5A-E).

이에 관상동맥 조영술(coronary angiography, CAG)을 시행하였고 mid RCA에 완전폐쇄(total occlusion)가 관찰되어, 경피적 관상동맥중재술(percutaneous coronary intervention, PCI)을 시행하였다(그림 1-2-6).

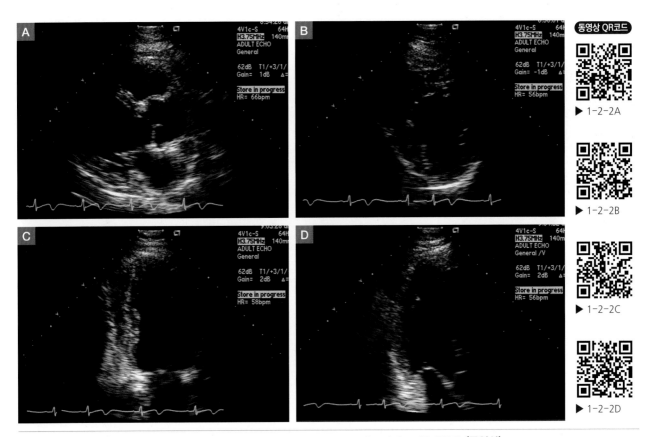

동영상 QR코드

▶ 1-2-2A

▶ 1-2-2B

▶ 1-2-2C

▶ 1-2-2D

그림 1-2-2. **심초음파 소견.** 좌심실구혈률은 정상이었으나, RCA 영역의 국소벽 운동장애 소견이 확인됨. **(동영상)**

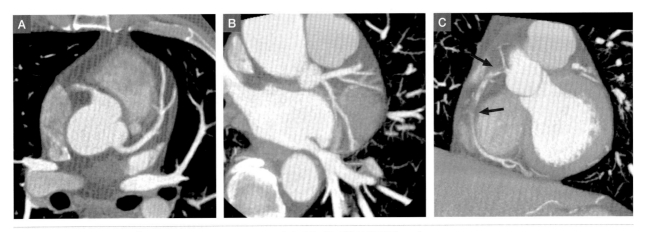

그림 1-2-3. **심장 CT 소견.** Mid RCA에 비석회화 죽상경화반에 의한 심한 협착이 관찰됨(➡).

Cine MRI

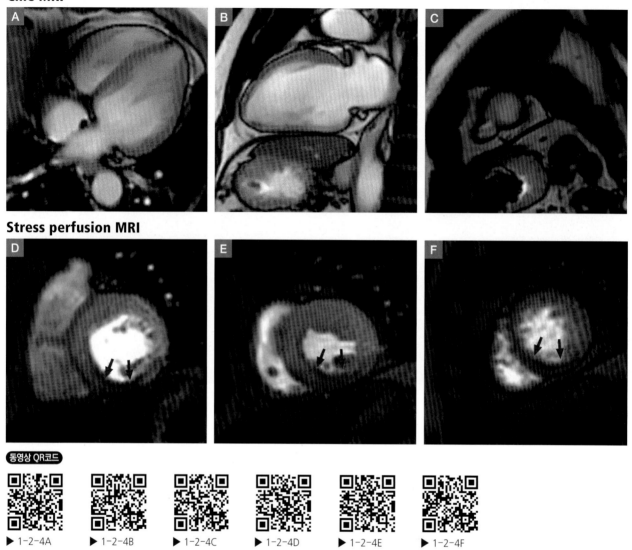

Stress perfusion MRI

동영상 QR코드

▶ 1-2-4A ▶ 1-2-4B ▶ 1-2-4C ▶ 1-2-4D ▶ 1-2-4E ▶ 1-2-4F

그림 1-2-4. **CMR 소견.** Cine MRI에서 심초음파와 일치하는 좌심실 기저부부터 심첨부까지 하벽 전체, 측벽 중간부의 국소벽 운동장애가 관찰되었고 (A-C), 부하 심근관류 MRI에서는 동일한 위치에서 부하기에만 유발되는 관류저하가 확인됨(D-F). **(동영상)**

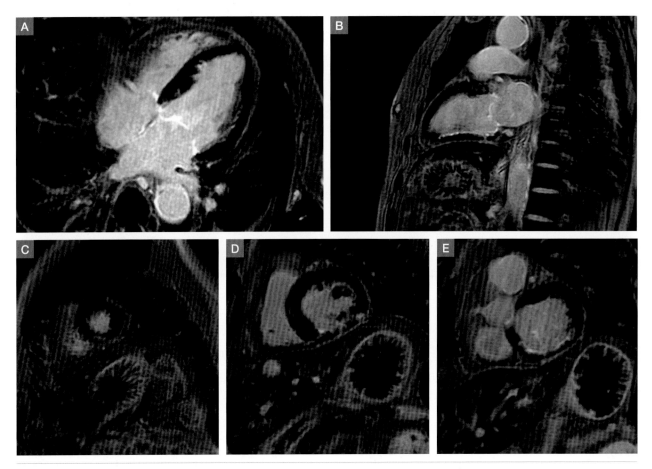

그림 1-2-5. CMR 소견. 지연조영증강 MRI (LGE-MRI)에서 RCA 영역인 하벽과 측벽의 LGE가 관찰되었으나 심내막하에 국한된 소견으로, 심근생존능이 있을 것으로 판단함.

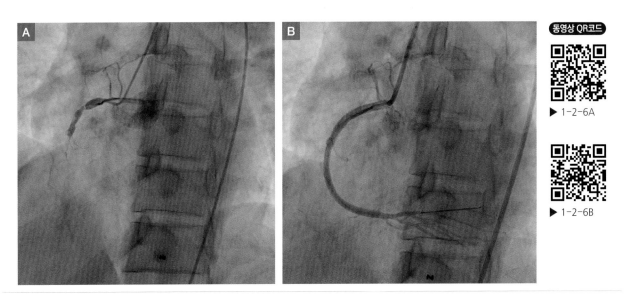

그림 1-2-6. CAG 소견. Mid RCA의 완전폐쇄 소견(A)이 확인되었으며, 비침습적 영상검사를 통해 RCA 영역의 심근허혈 및 심근생존능이 확인되었기 때문에 PCI를 시행함(B). **(동영상)**

협심증의 비침습적 영상학적 평가

협심증의 평가 및 진단을 위해 적절한 대상 환자에서 필요한 심장영상검사를 선택하는 것이 중요하다. 이를 위해서는 각 영상검사의 특성과 장단점을 이해하고, 환자의 증상 및 위험인자를 통해 임상적으로 협심증의 가능성이 어느 정도인지를 평가하는 것이 필요하다. 증상과 위험인자로 평가한 협심증의 가능성이 매우 높거나 매우 낮은 환자에서는 협심증 진단을 위해 비침습적 영상검사를 시행하는 것을 권고하지 않으며, 협심증의 가능성이 중등도로 평가되는 경우에 비침습적 영상검사를 적극적으로 활용할 수 있다. 협심증의 가능성이 높다면 영상검사의 음성예측도(negative predictive value)가 낮아 검사가 음성인 경우에도 협심증의 가능성을 배제하기 어렵다. 그렇기 때문에 영상검사를 활용하기 보다는 약물치료를 시작하고, 침습적인 CAG를 고려하는 것이 바람직하다. 반면 임상적으로 협심증의 가능성이 낮은 경우에는 위양성(false positive)의 가능성이 높아 검사의 유용성이 떨어지며, 증상을 유발하는 다른 원인을 찾아보는 것이 바람직하다. 결국 협심증의 가능성이 중등도로 평가되는 환자에서 주로 비침습적 심장영상검사를 고려하는데, 일차적으로 관상동맥의 해부학적 협착을 평가하는 심장 CT, 또는 심근허혈을 평가하는 기능적 영상검사가 활용된다.

심장 CT는 비침습적으로 관상동맥을 영상화하여 관상동맥 협착을 진단한다. CAG와 비교했을 때, 유의한 협착을 진단하는 심장 CT의 민감도는 100%에 가까울 정도로 높기 때문에, 임상적으로 협심증의 가능성이 높지 않은 환자들에서 관상동맥질환을 배제하는데 유용하게 활용된다. 또한 심장 CT는 CAG와 달리 관상동맥의 죽상경화반을 직접 영상화한다는 특징이 있다. 따라서 내강협착의 정도를 평가하는 것에 추가로 죽상경화반의 특성을 확인할

수 있어, 보다 정확한 위험도 평가가 가능하다. 예를 들어, 내강협착이 심하지 않더라도 경화반의 부피가 크고, 양성 재형성(positive remodeling)되어 있으면 파열의 위험성이 높다고 평가한다. 또한 죽상경화반 내부의 감쇠가 저하된 소견을 보이면 이는 죽상경화반 내부에 괴사성 핵과 많은 염증세포가 동반되었을 가능성이 높음을 시사하며, 죽상경화반에 점상 석회화(spotty calcification)가 동반된 경우도 역시 파열 위험성과 관계가 있음이 보고된 바 있다. 그리고 이러한 특징이 동시에 나타나 급성 관동맥 증후군의 발생 위험이 높은 죽상경화반은 단면의 모양이 냅킨을 끼워 고정하는 고리와 닮았다고 하여, 냅킨고리징후(napkin-ring sign)라고 묘사하기도 한다(그림 1-2-7).

한편 심장 CT는 관상동맥 석회화가 심한 환자에서 석회화로 인한 blooming artifact로 인해 내경협착을 정확하게 평가하기 어려우며, 심박동이 불규칙한 환자에서는 ECG-gating이 잘 되지 않아 움직임에 의한 허상(motion artifact)이 발생하고 영상의 질이 저하될 수 있다는 제한점이 있다. 그러나 무엇보다 중요한 심장 CT의 제한점은 심장 CT에서 해부학적으로 유의한 협착이 관찰되었다고 해서 그 협착으로 인해 심근허혈이 발생하는지를 평가할 수 없다는 것이다. 관상동맥 재관류술(coronary revascularization)을 통해 임상결과를 개선할 수 있는 환자군을 선별하는 것, 즉 재관류술 시행여부를 결정하는데 있어서 중요한 것은 해부학적 협착의 중증도가 아니라 해당 협착 병변이 심근허혈을 유발하는지 여부이기 때문에, 임상적으로 협심증의 가능성이 높은 환자들에서는 심근허혈을 평가하는 기능적 영상검사가 보다 유용하다고 할 수 있다.

비침습적으로 심근허혈을 평가하기 위해 흔히 사용되는 영상기법으로는 운동 또는 도부타민(dobutamine)을 활용한 약물 부하 후 국소벽 운동이상이 발생하는지를 평가하는 부하 심초음파 검사와 디피리다몰(dipyridamole) 또는 아데노신(adenosine)과 같은 혈관확장제를 활용한 약

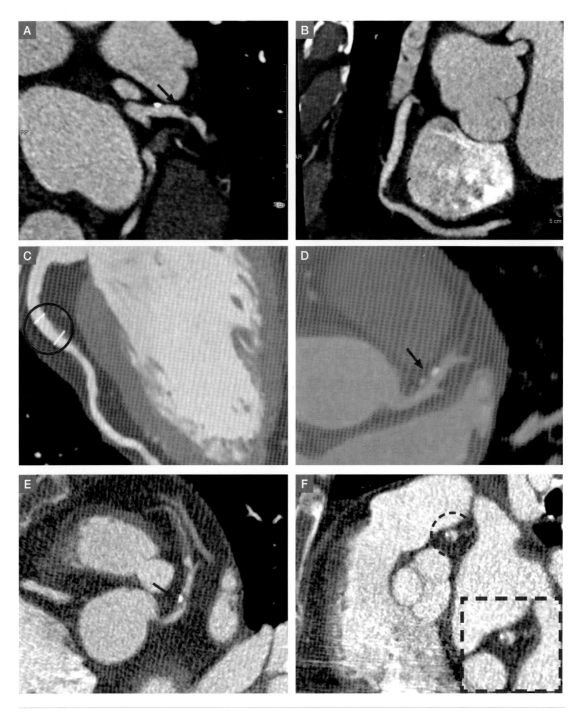

그림 1-2-7. 심장 CT에서 파열 위험성이 높다고 평가되는 죽상경화반 특성. 심장 CT에서는 죽상경화반을 직접 영상화하기 때문에 그 특성을 평가할 수 있음. 죽상경화반 내부가 30 Hounsfield Unit 미만의 저감쇠 소견을 보이는 경우 상대적으로 불안정하다고 평가함(A,B). 또한, 정상 혈관 부위에 비해 죽상경화반이 있는 부위의 직경이 10% 이상 증가하는 경우(remodeling index ≥ 1.10)를 양성재형성이라고 정의하며, 죽상경화반의 크기가 크고 양성재형성이 동반된 경우에도 그렇지 않은 경우보다 불안정하다고 평가함(C). 일반적으로 죽상경화반의 석회화는 관상동맥의 죽상경화증(coronary atherosclerosis)이 오랜 시간에 걸쳐 진행된 상태로 파열의 위험성이 높지 않다는 것을 시사하지만, 점상 석회화가 관찰될 때에는 파열에 취약한 죽상경화반의 가능성을 염두에 두어야 한다고 알려져 있음(D). 파열위험이 높은 얇은 섬유막이 덮인 죽상경화반(thin-cap fibroatheroma)은 이러한 소견들이 동시에 여러 개가 나타나서 내부에 저감쇠의 괴사성 핵이 고감쇠의 덮개에 둘러싸여 있으며 점상 석회화가 동반되는 형태로 관찰될 수 있는데, 이때 병변부위의 단면이 냅킨을 끼우는 고리와 비슷하다고 하여 냅킨고리징후라고 부름(E,F).

Report of

Name
ID
Gender
BirthDate
Height 1.63 m
Weight 64 kg
Description PET^5_Ammoni_Heart_Stess_gated_PET (Adult)
Institute SNUH_PET
Radiopharma Ammonia
Isotope Ammonia

Model name 2TCM (Hutchins et al 1990)
Input function LvInput
Carimas v 2.8
Date

	Stress	Rest	Reserve
GLOBAL	2.274	0.837	2.719
Bas_Ant	1.471	0.779	1.889
Bas_AS	2.390	0.798	2.994
Bas_IS	2.967	0.815	3.640
Bas_Inf	1.788	0.702	2.548
Bas_IL	1.433	0.760	1.886
Bas_AL	1.666	0.848	1.964
Mid_Ant	2.740	0.956	2.865
Mid_AS	4.327	0.973	4.446
Mid_IS	3.641	0.919	3.962
Mid_Inf	1.801	0.798	2.257
Mid_IL	1.409	0.875	1.611
Mid_AL	1.672	0.981	1.705
Ap_Ant	2.827	0.899	3.144
Ap_Sep	4.321	1.053	4.102
Ap_Inf	2.550	1.053	2.421
Ap_Lat	1.538	0.875	1.758
Apex	2.356	0.798	2.952

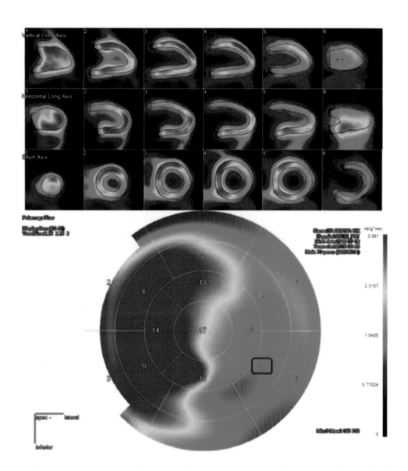

그림 1-2-8. **심근 PET의 예시.** ¹³N-Ammonia PET의 경우, 부하기와 휴식기의 혈류량을 측정해서 이로부터 관상동맥 혈류 예비력을 계산할 수 있어, 관상동맥 혈류 예비력이 낮은 분절(▭)을 찾아 재관류술이 필요한 부위를 특정할 수 있음.

물 부하 후 심근의 관류저하가 유발되는지를 평가하는 심근 SPECT, 심근 PET 등의 핵의학 영상검사가 있다. CMR을 활용해서도 심근허혈을 평가할 수 있는데 도부타민 부하 후 국소벽 운동이상이 발생하는지 평가하는 도부타민 부하 cine MRI도 가능하고, 디피리다몰이나 아데노신 부하 후 심근 관류저하가 유발되는지 평가하는 부하 심근관류 MRI도 가능하다. CMR의 경우 부하검사 후 LGE-MRI를 추가로 획득하면 심근허혈에 추가적으로 심근생존능을 평가할 수 있다는 장점이 있다. 대체로 심근관류를 평가하는 영상기법이 더 민감한 반면, 국소벽 운동이상을 평가하는 영상기법은 보다 특이적이다.

혈역학적으로 유의한 관상동맥 협착을 진단하는데 있어 운동 또는 약물부하 심초음파의 평균 민감도는 77%, 특이도는 75%이며, 심근 SPECT의 평균 민감도는 86%, 특이도는 74%이다. 심근 SPECT보다 심근 PET는 비교적 짧은 시간에 낮은 방사선 노출로 심근관류를 정량화할 수 있다는 장점이 있으며, 진단의 정확도가 높다고 알려져 있는데, 이는 체계적인 감쇠보정기법을 통해 위양성을 줄여 특이도를 높이고, 공간해상도가 높아서 위음성을 낮춰 민감도를 높일 수 있기 때문이다. 또한 시간해상도가 높아서

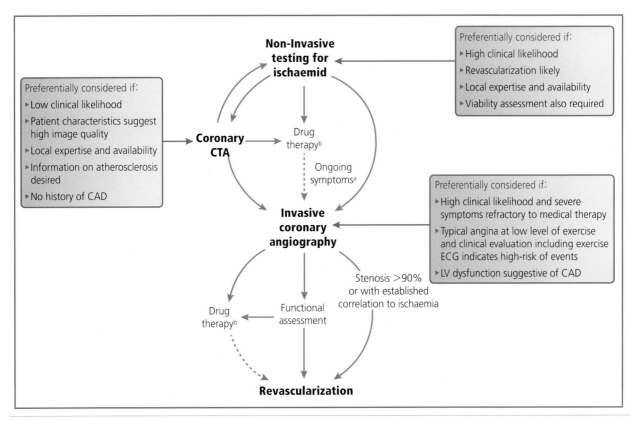

그림 1-2-9. 협심증 환자의 진단 방법. 2019년 유럽심장학회에서 발표한 협심증이 의심되는 증상이 있는 환자의 진단경로는 다음과 같음. a. 미세혈관협심증(microvascular angina) 의심, b. 항협심증 약물 ± 위험인자 관리

실제 심근혈류의 정량적 평가가 가능하다는 장점이 있다(그림 1-2-8). 부하 전후 분절별 심근혈류를 측정하면 관상동맥 혈류예비력(coronary flow reserve, CFR)을 계산할 수 있고, CFR 2.0 미만으로 저하된 경우 심근허혈 및 재관류술 이후의 좋지 않은 예후와 유의한 관련이 있다. 부하 CMR의 경우 심근관류를 평가할 경우 민감도와 특이도는 각각 84%, 85%이고 국소벽 운동이상을 평가할 경우 민감도와 특이도는 각각 89%와 84%이다.

심근허혈의 평가를 위해 비침습적 심장영상검사를 선택할 때에는 검사의 부작용에 대한 고려가 필요하다. 심장 CT나 심근 SPECT는 방사선 노출에 대한 고려가 필요하며, 심장 CT나 CMR은 촬영 시 각각 요오드(iodine) 및 가돌리늄(gadolinium) 조영제의 부작용을 염두에 두어야 한다. 또한 약물부하 검사에서는 부하를 위해 사용되는 도부타민 또는 아데노신이나 디피리다몰의 금기가 없는지, 약물의 부작용에 대해 고려해야 한다. 임상의는 환자가 가지는 득실을 따져 가장 이득이 큰 검사 방법을 선택할 필요가 있다. 2019년 유럽심장학회의 가이드라인에서 제시한 협심증의 진단경로는 위의 그림과 같다(그림 1-2-9).

3. 심근생존능의 평가

허혈성 심질환 환자에서 심근의 수축기능이 저하된 경우 심근생존능을 확인하는 것이 치료방침을 결정하거나 예후를 예측하는데 중요하다. 예를 들어 심근경색 환자에서 심근의 수축기능 저하가 주로 심근괴사 또는 반흔 때문이라면 관상동맥 재관류술로 심근수축능의 회복을 기대할 수 없는 반면, 기절심근(stunned myocardium)의 경우,

즉 관상동맥의 폐쇄로 인해 일시적인 급성 허혈이 있었지만 심근 조직의 대부분이 손상되기 전에 적절히 재관류가 된 경우에는, 재관류 직후는 심근수축능이 저하되어 있지만 수일에서 수주 후에는 심근수축능의 회복을 기대할 수 있다. 동면심근(hibernating myocardium)은 심한 관상동맥 협착으로 장기간 혈류가 저하되어 심근의 산소요구량을 감소시키기 위해 심근수축능이 저하된 상태로, 재관류술을 통해 심근수축능을 회복시킬 수 있다.

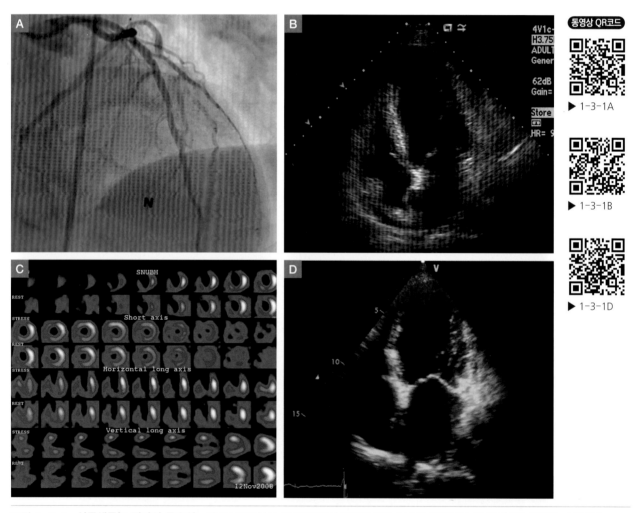

동영상 QR코드

▶ 1-3-1A

▶ 1-3-1B

▶ 1-3-1D

그림 1-3-1. 심근생존능 평가의 중요성. 43세 남자가 급성 심근경색으로 내원하여 응급 CAG를 시행하여 LAD의 폐쇄를 확인하고 성공적으로 PCI를 시행하였음(A). 당시 시행한 심초음파 검사에서 LAD 영역의 광범위한 벽운동장애가 확인되었으며(B) 심근 SPECT에서는 부하/휴식기 영상 모두에서 심근 관류저하가 확인되었으나 24시간 지연 재분포 영상을 획득하지 않아 심근생존능을 확인할 수 없었음(C). 6년 후 시행한 심초음파 검사를 보면 성공적인 재관류술에도 불구하고 해당 부분의 심근수축능이 회복되지 못하였음을 확인할 수 있었음(D). **(동영상)**

증례 1. 심부전이 동반된 허혈성 심질환에서 심근 생존능의 평가(Viability assessment in ischemic heart disease with heart failure)

42세 남자가 기침을 주소로 내원하였으며, 흉부 X선 검사와 CT 검사에서 폐부종과 양측의 흉수가 확인되어 심부전을 의심하였다(그림 1-3-2). 흉부 CT에서는 좌심실 심첨부의 관류저하가 관찰되어, 허혈성 심질환으로 인해 심부전이 유발되었음을 추정할 수 있었다(그림 1-3-3).

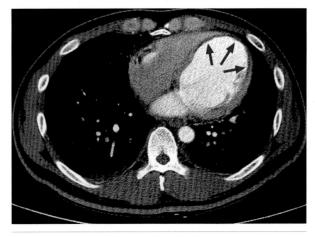

그림 1-3-3. **흉부 CT 소견.** 좌심실 심첨부의 관류저하가 관찰되어, 허혈성 심질환을 의심함.

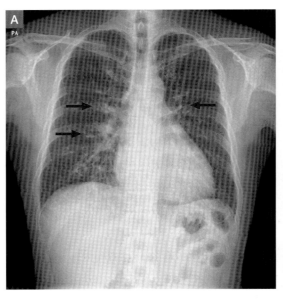

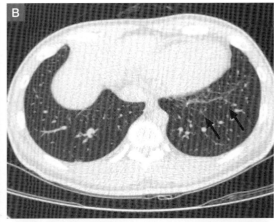

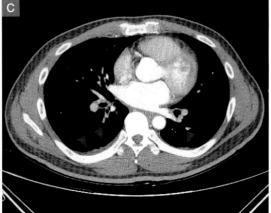

동영상 QR코드

▶ 1-3-2B　　▶ 1-3-2C

그림 1-3-2. **흉부 X선 검사 및 흉부 CT 소견.** 폐부종(➡)과 양측의 흉수(▶)가 확인되어 심부전을 의심함. **(동영상)**

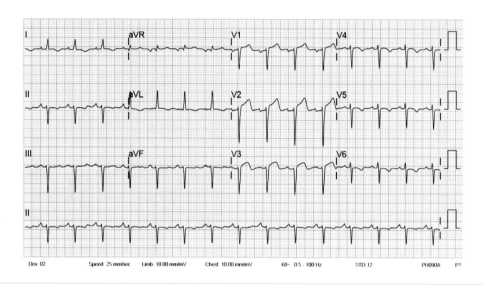

그림 1-3-4. ECG 소견. Poor R progression 및 좌전섬유속차단이 확인됨.

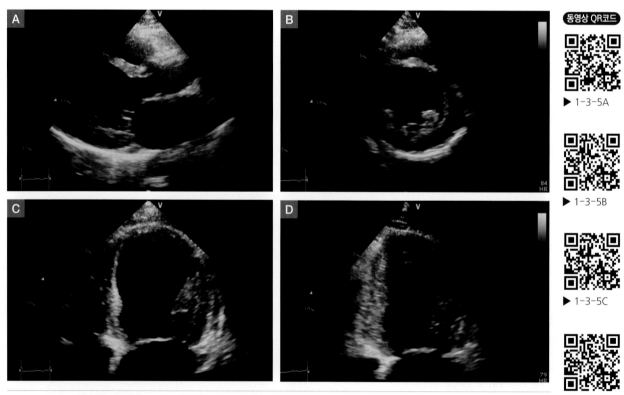

동영상 QR코드

▶ 1-3-5A

▶ 1-3-5B

▶ 1-3-5C

▶ 1-3-5D

그림 1-3-5. 심초음파 소견. 좌심실 확장 및 심한 수축기능 저하 소견이 확인되었으며 다혈관질환을 의심하게 하는 다발성 국소벽 운동장애 소견이 확인됨. **(동영상)**

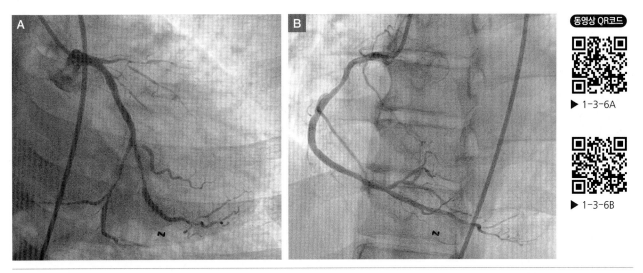

동영상 QR코드
▶ 1-3-6A
▶ 1-3-6B

그림 1-3-6. CAG 소견. Proximal LAD의 완전 폐쇄 및 distal LCX 및 OM의 내경 협착 90% 정도의 심한 협착이 확인됨(**A**). RCA는 근위부에 내경 협착 40% 정도의 경도의 협착만 확인됨(**B**). **(동영상)**

ECG에서는 poor R progression 및 좌전섬유속차단(left anterior fascicular block)이 확인되었다(그림 1-3-4). 심초음파 검사에서 좌심실은 확장되어 있었으며 수축기능은 심하게 저하된 소견이었다(좌심실 이완기말 직경 59 mm, 좌심실구혈률 19%). 심첨부와 심실 전중격(anteroseptum)의 무운동증 및 심근 두께의 감소(thinning), 중간 전벽(mid anterior wall)의 무운동증이 관찰되었고, 하벽과 하측벽의 저운동증(hypokinesia)이 관찰되어 다혈관질환을 의심하였다(그림 1-3-5). CAG를 시행하였을 때 proximal LAD의 완전 폐쇄 및 distal LCX와 OM에 내경 협착 90% 정도의 심한 협착이 확인되었다(그림 1-3-6).

PCI를 시행하기 전에 심근생존능을 확인하기 위하여 CMR을 시행하였을 때, LGE−MRI에서 LAD 영역인 심첨부의 전벽과 중격, 그리고 심실 전중격은 전층(transmural) 심근경색이 관찰되어 심근생존능이 없을 것으로 판단된 반면, LCX 영역인 하벽과 하측벽은 LGE가 관찰되지 않아 심근생존능이 있을 것으로 판단하였다(그림 1-3-7). 이에 distal LCX와 OM에 PCI를 시행하였다(그림 1-3-8). PCI 시행 2개월 후 심초음파 검사를 시행하였을 때, 좌심실 수축기능의 호전이 관찰되었으며(좌심실구혈률 37%), 특히 하벽과 하측벽의 운동능이 정상화된 소견이 관찰되었다(그림 1-3-9).

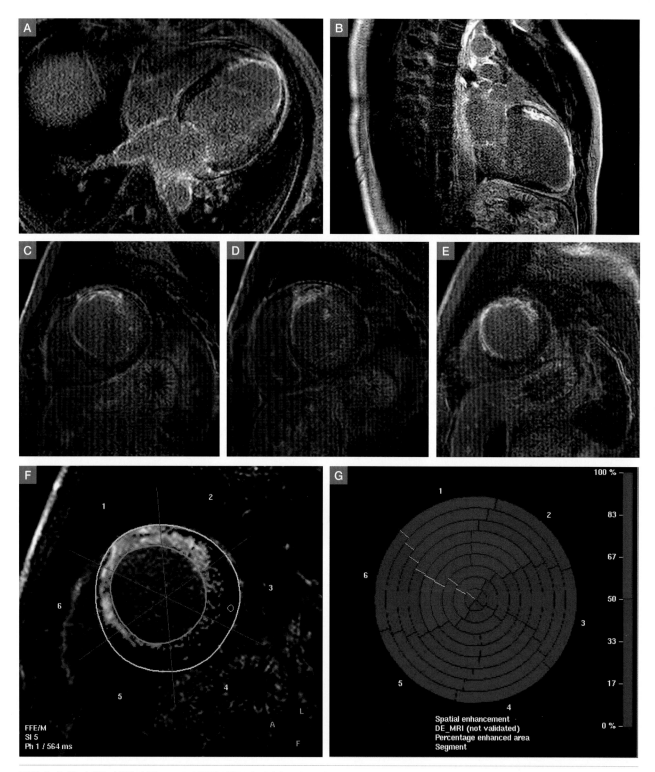

그림 1-3-7. LGE-MRI 소견. LAD 영역인 심첨부의 전벽과 중격, 그리고 심실 전중격은 전층 심근경색이 관찰되어 심근생존능이 없을 것으로 판단된 반면, LCX 영역이 하벽과 하측벽은 LGE가 관찰되지 않아 심근생존능이 있을 것으로 판단함(A-E). 심근경색을 정량적으로 평가하였을 때 LAD 영역의 경벽침범도가 모두 50% 이상으로 평가됨을 알 수 있음(F-G).

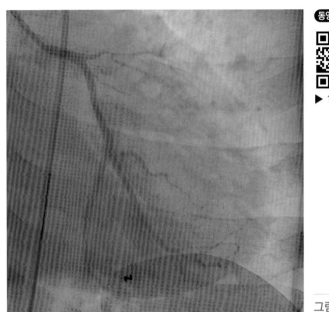

동영상 QR코드

▶ 1-3-8

그림 1-3-8. **CAG 소견.** Distal LCX와 OM에 PCI를 시행함. **(동영상)**

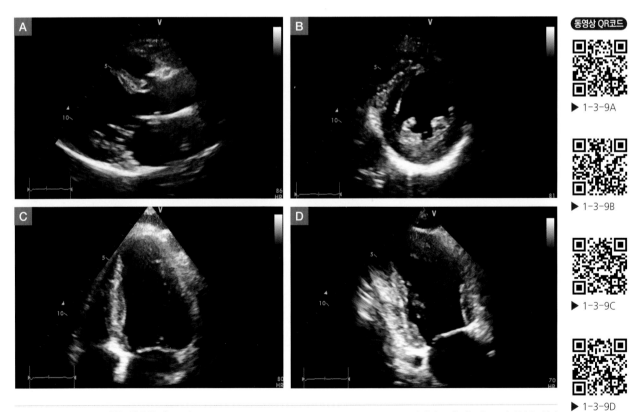

동영상 QR코드

▶ 1-3-9A

▶ 1-3-9B

▶ 1-3-9C

▶ 1-3-9D

그림 1-3-9. **PCI 이후 심초음파 소견.** PCI 시행 2개월 후 심초음파 검사를 시행하였을 때, 좌심실 수축기능은 호전되었으며(좌심실구혈률 37%), 특히 하벽과 하측벽의 운동능이 정상화된 소견이 관찰됨. **(동영상)**

증례 2. 심근생존능이 있는 만성완전폐쇄병변 (Chronic total occlusion with viable myocardium)

54세 남자가 운동시 발생하는 흉통을 주소로 내원하였다. ECG에서는 하벽의 비정상 Q파와 전측벽부의 T파 역위소견을 보였고(그림 1-3-10) 흉부 X선 검사는 경도의 심비대가 확인되었다(그림 1-3-11). 심초음파 검사에서 좌심실은 확장되어 있었으며 수축기능은 저하된 소견이었다(좌심실 이완기말 직경 62 mm, 좌심실구혈률 33%)(그림 1-3-12). 심근 SPECT에서는 심첨부의 비가역적인 관류 결손(fixed perfusion defect)이 확인되었다(그림 1-3-13). CAG를 시행하였을 때, mid LAD의 내경의 95% 가량 심한 협착과 proximal LCX 및 proximal RCA의 만성완전폐쇄병변(chronic total occlusion, CTO)이 확인되었다(그림 1-3-14).

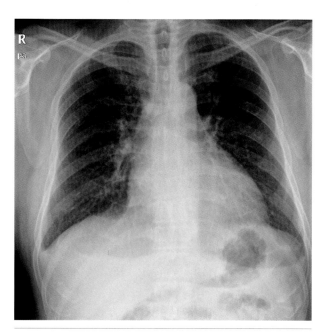

그림 1-3-11. **흉부 X선 검사.** 경도의 심비대 소견을 보임.

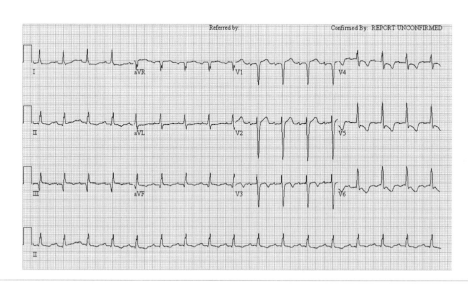

그림 1-3-10. **ECG 소견.** 하벽의 비정상 Q파와 전측벽부의 T파 역위소견이 확인됨.

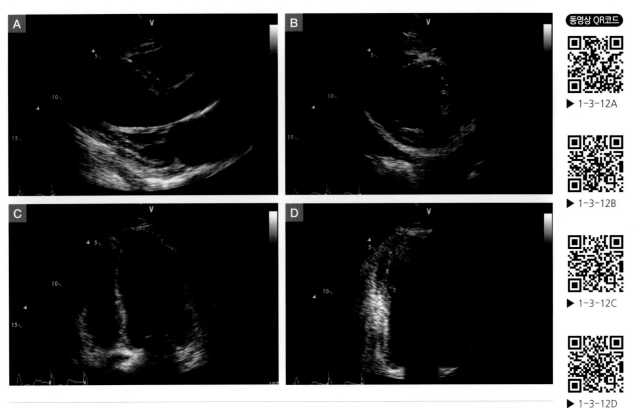

그림 1-3-12. **심초음파 검사 소견.** 좌심실은 확장되어 있었으며, 수축기능은 심근 전반에 걸쳐 저하된 소견임(좌심실 이완기말 직경 62 mm, 좌심실구혈률 33%).

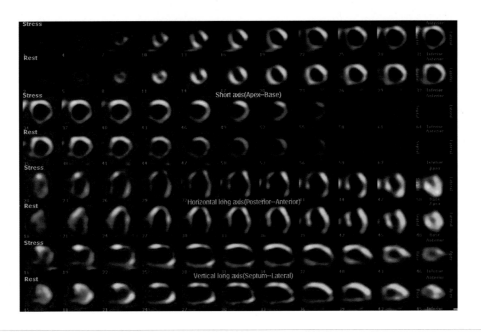

그림 1-3-13. **심근 SPECT 소견.** 심첨부의 비가역적인 관류 결손이 확인됨.

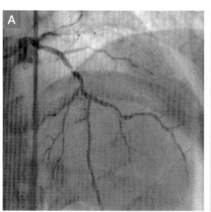
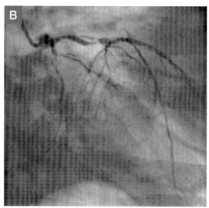
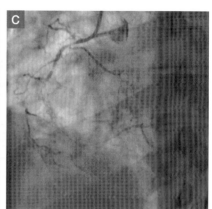

그림 1-3-14. **CAG 소견.** Mid LAD에 내경 95%의 심한 협착과 proximal LCX 및 proximal RCA의 만성완전폐쇄병변(chronic total occlusion, CTO)이 확인됨. **(동영상)**

▶ 1-3-14A ▶ 1-3-14B ▶ 1-3-14C

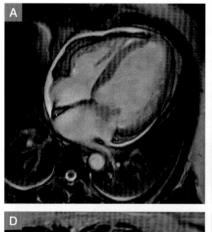
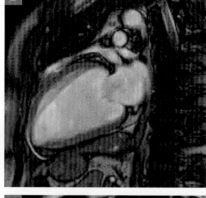
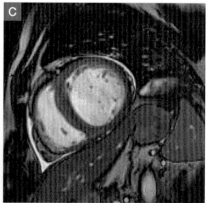
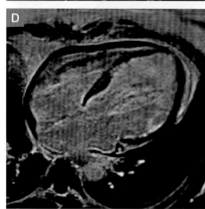
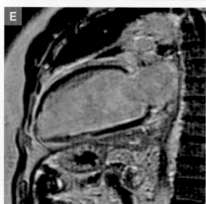
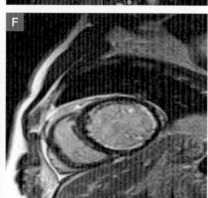

그림 1-3-15. **CMR.** Cine MRI에서 심초음파와 마찬가지로 좌심실 전반의 수축능이 저하된 소견이었으나(A-C), LGE-MRI에서 중격, 하벽, 측벽의 심근경색의 경벽침범도가 모두 50% 이하로 심근생존능이 있다고 판단함(D-F). **(동영상)**

▶ 1-3-15A ▶ 1-3-15B ▶ 1-3-15C

심근생존능을 확인하기 위하여 CMR을 시행하였다. Cine MRI에서 심초음파와 마찬가지로 좌심실 전반의 수축능이 저하된 소견이었으며(좌심실구혈률 33%) (그림 1-3-15A-C) LGE-MRI에서 중격(septum), 하벽, 측벽의 심근경색의 경벽침범도가 모두 50% 이하로 심근생존능이 있다고 판단하고(그림 1-3-15D-F) 관상동맥우회술(coronary artery bypass surgery, CABG)을 통해 세 혈관 모두에 대한 재관류술을 시행하였다.

재관류술 1년 후 CMR 추적검사에서 좌심실 수축능은 완전히 회복된 소견이었으며(좌심실구혈률 57%)(그림 1-3-16A-C), LGE-MRI에서 심근경색 범위의 변화는 관찰되지 않았다(그림 1-3-16D-F).

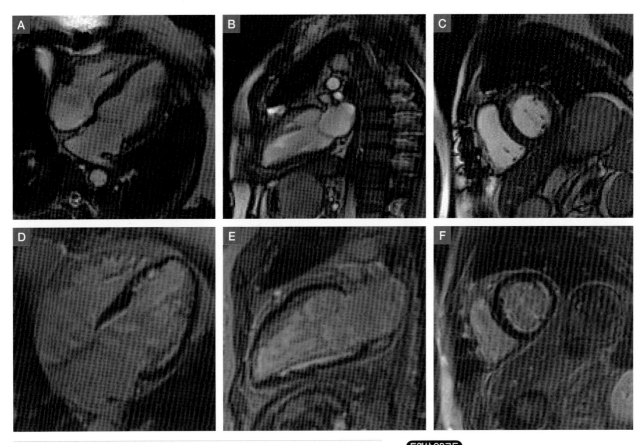

그림 1-3-16. PCI 이후 CMR 소견. 재관류술 1년 후 시행한 CMR에서 좌심실 수축능은 완전히 회복된 소견이었으며(좌심실구혈률 57%)(A-C) LGE-MRI에서 심근경색 범위의 유의한 변화는 관찰되지 않았음(D-E). **(동영상)**

동영상 QR코드

▶ 1-3-16A   ▶ 1-3-16B   ▶ 1-3-16C

> **Keynote**

허혈성 심질환에 의해 좌심실 수축기능이 저하된 환자에서 수축기능이 저하된 부위에 생존심근이 있다면 관상동맥 재관류술을 통해 좌심실 수축기능 호전과 예후 개선을 기대할 수 있다. 따라서 동면/생존심근을 확인하고, 재관류술 시행 여부를 결정하기 위해 심근생존능을 평가하게 되는데, 이때 다양한 영상기법을 활용하여 생존심근의 특성인 정상 세포막, 정상 대사활동, 그리고 수축예비능(contractile reserve)을 평가하여 생존심근을 정성적, 정량적으로 평가할 수 있다.

저용량 도부타민 부하심초음파(low-dose dobutamine stress echocardiography, DSE) 검사는 저용량(10-20 mcg/kg/min)의 도부타민을 투여하여 수축기능이 저하된 심근부위의 수축예비력을 평가한다. 휴식기에 저운동 또는 무운동을 보이던 심근부위의 수축기능이 도부타민 투여 후 호전된다면 동면/생존심근으로 진단하고 재개통술 후 수축기능의 호전을 예측할 수 있다. 메타분석에서 DSE의 평균 민감도와 특이도 각각 84%와 81%이다.

심근 SPECT를 활용해서 생존심근을 진단할 때 흔히 사용되는 추적자(tracer)는 201-Thallium으로 potassium-analogue인 Thallium이 세포막의 Na/K 펌프에 의해 세포 내에 축적되므로 정상세포막을 가진 생존심근을 진단할 수 있다. 주사 후 24시간 지연영상을 획득하여 관류가 저하된 심근 부위로의 재분포(redistribution)를 확인하면 동면/생존심근을 진단할 수 있다. 메타분석에서 평균 민감도와 특이도는 87%와 65% 이다.

CMR에서는 LGE-MRI를 활용해서 생존심근을 평가한다. 가돌리늄은 정상세포막을 통과할 수 없어 세포 외에 분포하는 조영제인데, 세포막이 파괴된 심근경색 부위나 심근섬유화 부위에 축적되기 때문에 조영제 주입 10-30분 후에 획득한 LGE-MRI에서 조영증강을 보인다.

심근벽 두께의 50% 미만에서 조영증강을 보이는 경우 동면/생존심근으로 진단한다. 메타분석에서 LGE-MRI의 평균 민감도와 특이도는 각각 95%와 51% 이다.

심근 PET로 심근생존능을 평가할 때는, 동면심근의 경우 유리지방산(free fatty acid) 대신 포도당(glucose)을 에너지원으로 사용하는 점을 이용하여, ^{18}F-FDG를 동면심근의 대사활성도 추적자로 NH_3를 관류 추적자로 활용한다. 관류는 저하되는 반면 대사활성도는 정상범위로 유지되는 mismatch를 보이는 경우 동면/생존심근을 진단할 수 있다. 메타분석에서 평균 민감도와 특이도는 각각 92%와 63% 이다.

심근생존능을 평가하여 재관류술 시행여부를 결정할 수 있는지 32 개의 관찰연구 결과를 종합한 메타분석 결과를 살펴보면, 좌심실 수축기능이 저하된 심부전 환자에서 생존심근이 있는 경우 재관류술은 약물치료에 비해 사망률을 유의하게 줄였지만(7.3 vs 27.4 %, RR 0.31; 95 % CI 0.25-0.39), 생존심근이 없는 경우 약물치료와 사망률의 차이는 없었다(RR 0.92; 95 % CI 0.78-1.09). 이는 심근생존능 평가의 임상적 유용성을 보여주는 것이지만 후향적 관찰연구라는 제한점 때문에 확정적인 근거라고 할 수는 없다. 심근생존능 평가의 임상적 유용성을 확인한 무작위배정 연구는 많지 않으며, 가장 규모가 큰 것이 STICH 연구의 viability substudy이다. 좌심실구혈률이 35% 미만인 심부전환자에서 재관류술과 약물치료의 성적을 비교한 STICH 연구에는 총 1,212명의 환자가 참여하였는데 이 중 601명에서 SPECT 또는 저용량 도부타민 부하심초음파 검사를 시행하여 심근생존능을 평가하였다. 그런데 생존심근이 확인된 487명의 환자에서 CABG가 약물치료에 비해 우월한 성적을 보이지 못했다(HR 0.86; 95 % CI 0.64-1.16). 따라서 현재까지 보고된 후향적, 전향적 연구들을 종합해볼 때 재관류술 후 좌심실 수축기능의 호전은 여러 요인에 의해 결정되므로 심근생존능을 평가한 결과에만 의존하여 재관류술 시행여부를 결정하는 것은 바람직하지 않을 것으로 생각된다.

CAG후 시행한 심초음파에서 LAD 영역인 심첨부와 전중격 중간부위의 무운동증이 확인되었으며, 좌심실구혈률은 48%였다. 또한 심첨부 중격의 파열이 확인되었으며

4. 심근경색 합병증(Complication after myocardial infarction)

증례 1. 심실중격결손(Ventricular septal defect)

73세 남자가 호흡곤란과 흉통을 주소로 내원하였다. ECG에서 우각차단(right bundle branch block) 및 V4-6의 ST 분절 상승과 Q파가 관찰되었으며(그림 1-4-1), 흉부 X선 검사에서는 폐부종이 확인되었다(그림 1-4-2). 이에 ST 분절상승 심근경색(ST-segment elevation myocardial infarction)을 의심하고 응급 CAG를 시행하여 mid LAD의 혈전으로 인한 완전 폐쇄를 확인하고 이어서 PCI를 시행하였다(그림 1-4-3).

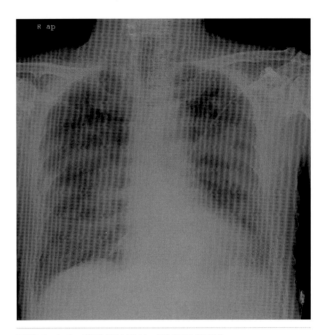

그림 1-4-2. 흉부 X선 검사. 폐부종이 확인됨.

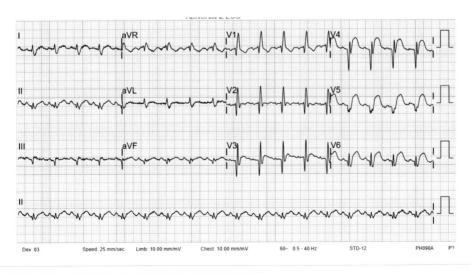

그림 1-4-1. ECG 소견. 우각차단 및 V4-6의 ST 분절 상승과 Q파가 관찰됨.

색도플러 심초음파에서 심실중격결손(ventricular septal defect, VSD)을 통한 단락 혈류가 관찰되었다(그림 1-4-4). 이에 대동맥내 풍선펌프(intra-aortic balloon pump, IABP)를 삽입하고 지지치료를 진행하다 4주 후 성공적으로 수술을 시행하였다.

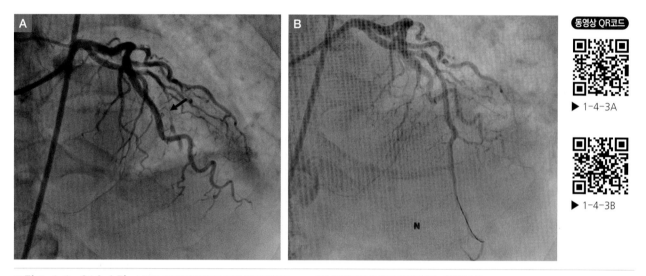

▶ 1-4-3A

▶ 1-4-3B

그림 1-4-3. **CAG 소견.** Mid LAD의 혈전으로 인한 완전폐쇄(A, ◀━━)가 확인되어 PCI를 시행함(B). **(동영상)**

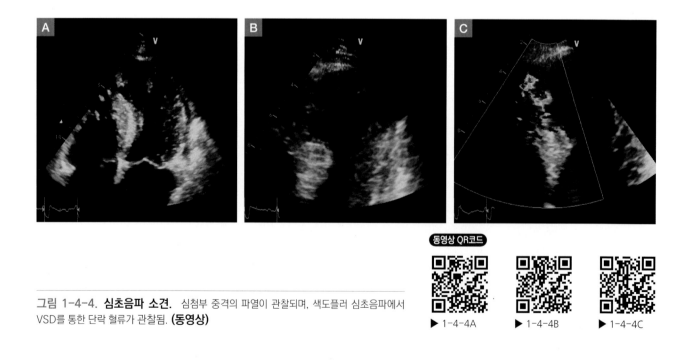

그림 1-4-4. **심초음파 소견.** 심첨부 중격의 파열이 관찰되며, 색도플러 심초음파에서 VSD를 통한 단락 혈류가 관찰됨. **(동영상)**

▶ 1-4-4A   ▶ 1-4-4B   ▶ 1-4-4C

▶ Keynote

VSD

심실중격 파열에 의해서 발생하는 VSD는 급성 심근경색 후 1주 이내에 주로 발생하는데 1% 미만에서 발생하는 드문 합병증이지만 사망률이 50%를 넘는 치명적 질환이다. 심근경색의 합병증으로 VSD가 발생하게 되면, 좌우단락으로 유발된 폐 혈류량 증가로 인한 좌심실 용적과부하와 폐고혈압 때문에 급성 심부전의 증상과 징후를 보이게 된다. 좌흉골연에서 전수축기잡음을 청진해서 VSD를 진단할 수 있다. 하지만 급성 심부전이 진행하면서 혈역학적으로 불안정해지면 심잡음이 약해지기 때문에, 청진소견과 관계없이, 급성 심근경색 후 뚜렷한 이유 없이 심부전 증세가 악화되는 경우 심초음파를 시행해야 한다. 또한 선천성 VSD와 달리 해부학적 결손의 형태가 다양하여 쉽게 보이지 않을 수 있으므로 심근경색 부위에서 해부학적 결손이 명확하지 않더라도 색도플러를 이용하여 좌우단락을 확인하여야 한다.

치료를 위해 대부분의 환자에서 수술이 권고되는데, 수술사망률이 20–40%로 매우 높기 때문에 신중한 접근이 필요하다. 심근경색 초기에는 심근이 무르고 쉽게 부스러기지 때문에 수술이 어렵고 수술 후에도 단락이 남는 경우가 흔하기 때문이다. 따라서, 혈역학적으로 안정적이라면, 결손부위 주변 심근의 섬유화가 진행되고 단단하게 되어 수술이 쉽고 효과적으로 시행될 수 있도록 3–6주 정도 기다리는 것이 바람직하다. 좌우단락이 적어 혈역학적인 영향이 미미한 경우에는 수술 없이 두고 볼 수 있지만, 이때는 VSD가 점차 커질 수 있으므로 주의 깊은 경과관찰이 필요하다.

증례 2. 심실벽 파열(Myocardial rupture)

74세 여자가 3달 전부터 발생한 호흡곤란, 3일 전부터 발생한 흉통, 그리고 내원 당일 발생한 심계항진을 주소로 내원하였다. ECG에서는 심방세동에 맥박수가 분당 165회

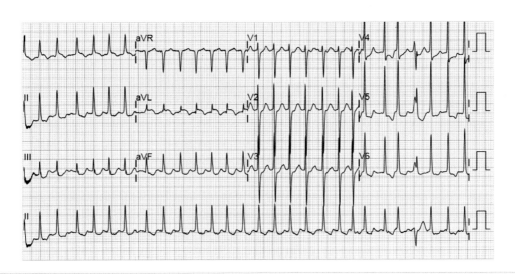

그림 1-4-5. **ECG 소견.** 심방세동이고 맥박수가 분당 165회로 증가되어 있으며, 좌심실 비대가 동반됨.

로 증가한 소견이었으며(그림 1-4-5) 흉부 X선 검사에서는 심비대 및 폐부종이 관찰되었다(그림 1-4-6). CK 210 ng/mL, CK-MB 7.2 ng/mL, troponin I 5.76 ng/mL로 심근효소 상승소견이 관찰되었다.

관상동맥의 평가를 위하여 심장 CT를 시행하였을 때, 심방세동으로 인해 움직임에 의한 허상(motion artifact)이 발생하여 관상동맥 협착의 정확한 평가는 어려웠으나 관상동맥 전반에 걸쳐 죽상경화가 동반되어 있었으며 심낭삼출(pericardial effusion)이 관찰되었다(그림 1-4-7). 또한 좌심실 측벽에 국소적인 심실벽 파열이 확인되었으나 심장막 공간으로의 조영제 유출이 확인되지는 않았다(그림 1-4-8). 심초음파 검사에서도 같은 위치에 심실벽 파열이 확인

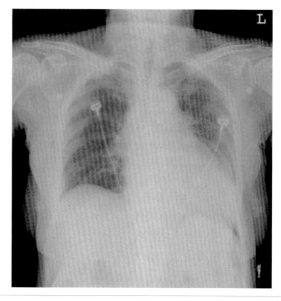

그림 1-4-6. **흉부 X선 검사 소견.** 심비대 및 폐부종이 관찰됨.

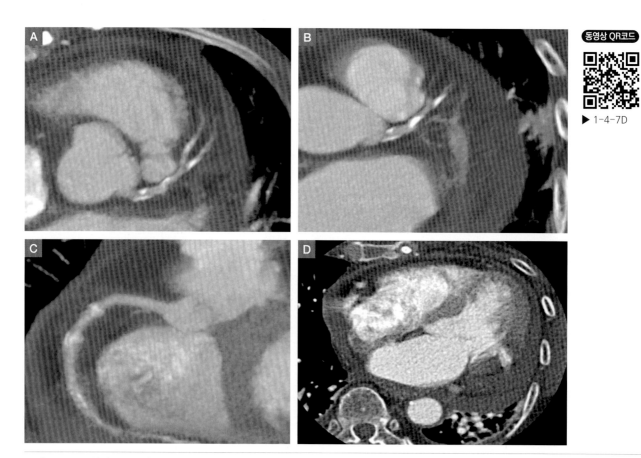

▶ 1-4-7D

그림 1-4-7. **심장 CT 소견.** 심방세동으로 인해 움직임에 의한 허상이 발생하여 관상동맥 협착의 정확한 평가는 어려웠으나, 관상동맥 전반에 걸쳐 죽상경화가 동반되어 있었으며 심낭삼출(D)이 관찰됨. **(동영상)**

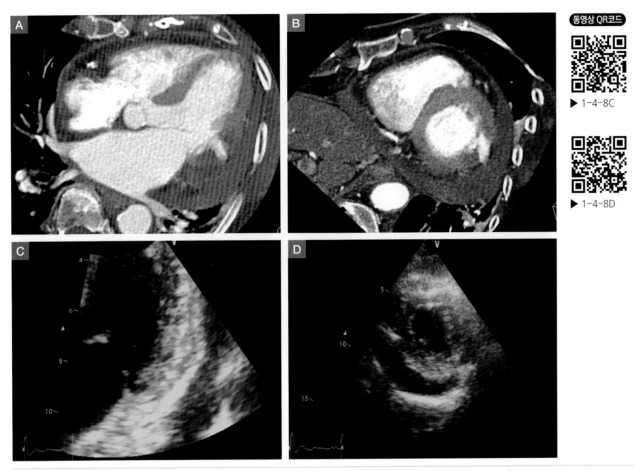

동영상 QR코드

▶ 1-4-8C

▶ 1-4-8D

그림 1-4-8. 심장 CT 및 심초음파 소견에서 확인된 심실벽 파열. CT에서 좌심실 측벽에 국소적인 심실벽 파열이 확인되었으나 심장막 공간으로의 조영제 유출이 확인되지는 않았음(A, B). 심초음파 검사에서도 같은 위치에 심실벽 파열이 확인되었으나, 좌심실 내강과 심장막 공간 사이에 혈류는 관찰되지 않았음(C, D). **(동영상)**

되었으나 좌심실 내강과 심장막 공간 사이에 혈류는 관찰되지 않았다(그림 1-4-8). 이어서 CAG를 시행하였을 때 OM의 완전폐쇄가 관찰되었고, mid LAD에 내경협착 70%의 병변, diagonal branch에 내경협착 50%의 병변, distal LCX에 내경협착 70%의 병변이 관찰되었다(그림 1-4-8). 이에 CABG 및 심실벽 파열 부위에 대한 봉합술을 시행하였다.

> **Keynote**

심실벽 파열

심실벽 파열은 급성 심근경색 후 1주 이내에 주로 발생하는데 1% 미만에서 발생하는 드문 합병증이다. 혈심낭(hemopericardium)과 심낭압전(cardiac tamponade)을 유발하여 갑작스러운 쇼크가 발생하기 때문에 대부분 즉시 사망하게 된다. 일부 환자에서 심근 내에서 구불구불하게 파열이 발생하여 혈전으로 혈류가 막히거나 심장막에 의

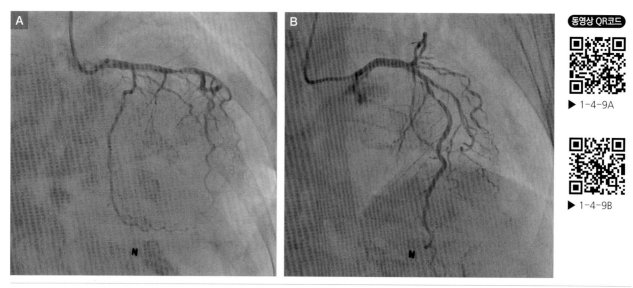

그림 1-4-9. CAG 소견. OM은 완전폐쇄된 소견이었고, distal LCX에도 내경협착 70%의 병변이 관찰됨(A). Mid LAD에 내경협착 70%의 병변이 관찰되어 있었고, diagonal branch에도 내경협착 50%의 병변이 관찰됨(B). **(동영상)**

해 혈류가 제한되어 거짓심실류(pseudoaneurysm)의 형태로 나타나는 경우에는 혈역학적으로 안정적일 수 있으며, 이 경우 심초음파로 파열의 위치와 크기를 확인한 후 즉각적인 수술이 필요하다.

▮ 참고 문 헌 ▮

1. Bax M, de Winter RJ, Schotborgh CE, et al. Short- and long-term recovery of left ventricular function predicted at the time of primary percutaneous coronary intervention in anterior myocardial infarction. J Am Coll Cardiol 2004;43:534-541.

2. Bax JJ, Wijns W, Cornel JH, Visser FC, Boersma E, Fioretti PM. Accuracy of currently available techniques for prediction of functional recovery after revascularization in patients with left ventricular dysfunction due to chronic coronary artery disease: comparison of pooled data. J Am Coll Cardiol 1997;30(6):1451-60.

3. Bonow RO1, Maurer G, Lee KL, Holly TA, Binkley PF, Desvigne-Nickens P, Drozdz J, Farsky PS, Feldman AM, Doenst T, Michler RE, Berman DS, Nicolau JC, Pellikka PA, Wrobel K, Alotti N, Asch FM, Favaloro LE, She L, Velazquez EJ, Jones RH, Panza JA; STICH Trial Investigators.

4. Danad I, Szymonifka J, Twisk JWR, et al. Diagnostic performance of cardiac imaging methods to diagnose ischaemia-causing coronary artery disease when directly compared with fractional flow reserve as a reference standard: a meta-analysis. Eur Heart J 2017;38:991-998.

5. De BB, Pijls NH, Kalesan B, et al. Fractional flow reserve-guided PCI versus medical therapy in stable coronary disease. N Engl J Med 2012;367:991-1001.

6. Di Carli MF, Dorbala S, Meserve J, et al. Clinical myocardial perfusion PET/CT. J Nucl Med 2007;48:783-793.

7. Knuuti J, Wijns W, Saraste A, et al. 2019 ESC Guidelines for the diagnosis and management of chronic coronary syndromes: The Task Force for the diagnosis and management of chronic coronary syndromes of the European Society of Cardiology (ESC). Eur Heart J 2020;41:407-477.

8. N Engl J Med.2011 Apr 28;364(17):1617-25. doi: 10.1056/NEJMoa1100358. Epub 2011 Apr 4. Myocardial viability and survival

in ischemic left ventricular dysfunction.

9. Orlandini A, Castellana N, Pascual A, Botto F, Cecilia Bahit M, Chacon C, Luz Diaz M, Diaz R. Myocardial viability for decision-making concerning revascularization in patients with left ventricular dysfunction and coronary artery disease: a meta-analysis of non-randomized and randomized studies. Int J Cardiol 2015;182:494-9.

10. Pijls NH, van SP, Manoharan G, et al. Percutaneous coronary intervention of functionally nonsignificant stenosis: 5-year follow-up of the DEFER Study. J Am Coll Cardiol 2007;49:2105-11.

11. Romero J, Xue X, GonzalezW, GarciaMJ. CMR imaging assessing viability in patients with chronic ventricular dysfunction due to coronary artery disease: ameta-analysis of prospective trials. JACC Cardiovasc Imaging 2012;5(5):494-508. [17] Galiuto L, Badano L, Fox K, Sicari R, Zamorano J. The EAE textbook of echocardiology

12. Salavati A, Radmanesh F, Heidari K, et al. Dual-source computed tomography angiography for diagnosis and assessment of coronary artery disease: systematic review and meta-analysis. J Cardiovasc Comput Tomogr 2012;6:78-90.

13. Schinkel AF, Bax JJ, Poldermans D, Elhendy A, Ferrari R, Rahimtoola SH. Hibernating myocardium: diagnosis and patient outcomes. Curr Probl Cardiol 2007;32:375-410.

14. Schinkel AF, Bax JJ, Poldermans D, Elhendy A, Ferrari R, Rahimtoola SH. Hibernating myocardium: diagnosis and patient outcomes. Curr Probl Cardiol 2007;32:375-410.

15. Sciagra R, Passeri A, Bucerius J, et al. Clinical use of quantitative cardiac perfusion PET: rationale, modalities, and possible indications. Position paper of the Cardiovascular Committee of the European Association of Nuclear Medicine (EANM). Eur J Nucl Med Mol Imaging 2016;43:1530-1545.

16. van Nunen LX, Zimmermann FM, Tonino PA, et al. Fractional flow reserve versus angiography for guidance of PCI in patients with multivessel coronary artery disease (FAME): 5-year follow-up of a randomised controlled trial. Lancet 2015;386:1853-1860.

17. von Ballmoos MW, Haring B, Juillerat P, et al. Meta-analysis: diagnostic performance of low-radiation-dose coronary computed tomography angiography. Ann Intern Med 2011;154:413-420.

CHAPTER II 판막질환 (Valvular heart disease)

1. 승모판 협착

증례 1. 류마티스성 승모판 협착증(rheumatic MS)

65세 여자가 운동시 호흡곤란을 주소로 왔다. 환자는

중등도 류마티스성 승모판 협착(mitral stenosis, MS) 및 심방세동으로 진단받고 과거 한 차례 동율동 전환을 시도했으나 실패하고 외래에서 약물치료를 하던 중이었다. 최근 심초음파 소견에서 MS가 진행하고 좌심실 수축기능 저하가 진행하는 양상을 보이면서 New York Heart Asso-

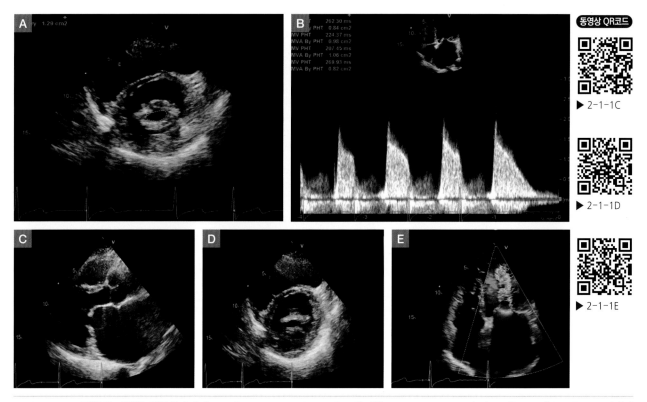

▶ 2-1-1C

▶ 2-1-1D

▶ 2-1-1E

동영상 QR코드

그림 2-1-1. 입원 후 시행한 심초음파에서 2D 및 pressure half time으로 측정한 mitral valve area가 각 1.3/0.9 cm²으로 중등도 이상의 MS가 관찰됨. (동영상)

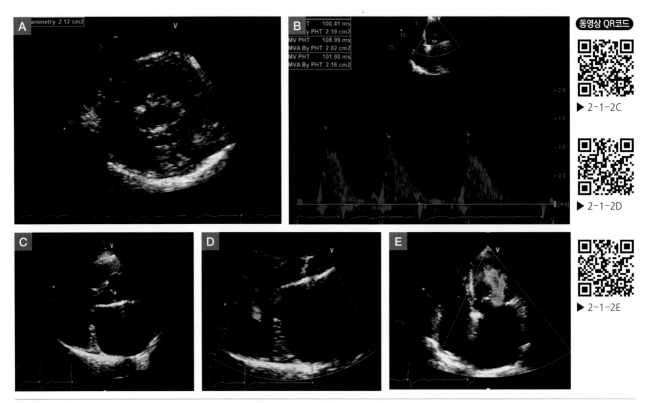

그림 2-1-2. PMC 시술 후 경흉부심초음파. 승모판 평균압력차 2 mmHg, MVA 2.1 cm²로 호전되었음. **(동영상)**

ciation Functional Class (NYHA Fc) III의 호흡곤란이 동반되어 percutaneous mitral commissurotomy (PMC) 위해 입원하였다.

입원 후 시행한 경흉부심초음파에서 좌심실의 이완기말과 수축기말 직경이 64/52 mm, 좌심실구혈률(EF) 40%, 좌심실의 운동장애가 관찰되었고 승모판 평균압력차는 7 mmHg, planimetry로 측정한 승모판륜의 면적(mitral valve area, MVA)은 1.3 cm², 압력반감기(pressure half time, PHT)로 얻은 승모판륜의 면적은 0.9 cm²로 중등도 이상의 rheumatic MS가 관찰되었다(그림 2-1-1). 좌심방이 확장되어 left atrium volume index (LAVI) 197 mL/m²이었다.

경식도심초음파에서는 좌심방내에 관찰되는 혈전은 없었으나 spontaneous echo contrast가 관찰되었고 Wilkins echo score 점수는 총 6점(mobility 2점, thickening 2점, calcification 1점, subvalvular thickening 1점)이었다. 환자는 예정대로 PMC를 진행하였고 시술 후 문제없이 퇴원하였다.

퇴원 후 추적한 경흉부심초음파에서 승모판 평균압력차 2 mmHg, planimetry로 측정한 MVA 2.1 cm², PHT로 얻은 승모판륜의 면적은 2.1 cm², 경미한 승모판 역류(mitral regurgitation, MR)만 관찰되었다(그림 2-1-2). 좌심실의 이완기말과 수축기말 직경은 59/44 mm, EF 45%, LAVI 140 mL/m²였고, 남아있는 atrial septal defect (ASD)는 관찰되지 않았다.

증례 2. Lutembacher syndrome

53세 남자가 호흡곤란으로 타병원에서 시행한 심초음파상 MS와 ASD를 진단받고 외래로 내원하였다. 내원 후 시행한 심초음파에서 planimetry로 측정한 MVA는 1.0 cm², PHT로 측정한 MVA는 1.3 cm², 승모판 평균압력차 4.1 mmHg로 중등도의 승모판막 협착과 2.3 cm크기의 secundum type의 ASD 및 이로 인한 좌우단락이 있었고 우측 심실과 심방이 늘어나 있으면서 D-shape의 좌심실이 관찰되었다(그림 2-1-3). 삼첨판 역류를 통해 추정한 폐동맥수축기압은 66 mmHg로 증가되어 있었다.

수술전 심도자술에서 LA mean pressure 13.2 mmHg, RA mean pressure 11.5 mmHg, RV peak pressure 78 mmHg, PA peak systolic pressure 76 mmHg, PA mean pressure 38 mmHg, Qp/Qs 4.0로 측정되었다.

환자는 Lutembacher syndrome으로 흉부외과로 의뢰되어 승모판막치환술과 ASD closure, Tricuspid annulo-plasty 수술을 받고 퇴원하였다.

증례 3. Subvalvular MS

33세 남자가 운동 시 호흡곤란으로 내원하였다. 경흉부심초음파에서 좌심실 이완기말과 수축기말 직경은 54/39 mm, EF 48%였고, 승모판 doming이 있으나 leaflet tip에만 약간의 비후가 있었다(그림 2-1-4). MV 건삭비후

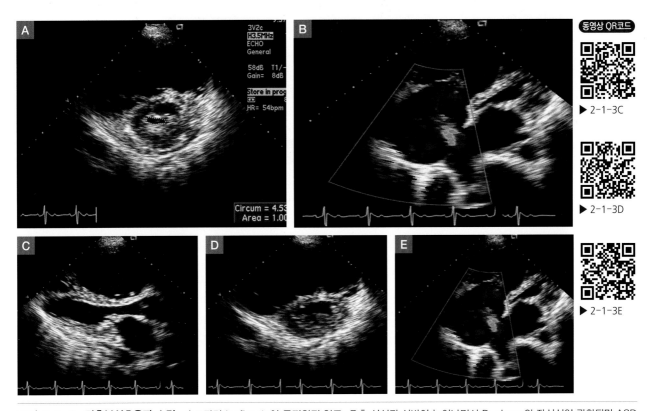

동영상 QR코드

▶ 2-1-3C

▶ 2-1-3D

▶ 2-1-3E

그림 2-1-3. 경흉부심초음파 소견. 승모판막 leaflet tip이 두꺼워져 있고, 우측 심실과 심방이 늘어나면서 D-shape의 좌심실이 관찰되며 ASD를 통한 좌우단락이 관찰됨. **(동영상)**

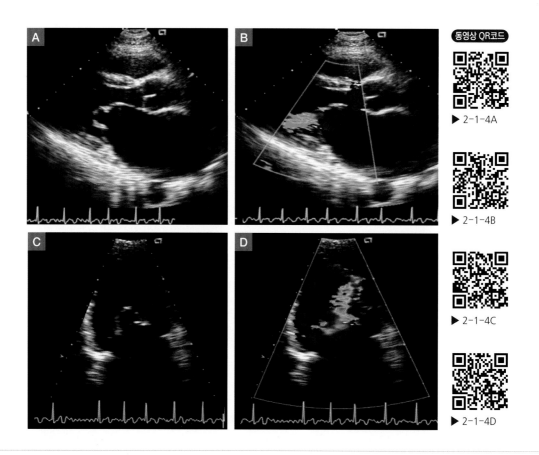

동영상 QR코드

▶ 2-1-4A

▶ 2-1-4B

▶ 2-1-4C

▶ 2-1-4D

그림 2-1-4. 경흉부심초음파 소견. MV chordae thickening과 flow acceleration이 관찰됨. **(동영상)**

(chordae thickening)가 관찰되면서 혈류속도 증가가 동반 되었고, MV tip에서 측정한 MVA는 1.9 cm² 였으나 PHT 로 측정한 MVA가 0.9 cm²로 severe MS, subvalvular type 에 합당한 소견이었다. 폐동맥수축기압은 40 mmHg로 약 간 증가되어 있었다.

심도자술에서 환자의 PA mean pressure 29 mmHg, pulmonary vascular resistance 0.2 Wood Unit이었다. 환 자는 흉부외과로 의뢰되어 승모판치환술 및 Pulmonary vein isolation 수술을 받고 퇴원하였다.

> **Keynote**

MS의 가장 흔한 원인은 류마티스열(rheumatic fever)로 알려져 있으며, 임상에서 발견되는 거의 대부분의 경우의 원인은 류마티스열(rheumatic fever)이다. 다른 원인으로는 최근 임상에서 자주 보게 되는 비류마티스성 승모판석회 화(non-rheumatic mitral annular calcification)에 의한 MS, 감염성 심내막염에 의한 MS, 선천성 MS 등이 있다. MS가 심방중격결손과 동반이 될 경우, Lutembacher syn-drome이라고 하며, 심초음파로 측정하는 압력반감시간 (pressure half time)으로의 승모판막 구면적(mitral valve

표 2-1-1. Echocardiographic score to predict PMC outcome*

Grade	Mobility	Thickening	Calcification	Subvalvular thickening
1	Highly mobile valve with only leaflet tips restricted	Leaflets near normal in thickness (4-5 mm)	A single area of increased echo brightness	Minimal thickening just below the mitral leaflets
2	Leaflet mid and base portions have normal mobility	Mid leaflets normal, considerable thickening of margins (5-8 mm)	Scattered areas of brightness limited to leaflet margins	Thickening of chordal structures extending to one-third of the chordal length
3	Valve continues to move forward in diastole, mainly from the base	Thickening extending through the entire leaflet (5-8 mm)	Brightness extending into the mid-portions of the leaflets	Thickening extended to distal third of the chords
4	No or minimal forward movement of the leaflets in diastole	Considerable thickening of all leaflet tissue (>8-10 mm)	Extensive brightness throughout much of the leaflet tissue	Extensive thickening and shortening of all chordal structures extending down to the papillary muscles

* Echo scores는 4-16점이 주어짐.

area, MVA) 측정시 주의를 요한다. 즉, 심방중격결손으로의 이완기시 좌우단락이 발생하기 때문에, PHT이 실제 MVA보다 짧아지게 되고, 따라서, MVA가 크게 측정 될 수 있기 때문이다.

MS가 심할 경우, 임상적으로는 심부전, 심방세동 발생에 의한 심계항진 등이 발생할 수 있으며, 병이 더 진행할 경우 우심실부전의 증상인 부종과 복수 등이 발생할 수 있다. 또한 심방세동으로 인한 혈전의 발생, 그리고 이의 색전증이 발생하여 뇌졸중 등이 발생할 수 있다. 특히 MS에 심방세동이 동반될 경우 혈전색전의 위험이 높아 항응고 치료가 강력히 권고된다.

진단은 경흉부심초음파로 간단히 될 수 있으며, 최근에는 과거에 시행이 되었던 심도자술은 더 이상 진단을 위해 시행되지 않는다.

치료는 경피적 승모판막 성형술(Percutaneous mitral commissurotomy, PMC)이나 수술적 승모판막치환술이 시행될 수 있으며, 일부의 경우 승모판막 수선술이 가능한 경우도 있다. PMC의 성공을 예측하는 심초음파 기준이 있으며, Echo score 또는 Wilkins score 라고 지칭하며 일반적으로 8점 이하일 경우, PMC의 성공 가능성이 높다고 예측할 수 있다.

PMC가 시행되기 위해서는 중등도 이상의 승모판막 역류가 없어야 하며, 좌심방내에 혈전이 존재하지 않아야 하는 2가지의 조건이 만족되어야 한다. 이를 위해 시술전 경식도 초음파를 시행하여 PMC 시행 여부를 최종 결정하게 된다.

2. 승모판 역류

증례 1. 퇴행성 승모판 역류(Degenerative mitral regurgitation)

47세 남자가 호흡곤란으로 응급실에 왔다. 기저질환은 없던 환자로, 3-4년 전부터 1년에 1-2회 정도 말을 하는 도중 숨이 차고 두근거리는 증상이 발생하였으나 저절로 호전되어 병원을 방문하지는 않았다. 일주일 전부터 계단을 오를 때와 누울 때 숨이 찼으며 새벽에 잠을 자지 못할 정도로 심했다고 한다. 응급실에서 시행한 흉부 X선과 흉부 CT에서는 폐부종 소견이 관찰되었다(그림 2-2-1). 경흉부심초음파에서는 수축기에 승모판 후엽, 특히 P2 분절이 승모판륜의 상방, 즉 좌심방 쪽으로 이동하는 flail motion이 관찰되었으며, 이로 인한 중증의 승모판 역류가 동반되었다(그림 2-2-2). 좌심실의 크기는 약간 커진 소견으로 급성 승모판 역류로 판단되었다. 경식도심초음파에서는 P2 flail motion과 함께 건삭 파열(chordae rupture)이 관찰되었다(그림 2-2-3). 탈출(prolapse)된 P2 분절을 quadrangular resection 하였으며 ring annuloplasty를 함께 시

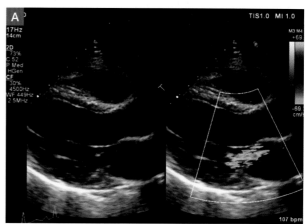
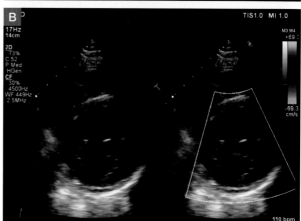
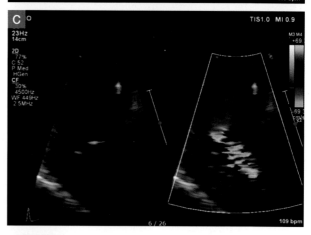

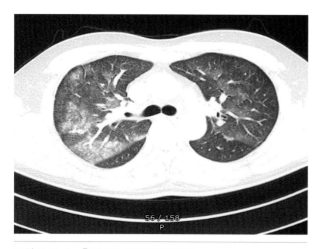

그림 2-2-1. **흉부 CT.** 폐부종이 관찰됨.

동영상 QR코드

▶ 2-2-2A

▶ 2-2-2B

▶ 2-2-2C

그림 2-2-2. **경흉부심초음파.** P2 flail motion이 관찰되고 이로 인한 중증 승모판 역류가 관찰됨. **(동영상)**

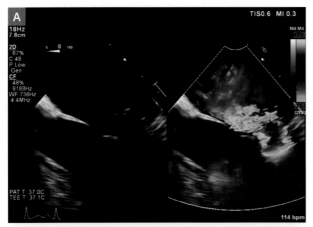

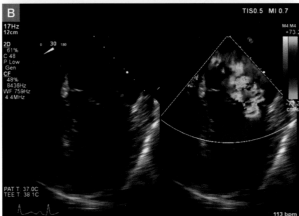

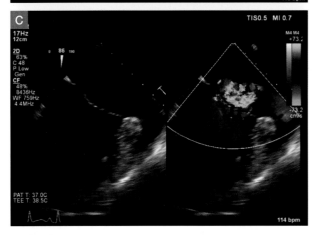

▶동영상 QR코드

▶ 2-2-3A   ▶ 2-2-3B   ▶ 2-2-3C

그림 2-2-3. **경식도심초음파.** P2 flail motion과 함께 chordae rupture가 관찰됨. **(동영상)**

행하였다. 수술 후 승모판 역류는 거의 관찰되지 않았으며 (그림 2-2-4), 호흡곤란은 호전되었다. 4년째 안정적인 상태로 추적관찰 중이다.

증례 2. 허혈성 승모판 역류(Ischemic mitral regurgitation)

67세 남자가 수 시간 전 발생한 호흡곤란으로 내원하였다. 심초음파에서는 저하된 좌심실 수축기능(좌심실 구혈률 20%) 및 국소벽 운동장애(global hypokinesia with basal to mid inferolateral and whole apical akinesia)와 함께 중등도 승모판 역류가 관찰되었다(그림 2-2-5). 승모판엽의 모양에 이상은 없었으나 끌림(tethering)이 저명하였다. 관상동맥 조영술에서는 우관상동맥의 완전 폐쇄를 포함한 3-혈관질환(three vessel disease) 소견을 보였다. 허혈성 심질환으로 인한 심부전 및 허혈성 승모판 역류로 진단되어 coronary artery bypass graft (CABG) 수술을 계획하였다. 수술 전 평가로 시행한 심근 SPECT에서는 resting perfusion decrease in whole septum, inferior and inferolateral wall, resting perfusion decrease in apico-mid anterior and antero-septal wall가 관찰되었으며 24시간 지연 영상에서 septum, inferior wall, apico-mid anterior and antero-septal wall의 관류가 일부 회복되는 소견이 보여 해당 부위가 생존심근으로 판단되었다(그림 2-2-6). CABG 수술 후 시행한 심초음파에서 승모판엽 tethering의 호전과 승모판 역류의 감소가 관찰되었다(그림 2-2-7).

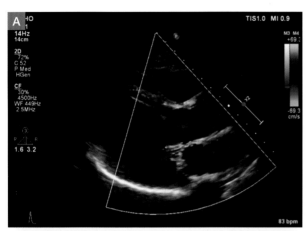

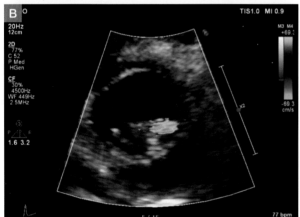

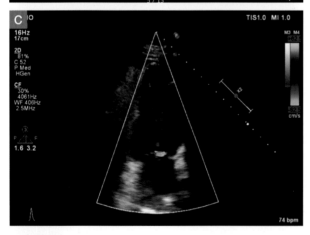

동영상 QR코드

▶ 2-2-4A

▶ 2-2-4B

▶ 2-2-4C

그림 2-2-4. **경흉부심초음파.** 수술 후 승모판 역류는 거의 관찰되지 않음. **(동영상)**

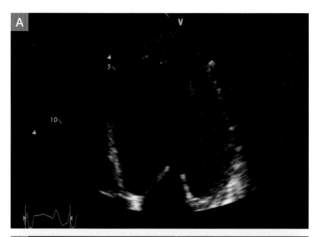

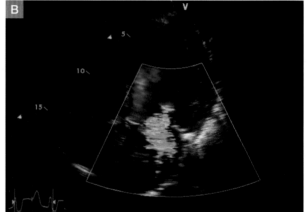

동영상 QR코드

▶ 2-2-5A

▶ 2-2-5B

그림 2-2-5. **경흉부심초음파.** 좌심실 수축기능이 저하되어 있고 국소벽 운동장애, 중등도 승모판 역류가 관찰됨. **(동영상)**

▶ Keynote

첫 번째 증례는 건삭 파열(chordae rupture)에 의하여 발생한 급성 중증 승모판 역류로 일반적으로 수술적 치료를 요하게 된다. 하지만, 약물 치료로 안정화가 가능하다면, 약물 치료로 안정을 시킨 이후에 수술적 치료를 진행

휴식기 영상

24시간 지연영상

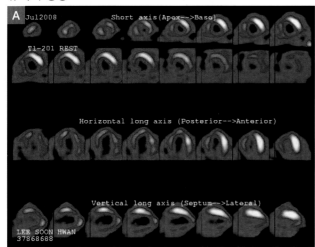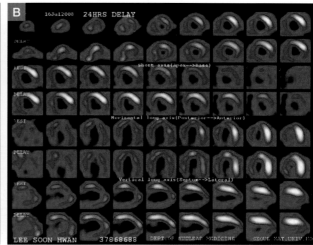

그림 2-2-6. **심근 SPECT.** 휴식기와 지연 영상으로 septum과 inferior wall에 viable myocardium이 관찰됨.

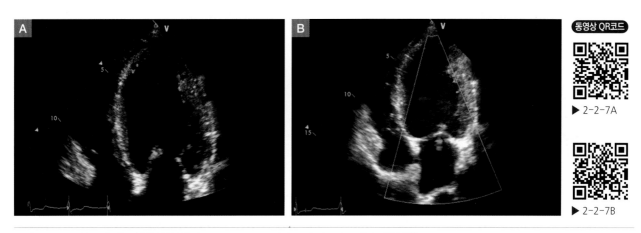

그림 2-2-7. **CABG 후 경흉부심초음파.** MV tethering과 승모판 역류가 호전됨. **(동영상)**

하기도 한다. 만성 중증 승모판 역류의 수술 적응증은 AHA/ACC 진료 지침에 제시되어 있다. 즉, i) 만성 중증 승모판 역류가 있으면서 이로 인한 증상이 존재할 경우, ii) 무증상일 경우에는 좌심실 수축기말 직경 ≥ 40 mm, 좌심실 구혈률 < 60%, 새로 발생된 심방세동, 폐동맥 수축기압 > 50 mmHg이 있을 경우 수술을 고려하게 된다.

승모판막의 어느 부분이 병변인지를 평가하는 도플러 심초음파 소견을 정리하면 그림 2-2-8과 같다. 또한 삼차원 심초음파를 활용하여 건삭 파열의 위치를 정밀하게 평가할 수 있다(그림 2-2-9, 2-2-10). 최근 medial / lateral commissure에서 기인하는 승모판막 역류를 경흉부심초음파를 이용하여 진단할 수 있는 소견이 제시되었다. 두 번째

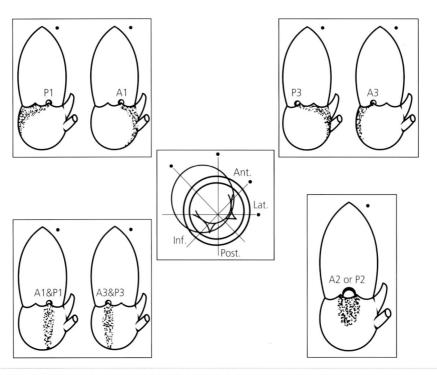

그림 2-2-8. 승모판 탈출의 위치 모식도. 도플러 심초음파를 시행하여 승모판 역류의 발생 위치를 추정할 수 있음.

증례에서 보여지는 허혈성 승모판 역류는 기능성 승모판 역류의 한 종류로, 심부전이 있거나 과거 심근경색이 발생한 이후 허혈성 심근증이 있는 환자에서 흔히 관찰된다. 허혈성 승모판 역류의 유병률은 심근경색을 앓은 환자의 약 10−59%에서 발생한다고 알려져 있다. 이러한 다양한 정도의 유병률의 차이는, 어느 정도의 역류를 의미있는 허혈성 승모판 역류로 볼 수 있는가와 관련이 있을 수 있을 것으로 보인다. 중등도에서 중증 허혈성 승모판 역류는 약 10−20% 정도에서 보고되는 것으로 되어 있다.

허혈성 승모판 역류의 임상적 중요성은, 허혈성 심장질환을 가진 환자들에서 예후를 예측하는 강력한 인자라는 것이다. 이러한 예측력은 좌심실의 수축 기능과도 무관한 것으로 보고된바 있으며, 심지어 경도 내지 중등도 정도의 승모판 역류를 가진 환자에서도 예후를 예측하는 인자

가 된다고 보고되었다. 중등도에서 중증 허혈성 승모판 역류는 심부전, 사망의 위험을 상당히 많이 증가시킨다고 알려져 있다.

과거에는 허혈성 승모판 역류가 심근허혈이나 유두근의 기능장애 때문에 발생한다고 알려졌으나 이는 사실이 아니며, 현재는 복잡한 여러가지 기전에 의하여 승모판의 전엽과 후엽의 coaptation 장애가 발생하고, 이러한 것이 궁극적으로 central jet을 보이는 허혈성 승모판 역류를 발생하게 한다고 알려져 있다. 따라서, 1) 좌심실 형태(left ventricular geometry)의 변화, 2) 승모판륜의 변형 및 확장, 그리고, 3) 심실의 비동시성 수축(dyssynchronous contraction)이 정상적인 승모판의 닫힘을 방해하기 때문에 발생하는 것이 허혈성 승모판 역류의 기전으로 요약될 수 있겠다.

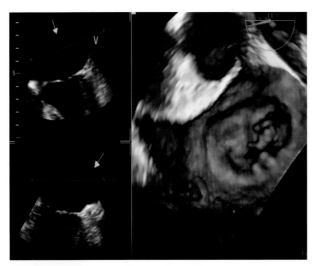

그림 2-2-9. **경식심초음파도.** 삼차원 심초음파에서 P3의 건삭 파열이 관찰됨. **(동영상)**

▶ 2-2-9

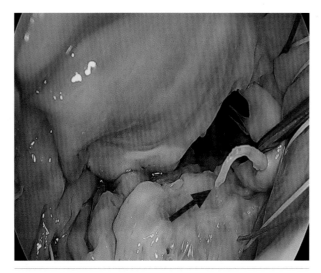

그림 2-2-10. **수술 시 P3의 건삭 파열이 확인됨.**

이러한 예후적인 측면에서 중요한 허혈성 승모판 역류이지만, 허혈성 승모판 역류의 정도를 감소시킬 경우 예후를 호전시킨다는 증거는 부족한 것이 현실이다. 현재의 진료지침에 따르면, 중증 승모판 역류를 가진 환자가 CABG를 받을 경우 승모판에 대한 수술을 함께 할 것을 권고하고 있다. 고령의 환자 혹은 여러가지의 다른 질환이 함께 존재하는 환자들에서 중등도의 승모판 역류는 수술관련 사망률의 증가로 인하여 수술적 교정을 하지 않기도 한다. 하지만, 교정을 하지 않은 중등도 허혈성 승모판 역류의 30-77%에서 진행한다고 알려져 있어 이러한 환자들에서의 수술적 교정과 관련한 문제는 아직까지 추가 연구가 필요하다 하겠다. Circulation에 2012년 발표된 한 무작위 배정 연구에 따르면 좌심실 구혈률 30% 미만이면서 중등도의 승모판 역류를 가지는 환자들에서 CABG와 함께 승모판 교정술을 시행할 경우 1년째 측정된 최대 산소 소모량

(peak oxygen consumption)이 호전됨을 보고되었으며, 수술 후 좌심실 수축기말 용적의 감소 및 BNP 농도의 감소가 월등히 좋았다. 하지만, 30일과 1년째 사망률은 양 그룹간에 차이가 없었음을 주목해야 하겠다.

최근 경피적 치료법의 등장으로 새로운 전기가 마련되고 있다. 그 중 하나가 mitral clip (MitraClip®)인데 percutaneous edge-to-edge repair를 위한 기구로, 한 연구에 따르면 승모판륜의 감소 및 임상적인 호전을 가져올 수 있다고 보고된 바가 있다. 또 다른 연구에 따르면 삶의 질과 기능적인 측면에서의 향상도 보고된 바 있다. 비록 잘 디자인된 무작위 배정은 없으나, 기능성 승모판 역류의 치료를 위해 유럽에서는 이미 임상에서 사용이 되고 있다. 향후 잘 디자인된 무작위배정 연구가 시행됨으로써, 경피적 치료법의 효용성에 대한 검증이 절실히 요구된다 하겠다.

3. 대동맥판 협착

증례 1. Classical low flow low gradient AS

77세 여자가 최근 악화된 호흡곤란을 주소로 내원하였다. 과거력에서 당뇨병 및 당뇨로 인한 만성 콩팥병이 있었고 관상동맥질환으로 한차례 percutaneous coronary intervention (PCI)를 했던 환자로 외부 심초음파에서 중등도 대동맥판 협착(aortic stenosis, AS)이 있고 좌심실 수축기능이 35%로 저하되어 있었고 중등도 이상의 승모판 역류가 동반되어 있었다.

내원후 시행한 경흉부심초음파에서 좌심실의 이완기말과 수축기말 용적은 120 mL와 80 mL, biplane Simpson's method로 측정한 EF 33%였고 AVA 0.9 cm², AV mean PG 15 mmHg, LVOT TVI 16.9 cm였다. 환자는 중증의 승모판 역류와 중등도의 삼첨판 역류이 동반되어 있었고 양심방 확장, 우심실 확장 및 수축기능저하, 폐동맥압 58 mmHg로 폐동맥압 상승소견이 관찰되었다(그림 2-3-1).

도부타민 부하심초음파를 시행하였고 20 mcg에서 LV EF 49%, AVA 1.0 cm², AV mean PG 20 mmHg, LVOT TVI 18.3 cm으로 심박출량 증가에도 불구하고 의미있는 AVA의 변화는 관찰되지 않았다.

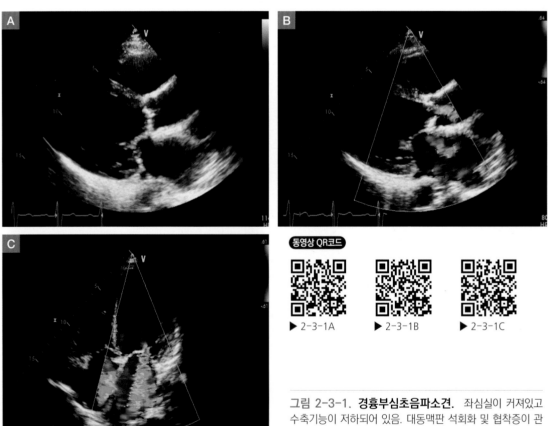

동영상 QR코드

▶ 2-3-1A   ▶ 2-3-1B   ▶ 2-3-1C

그림 2-3-1. **경흉부심초음파소견.** 좌심실이 커져있고 수축기능이 저하되어 있음. 대동맥판 석회화 및 협착증이 관찰되고 중증 승모판 역류가 관찰됨. **(동영상)**

CT에서 대동맥판의 석회화 지수는 374였고 관상동맥의 석회화가 동반되어 있었다(그림 2-3-2). 환자는 심기능을 고려할 때 대동맥판 협착과 승모판 역류에 대해 수술보다는 약물치료를 하기로 결정하였고, 심부전에 대한 약물치료 후 퇴원하였다.

증례 2. Paradoxical low flow low gradient AS

66세 남자가 호흡곤란, 기좌호흡 및 흉통으로 내원하였다. 환자는 당뇨 및 만성 콩팥병이 있었고, 과거력에서 PCI를 여러 차례 받은 환자로 증상 발생 후 타병원 CAG에서 의미있는 병변은 관찰되지 않았다. 흉부 X선 검사에서 심비대 및 폐부종이 관찰되어 심초음파를 시행하였고 severe AS로 진단받았다. 경흉부심초음파상 이완기말과

표 2-3-1. 도부타민 부하심초음파. 도부타민 20 mcg에서 심박출량 증가에도 불구하고 의미있는 AVA변화가 관찰되지 않음.

	Baseline	2.5 mcg	5 mcg	10 mcg	20 mcg	Recovery
LV EF (%)	33	49	45	44	49	51
AVA (cm²)	0.9	1.2	1.3	1.1	1.0	1.3
AV mean PG (mmHg)	12	15	13	18	20	16
LVOT TVI	11	17	17	18	18	20

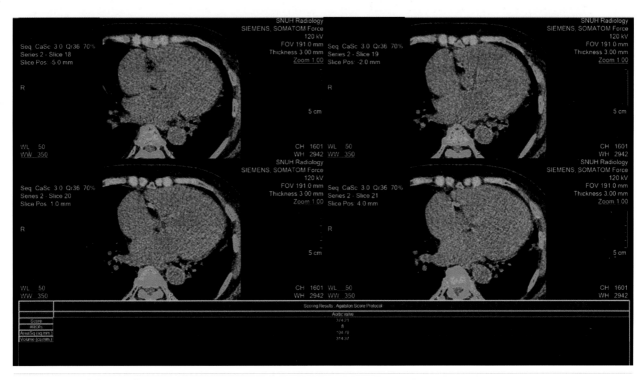

그림 2-3-2. 심장 CT소견. 대동맥판의 석회화가 관찰되고 관상동맥 석회화가 동반되어 있음.

수축기말 좌심실 용적이 각 205 mL, 122 mL로 계산된 EF는 40%였고, 계산된 AVA 0.9 cm², planimetry 0.7 cm²로 측정되었으나 평균 압력 26 mmHg밖에 되지않아 low flow low gradient (LFLG) AS가 의심되어 도부타민 부하 심초음파를 시행하였다(그림 2-3-3).

도부타민 부하 후 AV Vmax 3.8 m/s 에서 4.8 m/s으로 증가하고 평균압력은 28 mmHg에서 48 mmHg로 증가하여 low flow low gradient AS로 판단하였다. 좌심실 수축 기능은 38%에서 46%로 약간 호전되었다(그림 2-3-4).

환자는 기저질환으로 EF 40% 미만의 심부전과 이전에 수차례 PCI 시행한 이력이 있어 수술적 치료보다는 경피적 대동맥판막 치환술(transcathter aortic valve replacement, TAVR)를 시행하기로 하였다. 시술전 CT에서 aortic annulus perimeter 74 mm, aortic annulus와 관상동맥 os간의 거리는 우측 15 mm, 좌측 12 mm, aortic annulus 27×217 mm, aortic sinus width 34 mm, aortic sinotubular junction 27 mm로 각각 측정되었다 (그림 2-3-5).

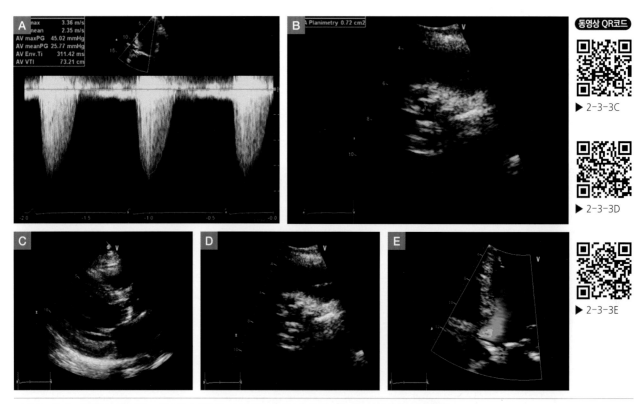

▶ 2-3-3C

▶ 2-3-3D

▶ 2-3-3E

그림 2-3-3. **경흉부심초음파.** 대동맥판 협착이 의심되며 좌심실 수축기능이 저하되어 있음. **(동영상)**

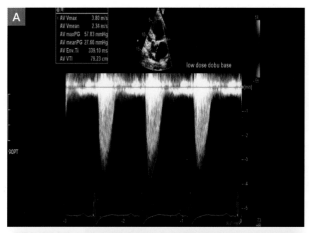

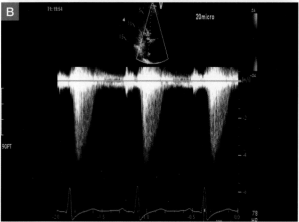

그림 2-3-4. **도부타민 부하심초음파 검사.** 도부타민 부하 후 AV Vmax와 압력차가 증가함.

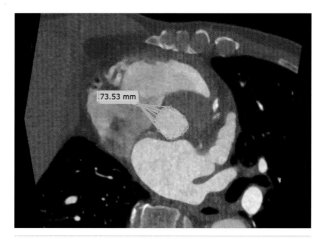

그림 2-3-5. **TAVR 시술 전 CT 소견.** aortic annulus perimeter 는 74 mm로 측정됨.

TAVR 시술 후 좌심실 기능은 43%였고, AV max PG 18 mmHg, AVA index 1.2 cm^2/m^2, device 기능의 문제 없음을 확인하고 퇴원하였다(그림 2-3-6).

> **Keynote**

현재의 진료지침에는 AS의 다양성이 반영이 되어 있다. 전형적인 형태의 AS는 normal-flow (NF) high gradient AS로 대변되는 정상 좌심실 구혈율과 정상 혈류(normal flow)이면서 평균 압력차 ≥ 40 mmHg인 그룹이다. 하지만, 중요한 2가지 subgroup이 반드시 고려되어야 하는데, 흔히 과거부터 알려져 있던 classical LFLG AS와 최근 그 중요성이 대두되고 있는 paradoxical LFLG AS이다. 2개의 subtype에 대한 차이는 다음 표와 같다(표 2-3-2).

일반적으로 심초음파에서 severe form의 classical LFLGAS로 진단될 경우, true severe AS과 pseudo-severe AS를 감별하기 위해 저용량의 도부타민 부하심초음파 (low-dose dobutamine stress echocardiography, LDDSE)를 시행하도록 권고된다. 저용량의 도부타민을 주 입하여 contractile reserve 여부를 확인하며 좌심실 1회 박출량이 20%이상 증가할 경우 contractile reserve (+)라 고 정의하며 대동맥판막구 면적을 계산하여 변화를 확인 한다. Pseudo-severe AS를 가진 환자의 경우, 저용량의 도부타민 사용시 판막구 면적이 증가하게 되고, tree severe AS의 환자인 경우 증가하지 않는다. Contractile reserve를 정의하기 위해 도부타민 주입후 측정된 변수들 의 cutoff 값들은 연구마다 약간의 차이가 있는데, 다음과 같다(표 2-3-3).

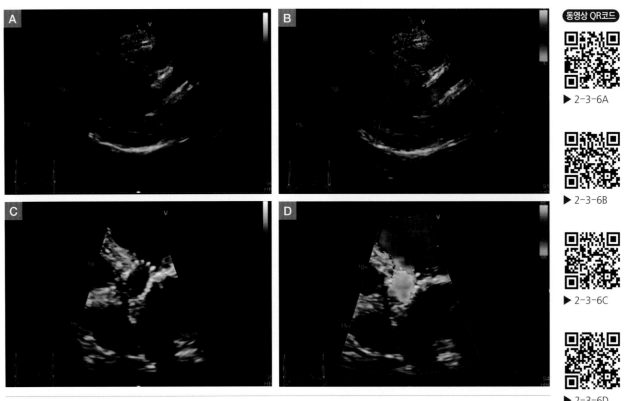

그림 2-3-6. TAVR 시술 후 경흉부심초음파 소견. 시술 후 좌심실 구혈률은 43%, AVA 1.2 cm^{2}였고 삽입된 device 기능에는 문제가 없었으나, 경도의 paravalvular leakage가 posterior side에서 관찰됨. **(동영상)**

표 2-3-2. LFLG (low flow low gradient) AS의 2가지 형태

	Classical LFLGAS	Paradoxical LFLFAS
좌심실구혈률	Low (< 50%)	Normal (≥ 50%)
평균압력차	Low (< 40 mmHg)	Low (< 40 mmHg)
1회박출량 (/m^2)	Low (< 35 mL/m^2)	Low (< 35 mL/m^2)
유병률	5-10%	10-25%
기타		↑ valvuloarterial impedance

표 2-3-3. Classical severe LFLG AS일 경우 저용량의 도부타민부하 심초음파 검사 후 제시되는 제안된 절대값 수치

Pseudo-severe aortic stenosis	True severe aortic stenosis
Peak stress mean pressure gradient ≤ 30 mmHg or < 40 mmHg	Aortic valve area ≤ 1.0 cm^2 with maximal velocity of ≥ 4 m/sec at any flow rate
Peak stress aortic valve area > 1.0 or 1.2 cm^2	
Absolute increase in aortic valve area ≥ 0.3 cm^2	

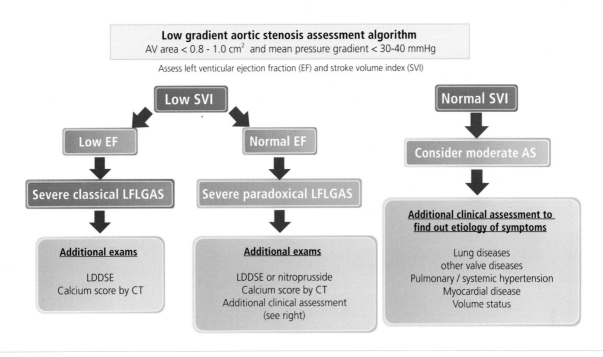

그림 2-3-7. **Low gradient aortic stenosis의 평가 알고리즘.** LDDSE, low dose dobutamine stress echocardiography; LFLGAS, low flow low gradient aortic stenosis; CT, computed tomography.

이러한 임상적 유용성으로 Low dose dobutamine stress echocardiography (LDDSE)는 진료지침상 class IIa (level of evidence B) 적응증을 받은 상태이다. 그러나, 일부 환자들에서는 LDDSE의 결과가 해석하기 어렵거나, 심초음파 이미지의 제한으로 평가가 어려운 경우가 존재한다. 이러한 경우 대동맥판막 석회화를 다중절편 컴퓨터 전산화단층촬영(multislice computed tomography)을 이용하여 측정함으로써 감별할 수 있다. 최근에는 성별에 따른 cutoff value가 제시되어 감별에 더욱 도움을 준다 (Agatston unit, AU)를 기준으로 여성의 경우 ≥ 1200AU, 남성의 경우 ≥ 2000AU일 경우 true severe AS). Paradoxical LFLG severe AS는 본 리뷰의 범위를 벗어나기 때문에 추가로 언급하지는 않는다. 보다 자세한 알고리즘은 다음 그림(그림 2-3-7)을 참고하면 좋겠다.

심초음파 검사에서 AS가 의심이 되는 환자에서의 단계적 진단 접근법은 2017년 발표된 유럽진료지침에 상세히 나와 있으며, 다음 진단 알고리즘(그림 2-3-8)과 같다.

* Calcium score by CT

    Severe aortic stenosis very likely: men ≥ 3000; women ≥ 1600

    Severe aortic stenosis likely: men ≥ 2000; women ≥ 1200

    Severe aortic stenosis unlikely: men < 1600; women < 800

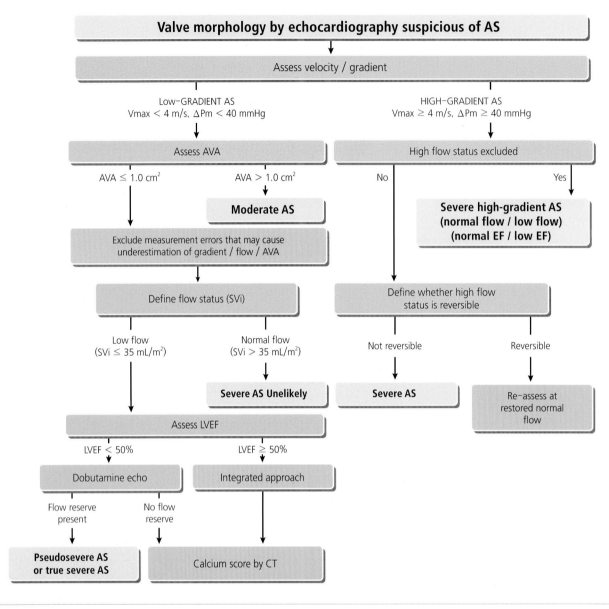

그림 2-3-8. AS진단의 유럽심장학회 진료지침

4. 이엽성 대동맥판질환

증례 1. 대동맥판 협착이 동반된 이엽성 대동맥판

31세 남자가 갑자기 발생한 두통과 어지럼증, 시야이상을 호소하며 내원하였다. 뇌 MRI상 아급성 뇌경색 소견이 있어 경흉부 및 경식도심초음파를 시행하였다. 심초음파에서 이엽성 대동맥판으로 평균 압력차 38 mmHg, 측정된 AVA 1.5 cm²으로 중등도 대동맥판 협착이 관찰되었고, 상행대동맥이 48 mm로 확장되어 있었다(그림 2-4-1).

CMR에서 대동맥판이 두껍고 운동성이 떨어져 있어 이로 인한 협착과 역류가 관찰되었고, 좌심실 비대가 동반되어 있었으며, 상행대동맥이 49 mm로 확장되어 있었다 (그림 2-4-2).

환자는 이엽성 대동맥판 및 중등도 대동맥판 협착에 대해 수술적 치료를 위해 흉부외과로 전과되어 대동맥판치환술을 시행하고 퇴원하였다.

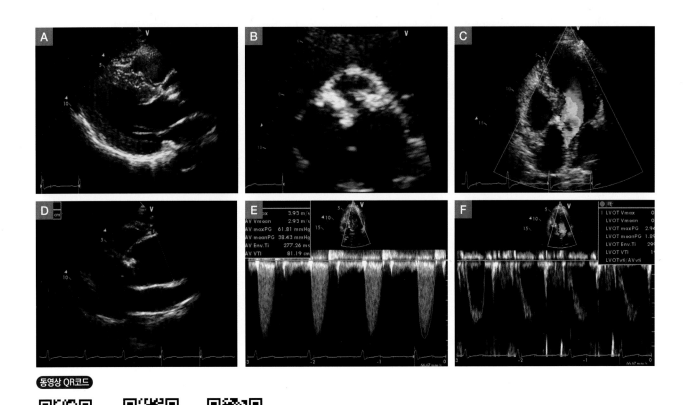

▶ 동영상 QR코드

▶ 2-4-1A   ▶ 2-4-1B   ▶ 2-4-1C

그림 2-4-1(1). **경흉부심초음파 소견.** 상행대동맥이 확장되어 있고 중등도 대동맥판 협착이 관찰됨. **(동영상)**

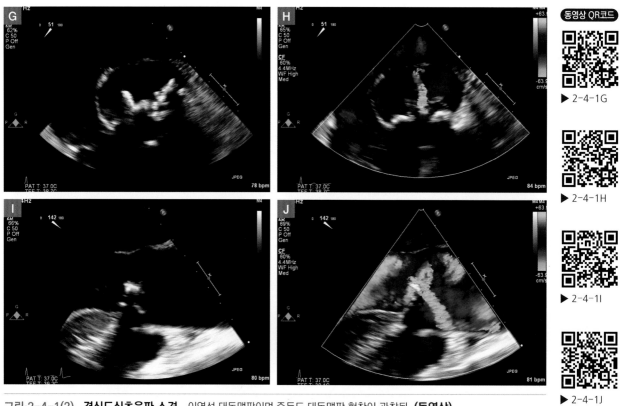

그림 2-4-1(2). 경식도심초음파 소견. 이엽성 대동맥판이며 중등도 대동맥판 협착이 관찰됨. **(동영상)**

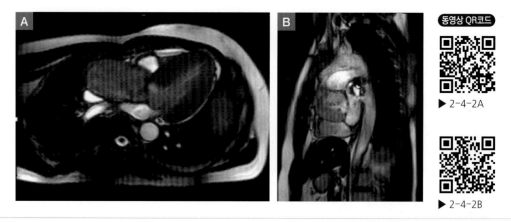

그림 2-4-2. CMR소견. 대동맥판이 두껍고 운동성이 떨어져 있으며 좌심실 비대 및 상행대동맥 확장 소견이 있음. **(동영상)**

증례 2. 대동맥축착증이 동반된 이엽성 대동맥판

42세 여자가 흉통을 주소로 시행한 심장 검사에서 대동맥판 역류가 있다고 듣고 내원하였다. 심장초음파에서 이엽성 대동맥판 및 동반된 중등도 대동맥판 역류로 추적하던 중, 좌심실의 크기가 증가하면서 수축력이 저하되었고 도플러초음파에서 하행 흉부대동맥에서 Vmax 5.0 m/sec로 혈류속도가 증가되었고 복부대동맥에서 최대수축기혈류가 지연되면서 이완기혈류가 관찰되어 대동맥축착증에 합당한 소견이 관찰되었다(그림 2-4-3).

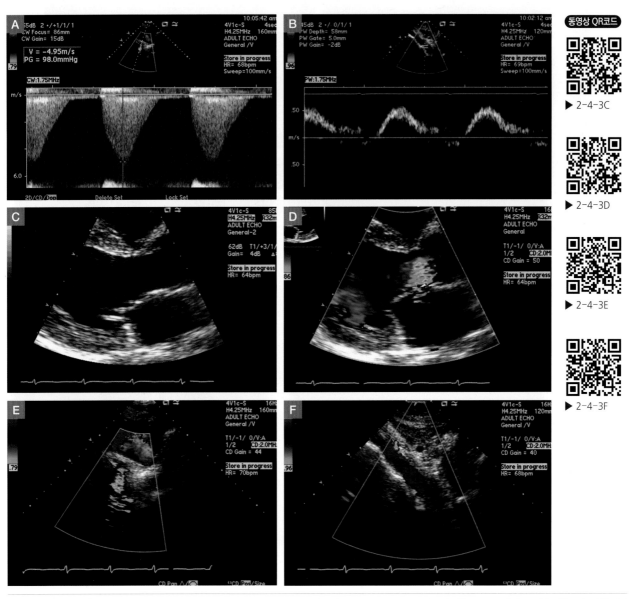

동영상 QR코드

▶ 2-4-3C

▶ 2-4-3D

▶ 2-4-3E

▶ 2-4-3F

그림 2-4-3. 경흉부심초음파. 하행대동맥에서 혈류증가가 관찰되며(A, E) 복부대동맥에서 최대수축기혈류가 지연되고 이완기혈류가 관찰되어 (B, F) 대동맥축착증 및 이로 인한 혈류 폐쇄가 있음. **(동영상)**

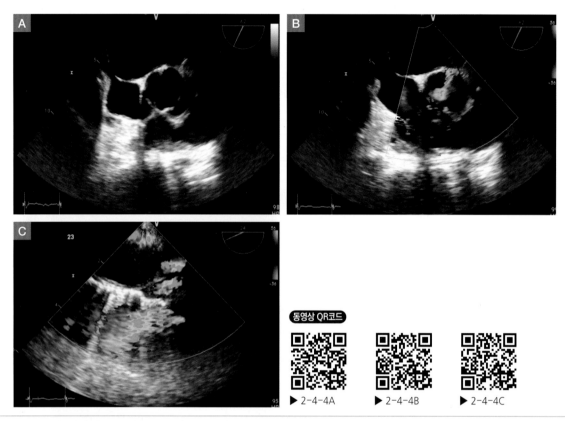

▶ 2-4-4A   ▶ 2-4-4B   ▶ 2-4-4C

그림 2-4-4. **경식도초음파 소견.** 이엽성 대동맥판 및 대동맥판 협착이 관찰되고 대동맥축착증으로 인한 협착이 있음. **(동영상)**

경식도심초음파에서는 경흉부심초음파에서 관찰되던 이엽성 대동맥판 및 중증의 대동맥판 협착 외 동반된 다른 선천성 심질환은 없었고, 중증의 대동맥축착증(inci-sor 23 cm level)으로 인한 심한 협착이 관찰되었다(그림 2-4-4).

환자는 심장 CT를 시행하였는데, 심초음파에서 나타난 소견과 부합하는 하행 흉부대동맥의 대동맥축착증, 상행 대동맥의 확장(직경 38 mm), 이엽성 대동맥판과 동반된 좌심실 비대 및 확장소견이 관찰되었다(그림 2-4-5).

환자는 이엽성 대동맥판 및 대동맥판 역류, 대동맥축착증에 대해 흉부외과에서 수술적 치료를 받고 퇴원하였다. 퇴원전 시행한 심초음파에서 하행대동맥에 매우 국소

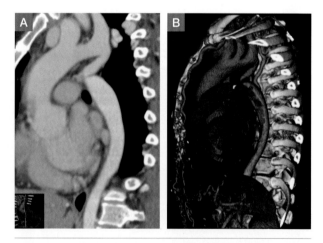

그림 2-4-5. **환자의 CT.** T6 level의 하행 흉부대동맥에 국소적으로 대동맥이 매우 좁아져 있고, 이로 인해 innominate artery, left common carotid artery와 subclavian artery의 우회혈관들이 다수 관찰됨.

적으로 남아있는 협착이 있었고 Vmax 2.7 m/sec, 좌심실 구혈률 감소(EF 25%) 및 벽운동장애가 관찰되었으나 외래에서 시행한 추적 심초음파상 좌심실 구혈률은 정상으로 회복(EF 70%)되었고 하행대동맥의 협착부위에서 측정한 Vmax 2.1 m/sec이었다. 치환된 대동맥판의 기능은 Vmax 1.8 m/sec, 평균압력차 6.5 mmHg, 경미한 대동맥판 역류만 관찰되었고, 현재 정기적인 외래를 통한 추적관찰 중이다.

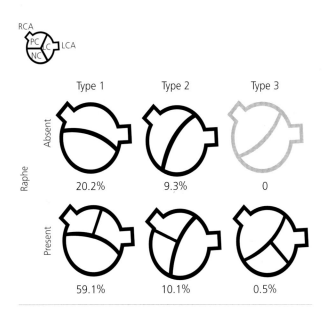

그림 2-4-6. **이엽성판의 형태학적 분류**

● Keynote

이엽성 대동맥판(bicuspid aortic valve, biAV)은 유전 형태의 심장질환 중 하나로 대동맥판의 leaflet이 3개가 아닌 2개인 상태를 칭한다. 가장 흔한 형태의 선천성 심장질환으로 알려져 있으며 성인의 약 1.3% 정도에서 발견되는 것으로 알려져 있고, 남성에서 2배 정도 더 흔한 것으로 보고되었다. NOTCH1 유전자의 변이와 관련이 있음이 보고되었다.

BiAV의 가장 흔한 형태는 앞뒤 방향으로 2개의 commissure가 존재하는 leaflet이 2개 존재하는 형태이며, 왼쪽과 오른쪽 방향으로 2개의 commissure가 존재하는 leaflet이 2개인 형태는 드문 것으로 알려져 있다(그림 2-4-6).

Type 1의 경우 협착증으로 나타날 가능성이 더 높으며, type 2의 경우 이른 시기에 합병증이 발생하는 경향이 있다.

많은 경우에 있어 BiAV는 문제를 일으키지 않을 수 있다. 무증상에서부터, 쉽게 피곤해지는 경향의 경한 증상, 대동맥판 협착이나 대동맥판 역류, 혹은 감염성 심내막염으로 인하여 수술적 치료를 요하는 심각한 경우까지 다양한 형태로 임상양상이 나타날 수 있다.

i) 대동맥판 협착은 가장 흔한 형태의 합병증으로 수술적 치료가 필요할 수 있다. 이엽성 대동맥판을 가진, 나이가 40대인 환자 중 15% 정도에서 정상적인 대동판막 기능이 유지된다고 한다.

ii) 대동맥판 역류는 다양한 원인에 의해서 나타나게 되는데, cusp prolapse, 심내막염, 확장된 대동맥근(dilated aortic root) 및 판막의 myxoid degeneration이 원인이 될 수 있다.

iii) 심내막염은 3개의 leaflet을 가진 정상 대동맥판막보다 이엽성 판막에서 더 흔하다. 발생빈도는 대략 2% 보다는 적은 것으로 보고가 되고 있으나, 일단 발병할 경우 정상 대동맥판막에서 발생하는 경우보다 예후가 좋지 않은 것으로 알려져 있다.

BiAV로 진단된 환자들은 1) 상행대동맥류(ascending aorta aneurysm)와 2) 대동맥축착증(coarctation of aorta, CoA)이 동반되는 경우가 있어, 이에 대한 평가가 필요하

표 2-4-1. Elective aortic root surgery의 적응증

Aortic root diameter	Elective aortic root surgery의 적응증
≥ 55 mm	All - class I in ACC/AHA guidelines IIa in ESC guidelines
50 - 54 mm	다음과 연관이 되어 있는 경우에 수술 1) 대동맥 박리 또는 급사의 가족력 2) 대동맥 확장의 속도가 빠를 경우 3) 기타(고혈압, 대동맥 축착증, 임신을 계획하는 여성)
≥ 45 mm	다른 판막질환 수술의 적응증인 경우

다. 이엽성 판막을 가진 환자에서 상행대동맥류의 유병률은 7.5−79%까지 다양하게 보고가 되는데, type 2의 형태를 보이는 경우 더 흔한 것으로 알려져 있다. CoA는 이엽성 판막 가진 환자들의 약 20% 이상에서 관찰되는 동반 질환이다. 특히 CoA가 동반될 경우 하지 혈압이 상지혈압보다 낮은 신체검진 소견을 보이기도 한다.

BiAV는 약 1/3의 환자에서 심각한 합병증을 야기하며, 이로 인한 이환율과 사망율을 야기할 수 있다. 대동맥판 협착 혹은 역류, 상행대동맥류와 연관된 상행대동맥박리 및 급사, 감염성 심내막염 등의 합병증을 야기할 수 있다.

이엽성 판막을 가진 환자들에서 대동맥 확장과 관련하여 제시된 수술 적응증을 요약하면 다음과 같다(표 2-4-1).

5. 삼첨판 역류

증례 1. 이차성 삼첨판 역류(Secondary tricuspid regurgitation)

58세 남자가 점차 심해지는 호흡곤란과 부종으로 내원하였다. 25년 전 승모판 협착과 대동맥판 역류, 심방세동이 진단되어 조직판막으로 치환술을 시행하였으며, 9년 전 호흡곤란이 다시 악화되었고 조직판막 기능 부전이 진단되어 기계판막 치환술을 시행하였다. 심초음파에서 기계판막의 기능은 정상적이었고 좌심실의 수축기 기능도 양호하였으나(그림 2-5-1), 중증의 삼첨판 역류가 관찰되었다(그림 2-5-2). 우심실 이완기말 면적(right ventricular end−diastolic area, RVEDA)은 24.8 cm², 우심실 수축기말 면적은(right ventricular end−systolic area, RVESA) 12.7 cm²으로 우심실의 크기가 증가되어 있었으며, 분획 면적 변화(fractional area change, FAC)는 정상범위인 49%로 측정되었다. CMR에서도 중증의 삼첨판 역류와 함께 우심실의 확장이 관찰되었으며, 우심실 구혈률은 44.5%로 측정되었다(그림 2-5-3). 삼첨판 치환술을 조직판막(CE perimount 33 mm)으로 시행하였으며, 이후 우심실 부전이 발생하여 입원치료를 반복하였고 2년 뒤 사망하였다.

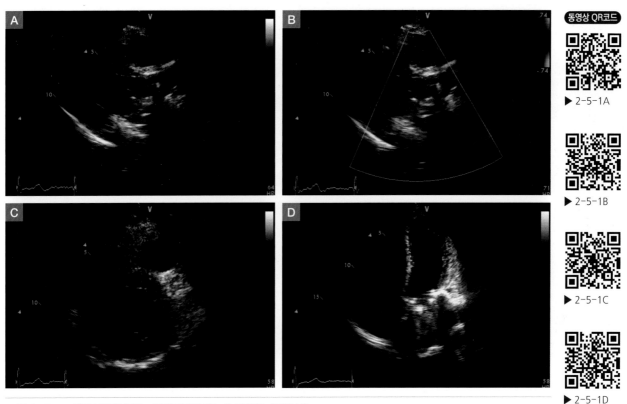

동영상 QR코드

▶ 2-5-1A

▶ 2-5-1B

▶ 2-5-1C

▶ 2-5-1D

그림 2-5-1. **경흉부심초음파.** 기계판막의 기능은 정상임. **(동영상)**

증례 2. 독립적 삼첨판 역류(Isolated tricuspid regurgitation)

76세 여자가 호흡곤란으로 내원하였다. 20년 전 심방세동이 진단되었고 수 년 전부터 호흡곤란과 전신 부종이 반복적으로 발생하였으며 이뇨제 투여 시 호전되는 양상이었다. 심초음파에서는 삼첨판이 coaptation 되지 않으면서 중증의 역류가 관찰되었다(그림 2-5-4). 우심실은 확장되어 있었으나 수축기능은 육안적으로 양호해 보였으며 tricuspid annular plane systolic excursion (TAPSE)는 15 cm으로 측정되었다. 또한 삼첨판 역류 속도로 추정한 폐동맥수축기 압력은 42 mmHg로 증가되어 있었다(그림 2-5-5). CMR에서는 우심실 구출율이 23%로 산출되었으

나 이는 육안 소견과는 괴리가 컸으며 불규칙한 RR 간격으로 인해 정확하게 측정되지 않은 것으로 판단되었다(그림 2-5-6). 환자는 tricuspid annuloplasty 시행 후 삼첨판 역류가 경증으로 호전되었으며(그림 2-5-7), 2년째 별다른 문제없이 추적관찰 중이다.

Keynote

심장초음파는 판막질환의 진단, 치료 및 예후 예측에 있어서 매우 중요한 역할을 하고 있다. 하지만, 우심실의 평가 및 독립적 삼첨판 역류(isolated tricuspid regurgitation, isolated TR)의 예후 예측에 있어서는 사용시 주의할

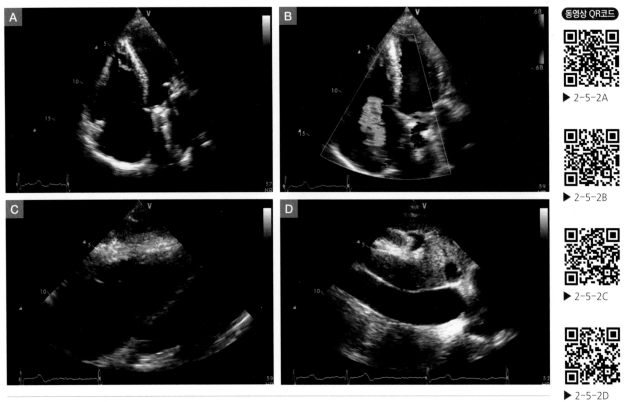

동영상 QR코드

▶ 2-5-2A

▶ 2-5-2B

▶ 2-5-2C

▶ 2-5-2D

그림 2-5-2. **경흉부심초음파.** 우심실 크기 증가와 중증 삼첨판 역류가 있음. **(동영상)**

점이 있다.

특히, 과거 좌측 판막(승모판, 대동맥판)의 수술적 교정 이후 발생하는 중증 삼첨판 역류(severe isolated TR)의 발생을 추적하여 진단하는 것에 있어 심초음파의 역할은 매우 중요하지만, 예후 예측이라는 측면에서는 다소 실망스럽다.

서울대학교병원에서의 연구에 따르면, 과거 좌측 판막에 대한 수술을 받은 환자를 평균 11.6년 추적 관찰하였을 때 임상적으로 의미있는 중증 삼첨판 역류의 발생이 26% 정도에서 발생함을 확인하였다. 이러한 중증 삼첨판 역류가 발생한 환자들은, 발생하지 않은 환자들에 비해 예후가 좋지 않았다(생존율 86% vs. 62%, P=0.03). 따라서, 이러한 환자들의 치료의 필요성이 대두되었다. 문제는 수술적 치료를 시행하였을 경우, 예후가 좋지 않다는 것으로 수술 사망률은 10-20%, 5년 생존율 40-50%에 이를 정도였다. 따라서, 적절한 수술 시기 결정이 중요한 문제로 대두가 되었다. 한 연구에 따르면 우심실 수축기말 면적(right ventricular end-systolic area) < 20 cm^2 일 경우 예후가 좋음을 보고하였다. 하지만, 우심실의 독특한 모양으로 인해 심초음파로 우심실 수축기말 면적을 평가하는 데에 어려움이 있는 것이 사실이며, 특히 심초음파 이미지의 획득 평면에 따라 다르게 측정이 될 수 있는 문제점이 있다. 또한 우심실이 너무 확장이 될 경우 정확히 우심실의 내강을 측정하기 어려운 경우가 존재한다(그림 2-5-8). TAPSE 정도 역시 심초음파의 sonic angle에 따라 측정치가 달라질 수 있어 측정자에 따른 오차가 발생하게 된다

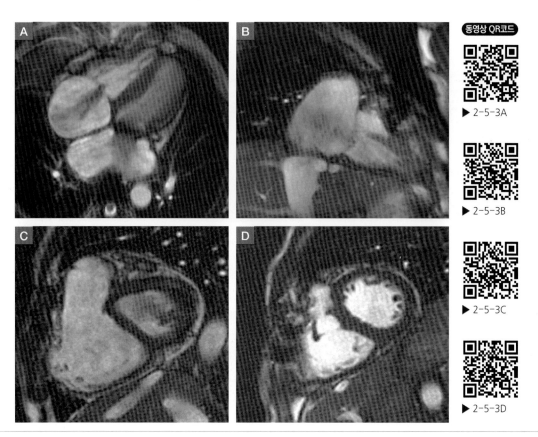

동영상 QR코드

▶ 2-5-3A

▶ 2-5-3B

▶ 2-5-3C

▶ 2-5-3D

그림 2-5-3. **CMR.** 중증 삼첨판 역류와 우심실 확장이 관찰됨. **(동영상)**

(그림 2-5-9). 이러한 오차를 최소화하기 위해서는 일반적인 심첨4방도를 변형한 right ventricle-focused view에서 TAPSE를 측정해야 한다. 명확한 right ventricle-focused view를 획득하기 위해서는, 심첨4방도에서 우심실의 단경이 최대가 될 때까지 탐촉자를 회전(rotation)시켜야 하는데, 이 때 탐촉자의 위치는 심첨부를 벗어나지 않아야 한다. 또한 같은 plane에 좌심실의 가운데 공간이 잡혀야 하며 심첨5방도로 변형되어서는 안된다.

이러한 심초음파의 약점을 극복할 수 있는 새로운 영상 기법으로 CMR이 사용이 되었고, 한 연구에 따르면 예후 예측에 있어 중요한 역할을 할 수 있음이 보고되었다. 특히 우심실 구혈률 46%를 기준으로 하였을 때 심장관련 사망 및 수술 후 주된 심장문제 발생을 예측하는 능력을 보여주었다. 하지만, 좌측 판막 수술이후 오랜 시간이 지나서 발생하는 중증 삼첨판 역류의 경우 심방세동을 동반하는 경우가 많고, 이럴 경우 CMR 기법을 이용하여 우심실 구혈률 측정이 잘못되는 경우가 드물지 않기 때문에, 반드시 직접 영상을 확인하여 측정된 우심실 구혈률의 타당성을 검증하여야 한다. 본 증례 2의 경우가 이러한 경우로 측정치는 23%이었으나, 심방세동에 의해 심각하게 과소측정(underestimation)이 된 것으로, 심초음파에서 추정되는 우심실 구혈률과 현저히 차이가 난다. 따라서, CMR을 이용하여 측정된 우심실 구혈률을 환자에게 적용하기 전, 이중 확인을 하는 것이 반드시 필요하다 하겠다.

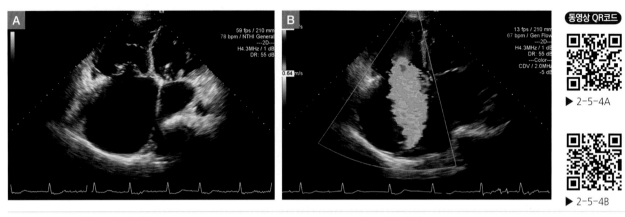

동영상 QR코드

▶ 2-5-4A

▶ 2-5-4B

그림 2-5-4. **경흉부심초음파.** 삼첨판의 coaptation이 되지 않고 중증 역류가 관찰됨. **(동영상)**

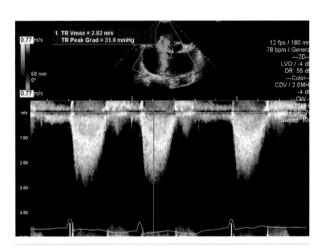

그림 2-5-5. **경흉부심초음파.** 폐동맥 수축기압이 경미하게 증가되어 있음.

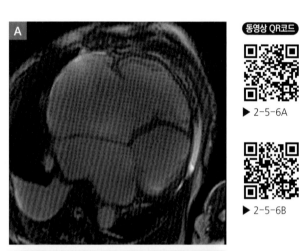

동영상 QR코드

▶ 2-5-6A

▶ 2-5-6B

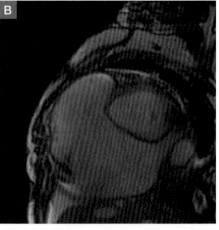

또 다른 연구에 의하면, 삼첨판 역류수술이 성공적으로 시행될 경우 우심실의 역재형성(reverse remodeling)이 일어나고, 이는 환자의 기능호전과도 관련이 있음이 보고된 바 있다.

그림 2-5-6. **CMR.** 우심실 확장이 관찰되나 수축기능은 정상적임. **(동영상)**

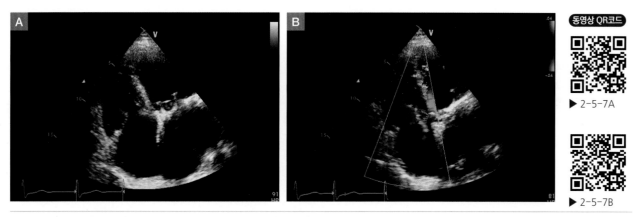

동영상 QR코드

▶ 2-5-7A

▶ 2-5-7B

그림 2-5-7. **경흉부심초음파.** 삼첨판 역류는 호전되었음. **(동영상)**

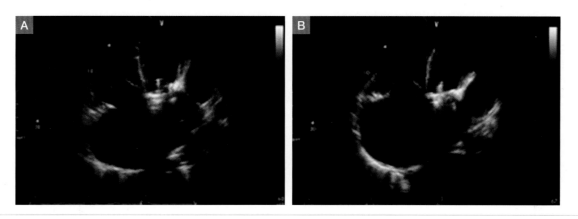

그림 2-5-8. **경흉부심초음파.** 우심실이 너무 확장되어 있어 정확한 우심실 내강의 측정이 어려움.

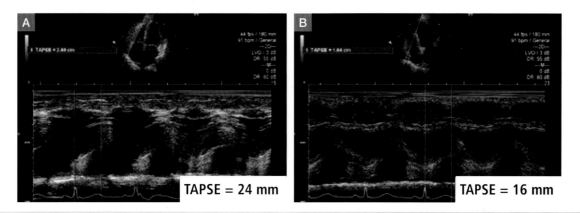

TAPSE = 24 mm

TAPSE = 16 mm

그림 2-5-9. **경흉부심초음파.** 초음파의 sonic angle에 따라 TAPSE 값이 달라짐.

6. 폐동맥판 협착

증례 1. 간경변에 동반된 폐고혈압(Pulmonary hypertension in liver cirrhosis)

57세 남자가 간이식 수술 전 평가를 위해 내원하였다. B형 간염 바이러스에 의한 간경변(Child-Pugh class C)을 앓고 있었고 식도정맥류가 동반되었으며, 다른 동반질환은 부인하였다. 심초음파에서 좌심실의 수축기능은 정상

이었으나 우심실의 압력과부하로 인해 D-shaped LV가 관찰되었다. 폐동맥이 커져 있었으며 혈류속도가 증가되었으나 조영 시 박리를 시사하는 소견은 관찰되지 않았다(그림 2-6-1). 우심실 수축기 압력은 62 mmHg, 폐동맥판 전후 평균압력차는 27 mmHg으로 측정되었다(그림 2-6-2). 폐동맥 CTA에서는 주 폐동맥간(main pulmonary trunk)과 좌측 폐동맥의 확장이 관찰되었다(그림 2-6-3). CMR에서는 확장된 폐동맥과 함께 폐동맥판막에서의 혈류속도 증가가 관찰되었다(그림 2-6-4). 경식도심초음파를 시행하

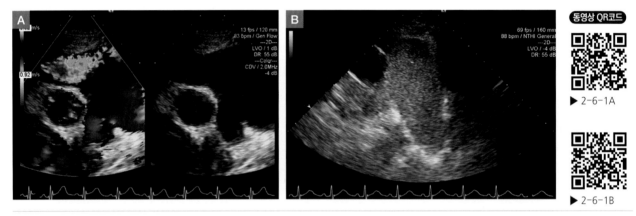

그림 2-6-1. **경흉부심초음파.** 폐동맥이 커져 있고 flow acceleration이 있으며, 조영심초음파에서 박리를 시사하는 소견은 없었음. **(동영상)**

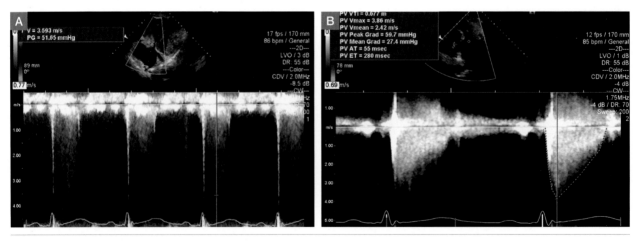

그림 2-6-2. **경흉부심초음파.** 우심실 수축기 압력과 폐동맥판 전후 평균압력차가 증가되어 있음.

였으며, 주 폐동맥간과 좌측 폐동맥의 동맥류를 동반한 중증의 폐동맥판 협착이 확인되었다(그림 2-6-5). 심초음파로 측정한 peak trans–pulmonary valve pressure gradi-ent는 60 mmHg이었으며, 심도자술로 측정한 수축기 우심실 압력은 102 mmHg이었다. Percutaneous pulmonary valvuloplasty 시행을 하였고, 수축기 우심실압은 72

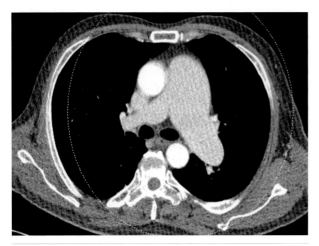

그림 2-6-3. **폐동맥 CTA.** 주 폐동맥간과 좌측 폐동맥 확장이 관찰됨.

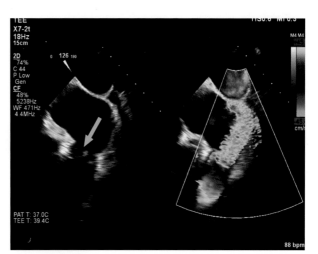

▶ 2-6-5

그림 2-6-5. **경식도심초음파.** 중증 폐동맥판 협착이 관찰됨. **(동영상)**

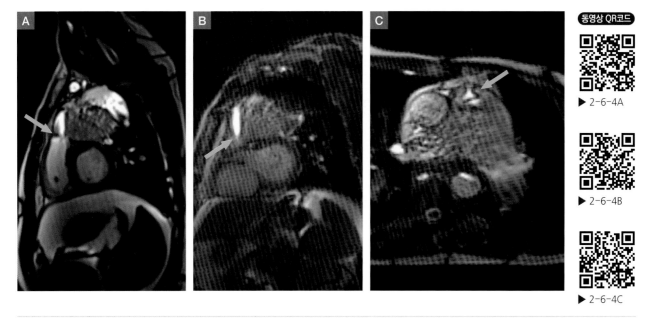

▶ 2-6-4A

▶ 2-6-4B

▶ 2-6-4C

그림 2-6-4. **CMR.** 확장된 폐동맥과 폐동맥 판막에서의 혈류속도 증가가 관찰됨. **(동영상)**

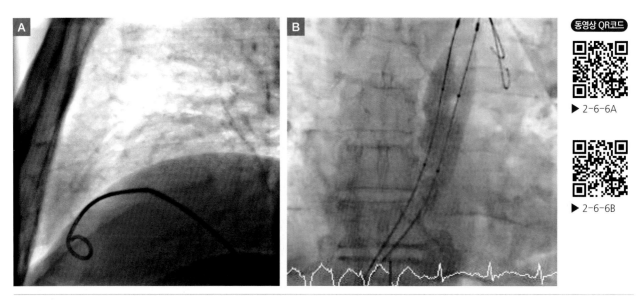

동영상 QR코드

▶ 2-6-6A

▶ 2-6-6B

그림 2-6-6. **Valvuloplasty.** 폐동맥판 협착에 대해 풍선 확장술을 시행함. **(동영상)**

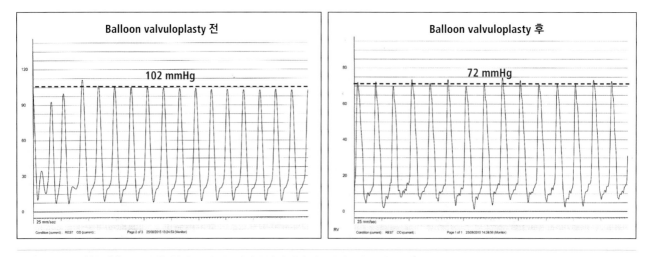

그림 2-6-7. **심도자술.** 풍선 확장술을 통해 폐동맥판막 압력 차가 감소하였으나 여전히 높음.

mmHg로 호전되었다(그림 2-6-6, 그림 2-6-7). 시술 후에도 우심실 압력이 70 mmHg 수준으로 상승되어 있어 pressure tracing 시 우심실 유출로에서 압력 차의 증가가 관찰되었으며(그림 2-6-8), 심초음파를 시행하였고 우심실 유출로의 역동적 폐쇄(dynamic obstruction)에 의한 압력 증가로 판명되었다. 베타 차단제 투여 후 우심실 압력은 40 mmHg까지 감소하였으며, 이후 간이식을 성공적으로 받

았다(그림 2-6-9, 그림 2-6-10).

> **Keynote**

다른 판막질환과 마찬가지로 심초음파는 우심실 유출로에 발생하는 협착 진단에 매우 유용한 역할을 한다. 이러한 것으로 폐동맥판 협착뿐만이 아니라 역동적 우심실 유출로 협착도 존재하는데, 이는 심초음파 검사로 용이하게 판단할 수 있다.

상기 환자의 경우 간이식을 위해 시행된 수술전 심초음파 검사에서 증가된 우심실 수축기압이 발견되었다. 폐동맥판 협착이 없을 경우 이는 폐동맥압의 상승을 의미하는 것으로 간이식에 금기가 될 수도 있기에, 이러한 경우 보다 정확한 진단이 요구된다. 실제로 삼첨판 역류를 이용하여 심초음파로 측정된 우심실 수축기압을 폐동맥 병변을 고려하지 않은 상태에서 잘못 진단하여, 정확한 진단이 지체되는 경우가 있다. 본 환자의 경우 폐동맥판 협착이 존재하는 상황이었고, 이는 경식도심초음파에서 확인이 되었다. 심초음파의 발전과 더불어, 심도자술의 시행은 거의

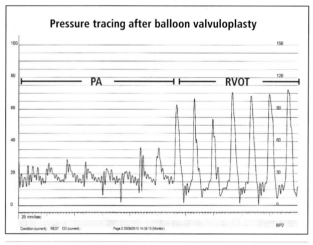

그림 2-6-8. 심도자술. 우심실 유출로의 압력 증가가 관찰됨.

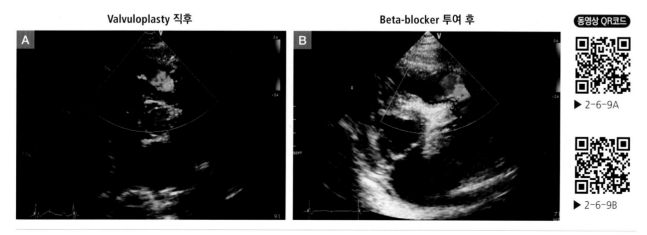

그림 2-6-9. 경흉부심초음파. 베타 차단체 투여 후 우심실 유출로 역동적 폐쇄가 호전됨. **(동영상)**

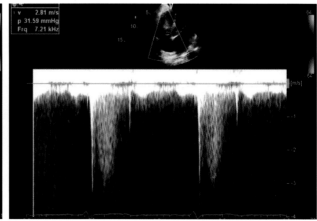

Valvuloplasty 직후 (70 mmHg)

Beta-blocker 투여 후 (41 mmHg)

그림 2-6-10. **경흉부심초음파.** 베타 차단제 투여 후 우심실 압력이 40 mmHg까지 감소함.

필요가 없어지게 되었으며, 임상적 상황 및 심초음파 소견이 잘 부합하지 않을 경우에만 시행되는 경향이다.

대부분의 폐동맥판 협착은 선천성 질환에 의한 것으로, 무증상인 경우가 많고, 일부 환자에서 운동시 호흡곤란이나 피곤감을 느끼는 경우가 있다. 아주 드문 경우이기는 하지만, 흉통, 실신, 또는 급사로 발현하는 경우도 있으며, 말초 부종 등 우심실 부전 증상을 보이는 경우도 있다. Peak trans-pulmonary valvular pressure gradient가 50 mmHg를 초과할 경우 풍선 확장술을 고려하여 치료를 시행한다. 하지만, 경우에 따라 판막의 변형이 생긴 경우(예. Noonan 증후군)나, 폐동맥판륜의 저형성이 동반된 경우는 수술적 치료가 필요할 수 있다.

진료 지침에 따르면 모든 형태의 폐동맥판 협착 환자는 감염성 심내막염에 중등도 위험을 가지며, 복합 선천성 심질환과 동반된 경우 고위험군으로 분류되기 때문에 모든 폐동맥판 협착 환자는 항생제 예방요법을 하는 것이 권장된다 하겠다.

7. 인공판막

증례 1. 유증상 판누스(Symptomatic pannus)

24년 전 대동맥판막 치환술을 시행 받았던 67세 남자가 가슴통증으로 내원하였다. 경흉부심초음파에서 측정한 대동맥판 최대혈류속도는 3.1 m/s, 평균 압력차이는 20 mmHg로 증가되었으며 이전 검사들과 비교 시 속도와 압력의 점진적인 증가 소견이 확인되었다. 경식도심초음파에서 인공대동맥판막의 움직임에 이상은 없었으나(그림 2-7-1), 3차원 심초음파를 시행하였을 때 인공대동맥판막의 좌심실 유출로 측에 원형 구조물이 관찰되었다(그림 2-7-2). 심장 CT에서도 인공대동맥판막 하부에 얇은 막성 원형 구조물이 관찰되어 pannus formation이 의심되었다(그림 2-7-3). Pannus formation으로 인한 압력 증가가 점차 진행하여 6개월 후 pannus 제거 및 대동맥판 치환술을 시행하였으며, 심초음파 및 심장 CT와 유사한 조직소견이 확인되었다(그림 2-7-4).

증례 2

13년 전 대동맥판 치환술과 승모판 치환술을 시행 받았던 61세 여자가 정기검사를 위해 내원하였다. 경흉부심초음파 시행 시 인공승모판막의 기능은 정상이었으나 측정한 대동맥판 최대혈류속도는 5.0 m/s, 평균 압력차이는 56 mmHg로 증가되었으며, 이전 검사들과 비교 시 속도와 압력의 점진적인 증가 소견이 확인되었다. 원인 감별을 위해 시행한 경식도심초음파에서 인공대동맥판막의 움직임에 이상은 없었으나 판막 하부에서 혈류속도 증가가 관찰되었다(그림 2-7-5). 3차원 심초음파를 시행하였을 때 인공대동맥판막 하부에 전반적으로 봉합 경계(sewing margin)를 따라 형성된 pannus formation이 관찰되었다(그림 2-7-6). Fluoroscopy에서 인공판막의 움직임은 정상이었다(그림 2-7-7). 심장 CT에서도 인공대동맥판막 하부의 pannus formation이 관찰되었다(그림 2-7-8, 그림 2-7-9). 환자가 호소하는 증상이 없어 경과 관찰하기로 하였다.

▶ Keynote

인공 판막 막힘(prosthetic valve obstruction)이라는 질환은 예후측면에서 매우 중요하다. 가장 중요한 원인 2가지는 판막에 생기는 혈전 및 pannus formation이다.

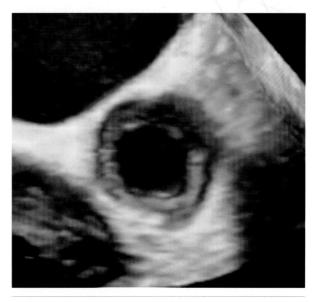

그림 2-7-2. 3차원 경식도심초음파. 인공대동맥판막의 좌심실 유출로 측에 원형 구조물이 관찰됨.

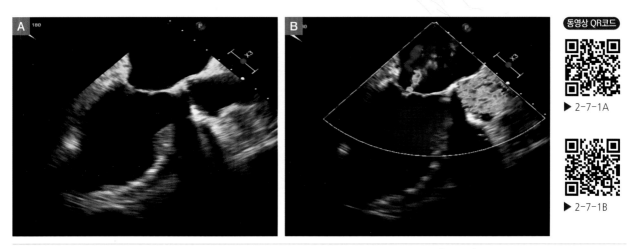

그림 2-7-1. 경식도심초음파. 인공대동맥판막의 개폐는 정상적이나 flow acceleration이 관찰됨. **(동영상)**

혈전증은 흔히 인공 기계 판막 삽입 후 오래지 않아 발생하거나, 적절한 항응고치료가 되지 않는 경우 발생하며, 조직 판막의 경우 오랜 기간이 지나고, 퇴행성 변화를 겪을 때 발생하는 것으로 되어 있다. 이에 비하여 pannus는 더욱 만성적으로 발생하는 경과를 밟으며, 조직이 인공판막 안으로 서서히 자라 들어오게 되어 협착 및 막힘 현상을 일으키는 것으로 알려져 있다. 임상적으로 혈전증과 pannus formation을 감별하는 것은 치료방침을 결정하는 데에 매우 중요하다. 혈전의 경우 혈전용해술(thrombolysis)이 우선적으로 고려될 수 있는데, 이는 두개강내 출혈 등과 같은 심각한 합병증과 연관이 될 수 있으며, 혈전용해술이 실패했을 경우 수술적 치료로 넘어가게 되는데, 이러한 경우 출혈뿐만이 아니라 수술이 지체되는 것과 관련된 사망률의 증가도 보고가 되어 있다.

전통적으로 심초음파가 이러한 감별진단에 중요한 역할을 해 오고 있는데, 특히 pannus formation의 경우 오랜 기간에 걸쳐 서서히 인공판막 전후 압력차가 증가하게 되는 현상이 관찰된다. 하지만, 심초음파로 pannus를 직접 영상화하기는 기술적 한계로 어려웠으며, 기계판막에 의한 초음파의 acoustic shadowing 현상으로 기계판막의 움직임을 직접 확인하는 것이 모든 환자에서 가능하지는 않았다. 따라서, fluoroscopy가 심장초음파와 함께 진단에

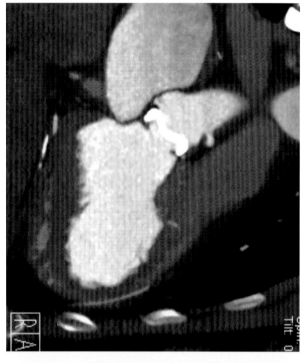

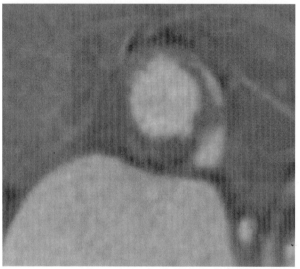

그림 2-7-3. **심장 CT.** 인공대동맥판막 직하부에 pannus formation이 관찰됨.

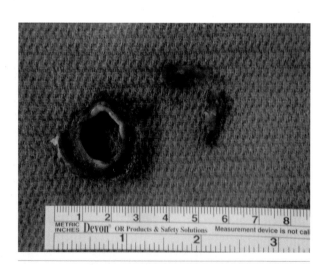

그림 2-7-4. **적출된 인공대동맥판막 및 조직 소견.** 섬유성 조직인 pannus가 관찰됨.

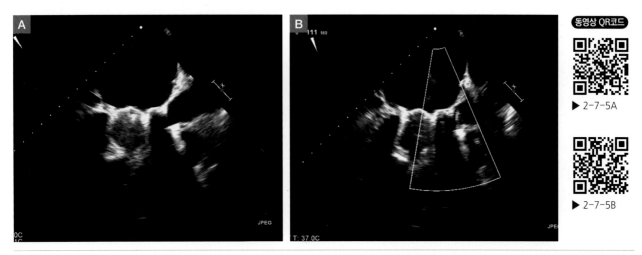

동영상 QR코드

▶ 2-7-5A

▶ 2-7-5B

그림 2-7-5. 경식도심초음파. 인공대동맥판 하부에서 flow acceleration이 관찰됨. **(동영상)**

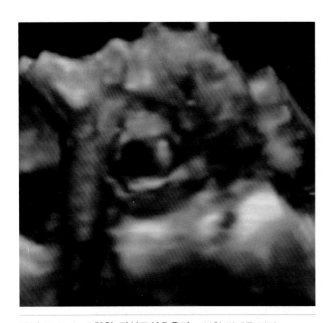

그림 2-7-6. 3차원 경식도심초음파. 봉합 경계를 따라 pannus formation이 관찰됨.

이용되곤 하였다. 하지만, pannus formation이 되어도 fluoroscopy에서 인공판막의 움직임이 정상으로 보이는 경우도 있어 진단에 어려움은 계속 존재해 왔다.

　최근 심초음파 기법 이외에 multi-modality imaging technique이 심장질환 진단에 사용이 되고 있고, 특히 pannus formation 진단에 도입이 되었다. CT기법의 발전으로 pannus formation에 대한 이미지화가 가능하게 되었고, 삼차원 경식도심초음파의 발전으로, pannus formation을 객관적으로 증명할 수 있게 되었다. 상기 증례들은 전통적인 이면성 심초음파 기법 이외에 fluoroscopy, CT 및 삼차원 경식도심초음파를 이용하여 pannus formation을 진단함으로써 치료방침 결정에 도움을 받은 대표적인 경우라 하겠다.

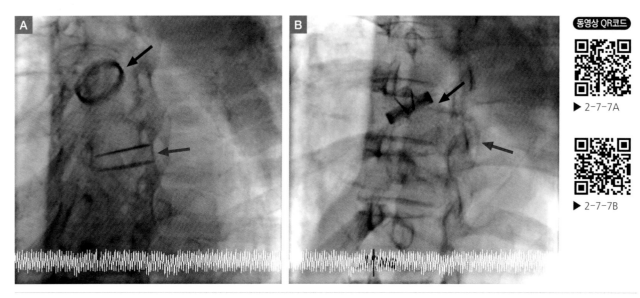

그림 2-7-7. Fluoroscopy. 인공판막의 en face projection과 tilting disk projection에서 인공판막의 개폐 움직임은 정상임. 인공대동맥판은 (➡)로, 인공승모판막은 (➡)로 표시. **(동영상)**

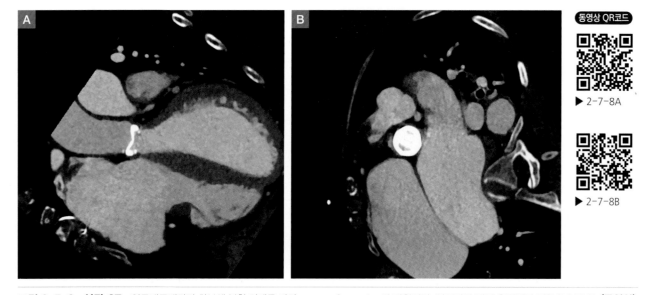

그림 2-7-8. 심장 CT. 인공대동맥판막 하부에 봉합 경계를 따라 pannus formation이 관찰되며, 인공판막 개폐 움직임의 제한은 없었음. **(동영상)**

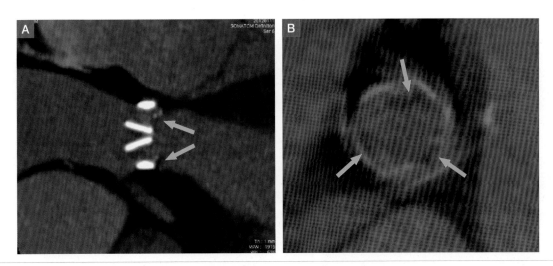

그림 2-7-9. **심장 CT.** 인공대동맥판막 하부에 봉합 경계를 따라 pannus formation이 관찰됨.

8. 감염성 심내막염

증례 1. Pacemaker wire와 연관된 감염성 심내막염

78세 여자가 일주일 전부터 시작된 발열을 주소로 내원하였다. 과거력상 3도 방실차단으로 20여년전 DDD형 심박동기를 삽입하였고, 2003년과 2011년에 두 차례 revision을 시행하였었다. 내원 후 시행한 심초음파상에서 심박동기의 lead에 28×20 mm크기의 증식(vegetation)이 관찰되었고 이로 인한 중등도 삼첨판 역류, 경도 삼첨판 협착이 동반되어 있었다(그림 2-8-1A). 또한, 좌심실 수축기 능이 다소 저하되어 있어 좌심실구혈률은 45%로 측정되었고, 심첨부의 운동성이 떨어져 있었다. 심장 CT상에서 4 cm 크기의 큰 증식이 우심실 쪽에 위치한 pacemaker lead와 삼첨판막에 붙어서 관찰되었다(그림 2-8-1B). F-18 FDG PET을 시행하였고, pacemaker insertion된 부위의 염증성 변화가 관찰되었다(그림 2-8-1C).

환자는 각종 균 배양검사 결과 음성이었으나 감염성 심내막염으로 판단, 증식 제거를 위해 흉부외과에서 개흉술을 시행하였다. 수술 소견에서 4 cm 크기의 증식이 pacemaker 선을 감싸고 있으면서 삼첨판에 끼어 있고 후엽에 부착되어 있어 삼첨판막을 제거하고 치환술을 시행하였다(그림 2-8-1D). 병리결과 곰팡이균(아스페르길루스증)으로 진단되었고 수술 환자는 항진균제를 사용하면서 임상경과 호전되어 퇴원하였다.

증례 2. 삼첨판 감염성 심내막염

37세 여자가 발열과 오한, 복통을 주소로 내원하였다. 환자는 과거력에서 3도 화상으로 두 달 이상 중환자실 치료를 받았고, 당시 Pseudomonas aeruginosa로 인한 병원감염성 심내막염으로 삼첨판 치환술 및 항생제 치료를 6주간 받았던 병력이 있었다. 최근 치과치료나 기타 시술을 받은 병력은 없었다. 피검사에서 백혈구증가증(총 백혈구 수치 23,100), 염증단백표지자(CRP 24.03) 상승이 있었고

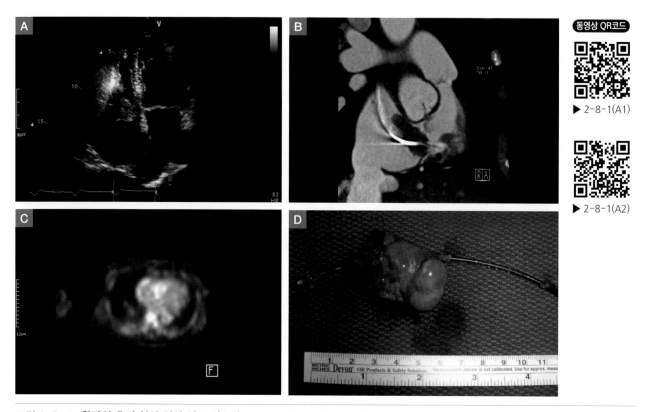

그림 2-8-1. 환자의 초기 영상 검사 및 조직소견. A. 심초음파, B. 심장 CT, C. F-18 FDG PET, D. 수술 후 pacemaker lead에 붙어있던 증시물의 육안적 소견임. **(동영상)**

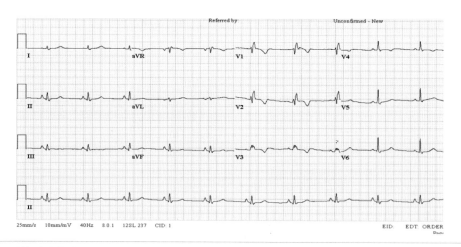

그림 2-8-2. 내원 당시 환자의 심전도 소견.

심전도에서 우각차단이 관찰되었다(그림 2-8-2).

경흉부심초음파상에서 치환된 삼첨판을 통한 평균압력차가 9 mmHg로 증가되어 있고 움직이는 덩어리가 cusp에 붙어있는 것을 관찰할 수 있었다(그림 2-8-3).

경식도심초음파를 시행하였고, 삼첨판에 11×5 mm 크기의 sessile mass가 관찰되면서 심방의 중격부에서 삼첨판과 대동맥판의 인접부에 걸쳐 내부에 액화를 동반한 농을 형성하는 것이 의심되는 소견이 관찰되었다(그림 2-8-4). 혈액배양검사에서 다발성 약제내성을 가진 *Pseudomonas aeruginosa*균이 검출되어, colistin과 ciprofloxacin 병합요법을 시행하였으나 균혈증이 지속되면서 신기능저하가 나타나 다시 삼첨판 치환술을 시행하고 항생제 병합요법 후 퇴원하였다.

7개월 후 환자는 다시 발열과 오한, 복통을 주소로 내원하였고 혈액배양검사 결과 다제내성을 가진 *Pseudomonas aeruginosa*가 다시 검출되었다. 경식도심초음파에서

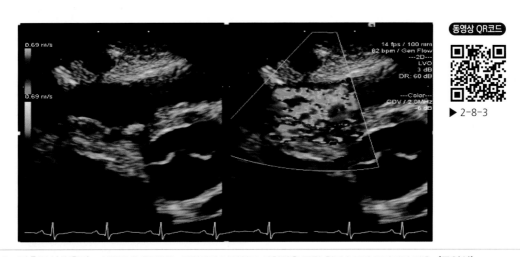

그림 2-8-3. **경흉부심초음파.** 삼첨판에 움직이는 덩어리가 붙어있고 삼첨판을 통한 혈류속도가 증가되어 있음. **(동영상)**

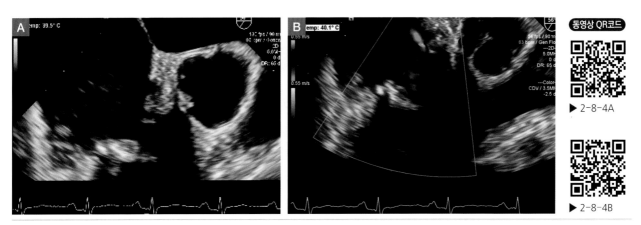

그림 2-8-4. **경식도심초음파.** 삼첨판에 sessile mass가 관찰됨. **(동영상)**

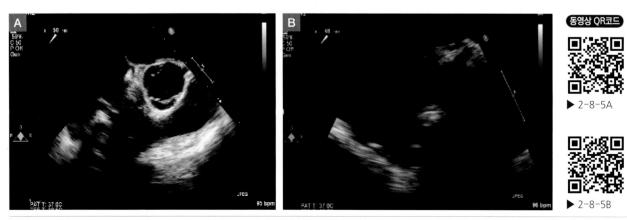

동영상 QR코드

▶ 2-8-5A

▶ 2-8-5B

그림 2-8-5. 재입원 후 시행한 경식도심초음파 소견. 삼첨판 끝쪽에 oscillating vegetation이 관찰됨. **(동영상)**

(그림 2-8-5) 삼첨판 끝쪽에 붙어서 12 mm 크기의 진동하는 증식이 다시 관찰되었다. 항생제 치료에 반응이 없어 수술적 치료 위해 흉부외과로 전과되었고, redo TVR 시행하고 수술 후 항생제 치료하던 중, 다시 균혈증이 관찰되어 strain분석 및 whole body FDG fusion PET, WBC scan 등 시행하였다. PET에서 다른 감염원은 관찰되지 않았고, Tc−99m−HMPAO WBC scan에서 치환된 삼첨판에 백혈구 응집이 관찰되었으며(그림 2-8-6), strain분석결과 반복되는 감염증의 균주는 동일한 것으로 나타났다.

환자는 항생제 치료에 반응을 보이지 않아 수술을 시행하였고, 치환된 삼첨판의 판과 고리 사이에서 농양을 형성하고 있는 덩어리가 있어 제거하였다. 긁어낸 조직배양 결과 동일한 균이 동정되었다. 환자는 6주간의 항생제 치료 후 음전되어 퇴원하였고, 이후 다른 문제없이 외래 경과 관찰 중이다.

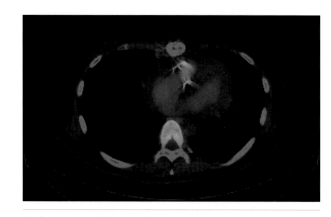

그림 2-8-6. 삼첨판에 백혈구 응집이 관찰됨

> **Keynote**

첫 번째 증례와 같은 진균에 의한 감염성 심내막염(infective endocarditis, IE)은 드문 질환이지만 예후가 매우 좋지 않은 것으로 알려져 있다. 안타깝게도, 이러한 진균성 IE는, 최근 인공심장판막, 중심정맥카테터 및 심박동기와 같은 인공심장기구의 사용 증가와 더불어 빈도가 증가하고 있다. 전체 IE에서 차지하는 유병률은 1−10% 정도

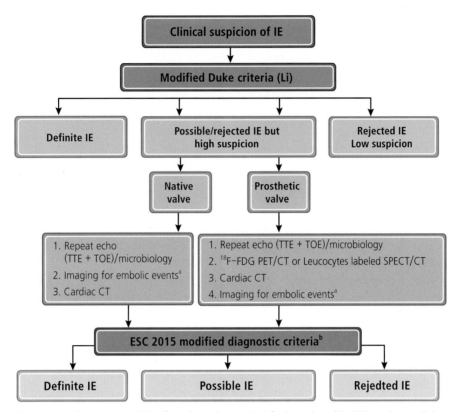

CT = computed tomography; FDG = fluorodeoxyglucose; IE = infective endocarditis; PET = positron emission tomography; SPECT = single photon emission computed tomography; TOE = transesophageal echocardiography; TTE = transthoracic echocardiography.

a: May include cerebral MRI, whole body CT, and/or PET/CT

b: 표 2-8-1 참조

그림 2-8-7. 감염성 심내막염 진단을 위한 2015 유럽진료지침

로 알려져 있으며, 사망률이 50%를 상회하는 것으로 예후가 매우 좋지 않은 형태의 IE이다. Aspergillus에 의한 IE는 진균에 의한 IE에서 약 25% 전후를 차지하는 질환이다. 드문 질환인 만큼 정립된 조기 진단 기준이 없으며, 혈액배양검사는 거의 항상 음성으로 나오기 때문에 진단이 더욱 어려운 질환이며, 수술이 거의 대부분의 경우에 요구된다.

두 번째 증례는 Pseudomonas aeruginosa의 IE (PE-IE)로 수차례의 수술적 치료가 반복되어야 했던 환자이다.

PE는 non-HACEK gram negative 그룹에 속하는 세균이다. PE-IE의 90%는 정맥마약의 사용과 관련이 있는 것으로 알려져 있지만, 이 환자의 경우 과거병력상 정맥마약 사용 등과 관련된 병력은 없었다. 정맥마약의 사용 이외에 의료기관 내에서의 감염이 중요한 위험인자로 알려져 있는데, 이 환자가 이러한 경우로 생각된다. PE-IE는 임상경과가 매우 좋지 않으며 사망률이 매우 높은 것으로 알려져 있어 보다 적극적인 치료를 요하는 질환이다. 특히 PE-IE는 높은 재발을 보이는 질환으로 알려져 있으며, 재발이

표 2-8-1. 2015년 유럽진료지침에 사용된 개정된 감염성 심내막염 진단 기준

Major criteria

I. Blood cultures positive for IE

    a. Typical microorganisms consistent with IE from 2 separate blood cultures:

        – Viridans streptococci, Streptococcus gallollyticus (Streptococcus bovis), HACEK group, Staphylococcus aureus; or

        – Community-acquired enterococci, in the absence of a primary focus; or

    b. Microorganisms consistent with IE from persistently positive blood cultures:

        – ≥ 2 positive blood cultures of blood samples drawn > 12h apart; or

        – All of 3 or a majority of ≥ 4 separate cultures of blood (with first and last samples drawn ≥ 1h apart); or

    c. Single positive blood culture for Coxiella burnetti or phase I Ig G antibody titre > 1:800

2. Imaging positive for IE

    a. Echocardiogram positive for IE:

        – Vegetation

        – Abscess, pseudoaneurysm, intracardiac fistulas;

        – New partial dehiscence of prosthetic valve.

    b. Abnormal activity around the site of prosthetic valve implantation detected by 18F-FDG PET/CT (only if the prosthesis was implanted for > 3 months) or radiolabeled leukocytes SPECT/CT.

    c. Definite paravalvular lesions by cardiac CT

Major criteria

1. Predisposition such as predisposing heart condition, or injection drug use
2. Fever defied as temperature > 38 ˚C
3. Vascular phenomena (including those detected by imaging only): major arterial emboli, septic pulmonary infarcts, infectious (mycotic) aneurysm, intracranial haemorrhage, conjunctival haemorrhages, and Janeway's lesion.
4. Immunological phenomena: glomerulonephritis, Osler's nodes, Roth's spots, and rheumatoid factor.

Microbiological evidence: positive blood culture but does not meet a major criterion as noted above or serological evidence of active infection with organism consistent with IE.

CT = computed tomography; FDG = fluorodeoxyglucose; HACEK = Haemophilus parainfluenzae, H. aphrophilus, H. paraphrophilus, H. influenza, Actinobacillus actinomycetemcomitans, Cardiobacterium hominis, Eikenella corrodens, Kingella kingae, and K. denitrificans; IE = infective endocarditis; Ig = immunoglobulin; PET = positron emission tomography; SPECT = single photon emission computed tomography.

확인될 경우 사망률이 상당히 높은 것으로 알려져 있다. PE-IE 의 합병증으로는 심부전, 색전증(뇌, 비장, 신장 등) 등이 있으며, 뇌염, 뇌농양, 진균동맥류 등이 발생이 보고되어 있다.

두 증례 모두에서 진단에 핵의학 검사기법이 도움이 되었으며, 최근 임상에서의 이용이 점차 늘고 있다. Tc-99m-HMPAO WBC scan뿐만이 아니라, FDG-PET scan도 많이 사용이 되고 있으며, 인공판막이나 인공기구를 심장내에 가지고 있는 환자들에서 IE가 의심이 되나 심초음파로 정확한 진단이 어려울 경우 감별진단에 도움을 줄 수 있을 것으로 기대된다.

감염성 심내막염의 진단을 위한 2015년 유럽진료지침에 제시된 알고리즘은 다음과 같다(그림 2-8-7, 표 2-8-1).

■ 참고문헌

1. Alagna L, Park LP, Nicholson BP, Keiger AJ, Strahilevitz J, Morris A, Wray D, Gordon D, Delahaye F, Edathodu J, Miro JM, Fernandez-Hidalgo N, Nacinovich FM, Shahid R, Woods CW, Joyce MJ, Sexton DJ and Chu VH. Repeat endocarditis: analysis of risk factors based on the International Collaboration on Endocarditis - Prospective Cohort Study. *Clinical microbiology and infection : the official publication of the European Society of Clinical Microbiology and Infectious Diseases* 2014;20:566-75.

2. Anjan VY and Herrmann HC. All aortic stenoses are not created equal. *Journal of the American College of Cardiology* 2015;65:654-6.

3. Barbetseas J, Nagueh SF, Pitsavos C, Toutouzas PK, Quinones MA and Zoghbi WA. Differentiating thrombus from pannus formation in obstructed mechanical prosthetic valves: an evaluation of clinical, transthoracic and transesophageal echocardiographic parameters. *Journal of the American College of Cardiology* 1998;32:1410-7.

4. Baumgartner H, Falk V, Bax JJ, De Bonis M, Hamm C, Holm PJ, Iung B, Lancellotti P, Lansac E, Rodriguez Munoz D, Rosenhek R, Sjogren J, Tornos Mas P, Vahanian A, Walther T, Wendler O, Windecker S and Zamorano JL. 2017 ESC/EACTS Guidelines for the management of valvular heart disease. *European heart journal* 2017;38:2739-2791.

5. Bursi F, Enriquez-Sarano M, Jacobsen SJ and Roger VL. Mitral regurgitation after myocardial infarction: a review. *The American journal of medicine* 2006;119:103-12.

6. Bursi F, Enriquez-Sarano M, Nkomo VT, Jacobsen SJ, Weston SA, Meverden RA and Roger VL. Heart failure and death after myocardial infarction in the community: the emerging role of mitral regurgitation. *Circulation* 2005;111:295-301.

7. Chan KM, Punjabi PP, Flather M, Wage R, Symmonds K, Roussin I, Rahman-Haley S, Pennell DJ, Kilner PJ, Dreyfus GD and Pepper JR. Coronary artery bypass surgery with or without mitral valve annuloplasty in moderate functional ischemic mitral regurgitation: final results of the Randomized Ischemic Mitral Evaluation (RIME) trial. Circulation 2012;126:2502-10.

8. Clavel MA, Messika-Zeitoun D, Pibarot P, Aggarwal SR, Malouf J, Araoz PA, Michelena HI, Cueff C, Larose E, Capoulade R, Vahanian A and Enriquez-Sarano M. The complex nature of discordant severe calcified aortic valve disease grading: new insights from combined Doppler echocardiographic and computed tomographic study. *Journal of the American College of Cardiology* 2013;62:2329-38.

9. Clavel MA, Pibarot P, Messika-Zeitoun D, Capoulade R, Malouf J, Aggarval S, Araoz PA, Michelena HI, Cueff C, Larose E, Miller JD, Vahanian A and Enriquez-Sarano M. Impact of aortic valve calcification, as measured by MDCT, on survival in patients with aortic stenosis: results of an international registry study. *Journal of the American College of Cardiology* 2014;64:1202-13.

10. Garg V, Muth AN, Ransom JF, Schluterman MK, Barnes R, King IN, Grossfeld PD and Srivastava D. Mutations in NOTCH1 cause aortic valve disease. *Nature* 2005;437:270-4.

11. Giamarellou H. Nosocomial cardiac infections. *The Journal of hospital infection* 2002;50:91-105.

12. Golba K, Mokrzycki K, Drozdz J, Cherniavsky A, Wrobel K, Roberts BJ, Haddad H, Maurer G, Yii M, Asch FM, Handschumacher MD, Holly TA, Przybylski R, Kron I, Schaff H, Aston S, Horton J, Lee KL, Velazquez EJ and Grayburn PA. Mechanisms of functional mitral regurgitation in ischemic cardiomyopathy determined by transesophageal echocardiography (from the Surgical Treatment for Ischemic Heart Failure Trial). *The American journal of cardiology* 2013;112:1812-8.

13. Grigioni F, Enriquez-Sarano M, Zehr KJ, Bailey KR and Tajik AJ. Ischemic mitral regurgitation: long-term outcome and prognostic implications with quantitative Doppler assessment. *Circulation* 2001;103:1759-64.

14. Habib G, Lancellotti P, Antunes MJ, Bongiorni MG, Casalta JP, Del Zotti F, Dulgheru R, El Khoury G, Erba PA, Iung B, Miro JM, Mulder BJ, Plonska-Gosciniak E, Price S, Roos-Hesselink J, Snygg-Martin U, Thuny F, Tornos Mas P, Vilacosta I and Zamorano JL. 2015 ESC Guidelines for the management of infective endocarditis: The Task Force for the Management of Infective Endocarditis of the European Society of Cardiology (ESC). Endorsed by: European Association for Cardio-Thoracic Surgery (EACTS), the European Association of Nuclear Medicine (EANM). *European heart journal* 2015;36:3075-3128.

15. Huang G, Schaff HV, Sundt TM and Rahimtoola SH. Treatment of obstructive thrombosed prosthetic heart valve. *Journal of the American College of Cardiology* 2013;62:1731-6.

16. Kim HK, Kim YJ and Sohn DW. Images in cardiovascular medicine. Impact of careful survey of pulmonary arteries during echocardiographic examination on diagnosis and treatment: an echocardiographic snapshot makes them different. Circulation 2008;117:450-2.

17. Kim HK, Kim YJ, Park EA, Bae JS, Lee W, Kim KH, Kim KB, Sohn DW, Ahn H, Park JH and Park YB. Assessment of haemo-

dynamic effects of surgical correction for severe functional tricuspid regurgitation: cardiac magnetic resonance imaging study. *European heart journal* 2010;31:1520-8.

18. Kim KJ, Kim HK, Park JB, Hwang HY, Yoon YE, Kim YJ, Cho GY, Kim KH, Sohn DW and Ahn H. Transthoracic Echocardiographic Findings of Mitral Regurgitation Caused by Commissural Prolapse. *JACC Cardiovascular imaging* 2018;11:925-926.

19. Kim YJ, Kwon DA, Kim HK, Park JS, Hahn S, Kim KH, Kim KB, Sohn DW, Ahn H, Oh BH and Park YB. Determinants of surgical outcome in patients with isolated tricuspid regurgitation. *Circulation* 2009;120:1672-8.

20. Kwak JJ, Kim YJ, Kim MK, Kim HK, Park JS, Kim KH, Kim KB, Ahn H, Sohn DW, Oh BH and Park YB. Development of tricuspid regurgitation late after left-sided valve surgery: a single-center experience with long-term echocardiographic examinations. *American heart journal* 2008;155:732-7.

21. Lee S, Lee SP, Park EA, Hong MK, Kim JH, Kim HK, Lee W, Kim YJ and Sohn DW. Real-Time 3D TEE for Diagnosis of Subvalvular Pannus Formation in Mechanical Aortic Valves: Comparison With Multidetector CT and Surgical Findings. *JACC Cardiovascular imaging* 2015;8:1461-1464.

22. Lim DS, Reynolds MR, Feldman T, Kar S, Herrmann HC, Wang A, Whitlow PL, Gray WA, Grayburn P, Mack MJ and Glower DD. Improved functional status and quality of life in prohibitive surgical risk patients with degenerative mitral regurgitation after transcatheter mitral valve repair. *Journal of the American College of Cardiology* 2014;64:182-92.

23. Mahmood M, Kendi AT, Ajmal S, Farid S, O'Horo JC, Chareonthaitawee P, Baddour LM and Sohail MR. Meta-analysis of 18F-FDG PET/CT in the diagnosis of infective endocarditis. *Journal of nuclear cardiology : official publication of the American Society of Nuclear Cardiology* 2019;26:922-935.

24. Morpeth S, Murdoch D, Cabell CH, Karchmer AW, Pappas P, Levine D, Nacinovich F, Tattevin P, Fernandez-Hidalgo N, Dickerman S, Bouza E, del Rio A, Lejko-Zupanc T, de Oliveira Ramos A, Iarussi D, Klein J, Chirouze C, Bedimo R, Corey GR and Fowler VG, Jr. Non-HACEK gram-negative bacillus endocarditis. *Annals of internal medicine* 2007;147:829-35.

25. Nickenig G, Estevez-Loureiro R, Franzen O, Tamburino C, Vanderheyden M, Luscher TF, Moat N, Price S, Dall'Ara G, Winter R, Corti R, Grasso C, Snow TM, Jeger R, Blankenberg S, Settergren M, Tiroch K, Balzer J, Petronio AS, Buttner HJ, Ettori F, Sievert H, Fiorino MG, Claeys M, Ussia GP, Baumgartner H, Scandura S, Alamgir F, Keshavarzi F, Colombo A, Maisano F,

Ebelt H, Aruta P, Lubos E, Plicht B, Schueler R, Pighi M and Di Mario C. Percutaneous mitral valve edge-to-edge repair: in-hospital results and 1-year follow-up of 628 patients of the 2011-2012 Pilot European Sentinel Registry. *Journal of the American College of Cardiology* 2014;64:875-84.

26. Nishimura RA, Otto CM, Bonow RO, Carabello BA, Erwin JP, 3rd, Fleisher LA, Jneid H, Mack MJ, McLeod CJ, O'Gara PT, Rigolin VH, Sundt TM, 3rd and Thompson A. 2017 AHA/ACC Focused Update of the 2014 AHA/ACC Guideline for the Management of Patients With Valvular Heart Disease: A Report of the American College of Cardiology/American Heart Association Task Force on Clinical Practice Guidelines. *Circulation* 2017;135:e1159-e1195.

27. Nishimura RA, Otto CM, Bonow RO, Carabello BA, Erwin JP, 3rd, Guyton RA, O'Gara PT, Ruiz CE, Skubas NJ, Sorajja P, Sundt TM, 3rd and Thomas JD. 2014 AHA/ACC guideline for the management of patients with valvular heart disease: a report of the American College of Cardiology/American Heart Association Task Force on Practice Guidelines. *Journal of the American College of Cardiology* 2014;63:e57-185.

28. Pappas PG, Kauffman CA, Andes DR, Clancy CJ, Marr KA, Ostrosky-Zeichner L, Reboli AC, Schuster MG, Vazquez JA, Walsh TJ, Zaoutis TE and Sobel JD. Executive Summary: Clinical Practice Guideline for the Management of Candidiasis: 2016 Update by the Infectious Diseases Society of America. *Clinical infectious diseases : an official publication of the Infectious Diseases Society of America* 2016;62:409-17.

29. Park JB, Kim HK, Jung JH, Klem I, Yoon YE, Lee SP, Park EA, Hwang HY, Lee W, Kim KH, Kim YJ, Cho GY, Kim KB, Sohn DW and Ahn H. Prognostic Value of Cardiac MR Imaging for Preoperative Assessment of Patients with Severe Functional Tricuspid Regurgitation. *Radiology* 2016;280:723-34.

30. Pislaru SV, Hussain I, Pellikka PA, Maleszewski JJ, Hanna RD, Schaff HV and Connolly HM. Misconceptions, diagnostic challenges and treatment opportunities in bioprosthetic valve thrombosis: lessons from a case series. *European journal of cardio-thoracic surgery : official journal of the European Association for Cardio-thoracic Surgery* 2015;47:725-32.

31. Rossi A, Dini FL, Faggiano P, Agricola E, Cicoira M, Frattini S, Simioniuc A, Gullace M, Ghio S, Enriquez-Sarano M and Temporelli PL. Independent prognostic value of functional mitral regurgitation in patients with heart failure. A quantitative analysis of 1256 patients with ischaemic and non-ischaemic dilated cardiomyopathy. *Heart (British Cardiac Society)* 2011;97:1675-80.

32. Roudaut R, Lafitte S, Roudaut MF, Courtault C, Perron JM, Jais C, Pillois X, Coste P and DeMaria A. Fibrinolysis of mechanical prosthetic valve thrombosis: a single-center study of 127 cases. *Journal of the American College of Cardiology* 2003;41:653-8.

33. Roudaut R, Serri K and Lafitte S. Thrombosis of prosthetic heart valves: diagnosis and therapeutic considerations. *Heart (British Cardiac Society)* 2007;93:137-42.

34. Schaefer BM, Lewin MB, Stout KK, Gill E, Prueitt A, Byers PH and Otto CM. The bicuspid aortic valve: an integrated phenotypic classification of leaflet morphology and aortic root shape. *Heart (British Cardiac Society)* 2008;94:1634-8.

35. Schueler R, Momcilovic D, Weber M, Welz A, Werner N, Mueller C, Ghanem A, Nickenig G and Hammerstingl C. Acute changes of mitral valve geometry during interventional edge-to-edge repair with the MitraClip system are associated with midterm outcomes in patients with functional valve disease: preliminary results from a prospective single-center study. *Circulation Cardiovascular interventions* 2014;7:390-9.

36. Teshima H, Hayashida N, Yano H, Nishimi M, Tayama E, Fukunaga S, Akashi H, Kawara T and Aoyagi S. Obstruction of St Jude Medical valves in the aortic position: histology and immunohistochemistry of pannus. *The Journal of thoracic and cardiovascular surgery* 2003;126:401-7.

37. Tzemos N, Therrien J, Yip J, Thanassoulis G, Tremblay S, Jamorski MT, Webb GD and Siu SC. Outcomes in adults with bicuspid aortic valves. *Jama* 2008;300:1317-25.

38. Verma S and Siu SC. Aortic dilatation in patients with bicuspid aortic valve. *The New England journal of medicine* 2014;370:1920-9.

39. Wieland M, Lederman MM, Kline-King C, Keys TF, Lerner PI, Bass SN, Chmielewski R, Banks VD and Ellner JJ. Left-sided endocarditis due to Pseudomonas aeruginosa. A report of 10 cases and review of the literature. *Medicine* 1986;65:180-9.

40. Wong DR, Agnihotri AK, Hung JW, Vlahakes GJ, Akins CW, Hilgenberg AD, Madsen JC, MacGillivray TE, Picard MH and Torchiana DF. Long-term survival after surgical revascularization for moderate ischemic mitral regurgitation. *The Annals of thoracic surgery* 2005;80:570-7.

41. Yotsumoto G, Moriyama Y, Toyohira H, Shimokawa S, Iguro Y, Watanabe S, Masuda H, Hisatomi K and Taira A. Congenital bicuspid aortic valve: analysis of 63 surgical cases. *The Journal of heart valve disease* 1998;7:500-3.

CHAPTER III

심근증
(Cardiomyopathy)

1. 확장성 심근증 (Dilated cardiomyopathy)

32세 남자가 외부병원에서 최근 확장성 심근증(dilated cardiomyopathy, DCM)으로 진단받고 방문하였다. 가족력에서 큰아버지가 40대에 심장돌연사를 했고, 아버지가 30대에 심부전으로 사망하였다. 환자는 일란성 쌍둥이 중 동생이었고 쌍둥이 형은 무증상이었다(그림 3-1-1).

내원 직후 시행한 심전도에서 심방세동, 저전위, poor R progression이 관찰되었고, 흉부 X선에서 심흉비(cardiothoracic ratio)가 0.64로 심비대가 있었다(그림 3-1-2).

내원 직후 시행한 심장초음파에서 좌심실이 크고 양심실의 수축 기능이 저하되어 있었다. 좌심실 이완기말 직경과 수축기말 직경이 각 56 mm와 48 mm, 좌심실구혈률(left ventricular ejection fraction, LVEF)은 27%였다(그림 3-1-3). 좌심방용적지수가 69 mL/m²로 좌심방이 확장되었

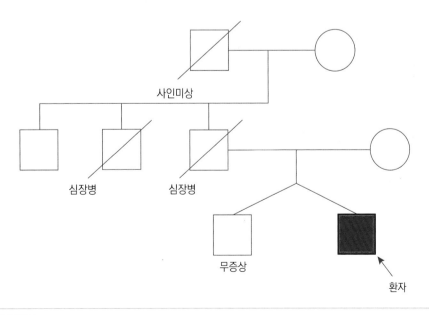

그림 3-1-1. 환자의 가계도

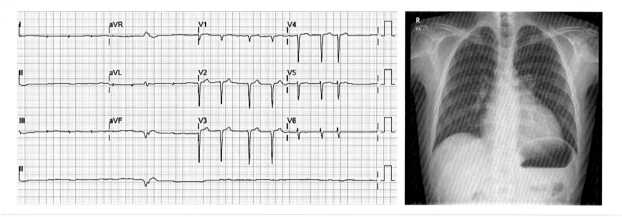

그림 3-1-2. 심전도와 흉부 X선. 심전도상 심방세동이며 저전위와 poor R progression이 관찰되고 흉부 X선에서 cardiothoracic ratio가 증가되어 있음.

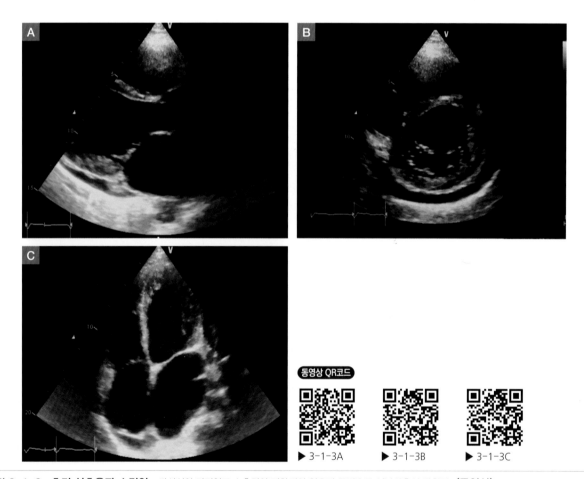

▶ 3-1-3A   ▶ 3-1-3B   ▶ 3-1-3C

그림 3-1-3. 초기 심초음파 소견임. 좌심실이 커져있고 수축력이 저하되어 있으며 주변으로 심낭삼출이 관찰됨. **(동영상)**

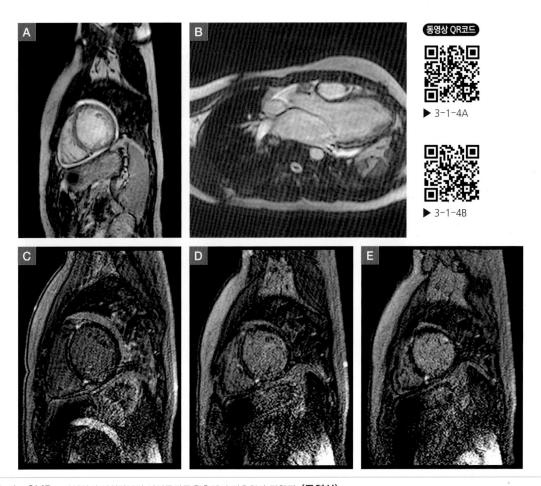

동영상 QR코드

▶ 3-1-4A

▶ 3-1-4B

그림 3-1-4. CMR. 좌심실의 심외막부터 심실중간근육층에서 섬유화가 관찰됨. **(동영상)**

다. 우심방과 우심실 또한 늘어나있었고 Tricuspid Annular Plane Systolic Excursion (TAPSE) = 8 mm로 우심실 수축 기능이 감소되어 있었으며, 추정한 폐동맥 수축기 압력이 46 mmHg로 경도의 폐동맥 고혈압이 동반되어 있었다. 심장초음파 상에서 심실벽의 echogenicity가 증가되어 있어, 침윤성 심근질환과의 감별을 위해 심장 MRI (cardiac MRI, CMR)와 심내막하조직검사(endomyocardial biopsy, EMB)를 시행하였다(그림 3-1-4).

CMR결과는 심장초음파 소견에 잘 부합하였다. Cine CMR에서 좌심실용적의 증가와 심한 좌심실 기능의 저하가 관찰(좌심실 이완기말용적 213 mL, LVEF 17%) 되었고 후기조영증가(late gadolinium enhancement, LGE)가 심외막부터 심실중간근육층에서 관찰되어 섬유화성 변화 및 비허혈성 확장성 심근증에 합당한 소견을 보였다(그림 3-1-4).

EMB에서 심장 근섬유의 비후와 심장내막 섬유화가 관찰되었고 침윤성 질환의 증거는 관찰되지 않았다(그림 3-1-5).

환자의 심장돌연사 가족력을 고려하여 유전자 검사를 쌍둥이 형제에게 모두 시행하였고, LMNA gene의 변이,

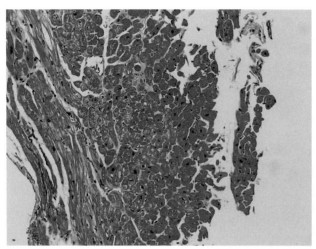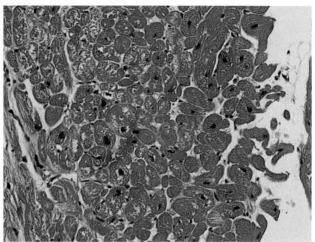

그림 3-1-5. **EMB 사진.** 좌측은 200배, 우측은 400배 확대 촬영한 사진임. 심장 근섬유의 비후와 내막의 섬유화가 관찰되나 침윤성 질환의 증거는 관찰되지 않음.

c.563T > G (p.Leu188Arg)이 두 명 모두에서 관찰되었다. 쌍둥이 형을 대상으로 심장초음파 검사를 시행하였고, DCM에 합당한 소견이 관찰되었다. 치명적인 부정맥 및 심장돌연사의 위험도가 높아 두 쌍둥이 형제에게 삽입형제세동기(Implantable cardioverter defibrillator, ICD)를 삽입하였다. 환자는 반복되는 심부전으로 심장이식을 받았다.

> **Keynote**

확장성 심근증은 비정상적인 부하상태(고혈압, 판막질환, 선천성 질환) 혹은 관동맥질환이 없는 상태에서 좌심실의 확장(좌심실용적 혹은 직경 > 정상인의 2배 이상의 표준편차)과 LVEF < 45%인 경우로 정의한다. 만성알코올중독, 전신질환, 심낭질환은 반드시 배제되어야 한다.

원인

특발성이 가장 많으며 이중 25-30%는 유전과 관련이 있다. 이외에, 독성(알콜 (> 80 g/일, 5년 이상), 항암제(anthracycline, trastuzumab), 암페타민, 코카인, 클로로퀸, 리튬, 코발트, 납, 수은), 감염, 대사성 혹은 호르몬(저칼슘혈증, 쿠싱병, 말단비대증, 갑상선질환, 크롬친화세포종, 티아민 결핍), 침윤성 혹은 면역성, 신경근육질환(dystrophinopathies (Duchenne/Becher muscular dystrophy/X-linked DCM), Friedreich's ataxia, myotonic dystrophy), 임신, 빠른 부정맥 등이 유발할 수 있으니 원인에 맞는 치료를 해야 한다.

진단

1) 심초음파

심초음파는 심장의 확장 및 두께, 수축기 및 이완기 기능, 판막, 혈역학적 판단 등 예후를 판정할 수 있는 가장 중요한 검사이다. 하지만 심근병리의 원인 진단으로서는 가치는 떨어진다.

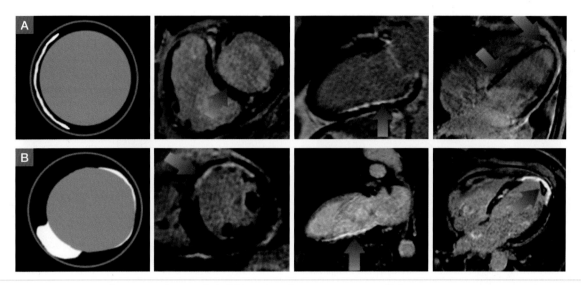

그림 3-1-6. **확장성 심근증**(A, midwall fibrosis)과 **허혈성 심근증**(B, subendocardial 혹은 transmural enhancement)**의 LGE 패턴.**

전형적인 심초음파 소견으로는 4개의 방이 모두 확장된 것이나, 좌심실과 좌심방만 확장된 경우도 흔하다. 심실의 두께는 정상이며, 국소적 운동장애보다는 전반적으로 운동감소가 특징적이다. 하지만 가끔 기저 후측벽 분절의 운동은 보존되어 있는 경우가 있다. 병이 진행함에 따라 좌심실은 공 모양 형태(spherical)로 변하면서 두께는 얇아진다. 승모판륜이 늘어나면서 승모판의 불완전한 닫힘으로 기능성 승모판 역류가 잘 동반된다.

DCM은 평생 동안 진행성 질환이기 때문에 정기적으로 좌심실, 우심실기능, 좌심방 용적, 이완기 기능, 승모판 역류의 정량평가, 재형성여부는 반드시 추적관찰하여 치료에 적극적으로 반영해야 한다.

반점추적(speckle tracking) strain은 심근의 미묘한 변화를 기존의 검사방법에 비해 일찍 감지할 수 있고, 특히 global longitudinal strain은 LVEF에 비해 뛰어난 예후를 보이고 있어서 추가적으로 측정하는 것이 많은 도움이 된다.

2) CMR

CMR은 심근의 특징을 평가할 수 있는 유용한 수단으로 특히 LGE의 형태는 DCM과 다른 원인의 심근증과의 감별에 많은 도움을 준다.

CMR로 두 가지 형태의 섬유화를 측정할 수 있다.

① 비가역적으로 대체된 섬유화(irreversible replaced fibrosis): LGE로 평가하며, 이러한 섬유화는 DCM의 약 30%에서 관찰된다. 주로 심근의 가운데 부분에서 LGE가 보인다(그림 3-1-6A). 반면 허혈성 심근질환인 경우 심근관류에 가장 취약한 심내막부위부터 LGE가 관찰된다(그림 3-1-6B). LGE는 약물치료에 대한 재형성, 심실성 부정맥 및 사망과 밀접한 관련이 있다.

② 미만성 간질섬유화(diffuse interstitial fibrosis): T1 mapping으로 측정할 수 있다. Gadolinium 주입 전후의 T1 mapping은 gadolinium의 심근내 분포를 정량적으로 구할 수 있는데, 이를 이용하여 세포외 용적분획(extracellular volume fraction, ECV)을 측정한다. ECV는 간질섬유증이 있는 경우 증가하여

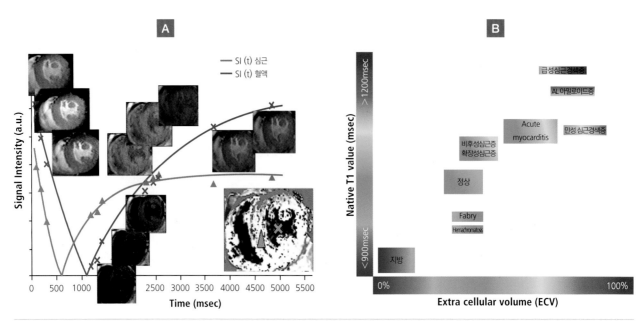

그림 3-1-7. A: 심근의 T1 mapping, B: 다양한 심장질환에 대한 T1 mapping 과 ECV

LGE가 없어도 정상과 비정상을 구분할 수 있다. T1 mapping과 ECV를 통해 심근손상의 초기단계를 표현하는 interstitial reactive fibrosis를 정량적으로 측정할 수 있다(그림 3-1-7A). T1 mapping으로 측정한 ECV는 조직학적 콜라겐양과 좋은 상관관계를 보여주었다. 조영제 주입 전 심근 T1 relaxation time은 심근증의 예후를 평가하는데 중요한 지표이다. 이러한 T1 mapping과 ECV는 다양한 심근질환의 감별진단에 이용될 수 있다(그림 3-1-7B).

Familial DCM

특발성 DCM의 25-30%는 가족성이다. 약 50개 이상의 유전자가 관여하며, 보통염색체우성, X-linked, 보통염색체열성 및 matrilinear modes 로 유전된다. Sarcomere (MHC, TNN 등), cytoskeleton (TTN 등), desmosome (DES 등), nuclear envelope (LMNA 등), nucleus, ion channel, mitochondria 등과 관련된 유전자가 보고되고 있으며, 가장 흔한 것으로는 tintin (TTN), lamin (LMNA) 및 desmin (DES)이다(표 3-1-1). 유전자 검사는 가족구성원 중 2명 이상이 병이 있을 때 시행하며, 진단적 가치는 약 30-35%정도이다.

Lamin A/C mutation (LMNA)으로 인한 DCM은 보통 염색체우성으로 전달되며, 20대부터 주로 발현되고 60세 이후에는 100% 발현된다. LMNA mutation은 초중기 성인에서 전도장애 및 부정맥으로 발현할 수 있으며, 전도장애가 동반된 DCM의 33%가 LMNA mutation이다. 또한 심실성 부정맥과도 연관이 되어 진단 후 약 70%가 5년 내에 사망한다. 따라서 병의 초기에 ICD삽입을 권유하고 심장 이식 등 적극적인 치료가 필요하다. LMNA mutation의 경우 심실중격의 LGE가 심실성 부정맥과 연관성이 있으니, 환자의 위험도 분류에 CMR이 도움을 줄 수 있다.

표 3-1-1. 가족 확장성 심근증의 흔한 유전변이

Gene	Protein	DCM case (%)
TTN	Titin	0.15-0.20
LMNA	Prelamin A/C	0.06
MYH7	Myosin 7	0.04
BAG3	BAG family molecular chaperone regulator 3	0.03
TNNT2	Troponin T, cardiac muscle	0.03
FLNC	Filamin C	0.02-0.04
RBM20	RNA-binding protein 20	0.02
SCN5A	Sodium channel protein type 5 subunit α	0.02
PLN	Cardiac phospholamban	< 0.01
TNNC1	Troponin C, slow skeletal and cardiac muscles	< 0.01
TNNI3	Troponin I, cardiac muscle	< 0.01
TPM1	Tropomyosin- α1 chain	< 0.01

2. 비후성 심근증(Hypertrophic cardiomyopathy)

68세 남자가 급성 심정지로 심폐소생술 후 응급실을 통해 입원하였다. 좌심실유출로 폐쇄를 동반한 비후성 심근증(hypertrophic cardiomyopathy, HCM)으로 진단받았던 환자로, 이전에 심방조동으로 전극도자절제술을 한 차례 시행받았다. 심정지 리듬은 심실세동이었고, 소생 후 심전도에서 1도 방실차단, 좌심실 비대, 양심방 이상소견과 흉부 X선 검사에서 심비대가 관찰되었다(그림 3-2-1).

심초음파에서 승모판막의 수축기전방운동(systolic anterior motion of mitral valve, SAM) 및 이로 인한 좌심실유출로 폐쇄 및 승모판 역류가 관찰되었고, Vmax = 4.9 m/sec으로 측정되었다(그림 3-2-2).

또한 후벽의 반흔(scar)을 동반한 미만성 좌심실비대가 관찰되었다. 심장 CT도 심초음파에서 관찰되었던 심비대, SAM 및 이로 인한 좌심실 유출로 압력 증가소견이 관찰되었고 유의한 관상동맥의 협착이나 석회화 소견은 없었

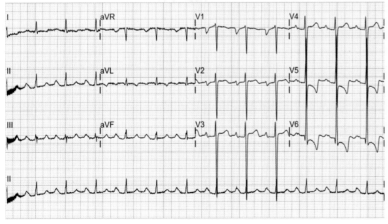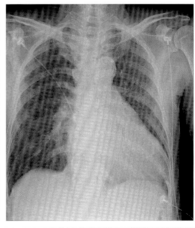

그림 3-2-1. 소생 후 12유도 심전도와 흉부 X선 촬영. 심전도에서 좌심실비후를 시사하는 ST-T strain소견이 있고 흉부 X선에서 cardiothoracic ratio가 증가되어 있음.

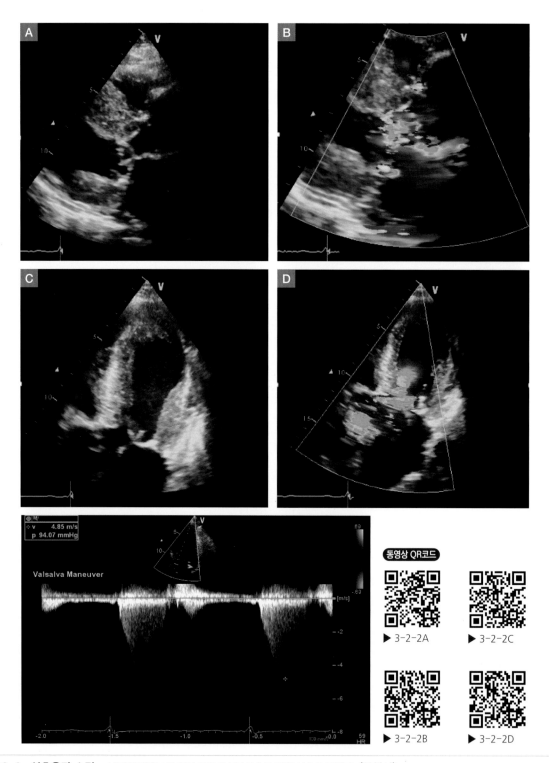

그림 3-2-2. **심초음파 소견.** 승모판의 SAM 및 이로 인한 좌심실 유출로 압력 상승이 관찰됨. **(동영상)**

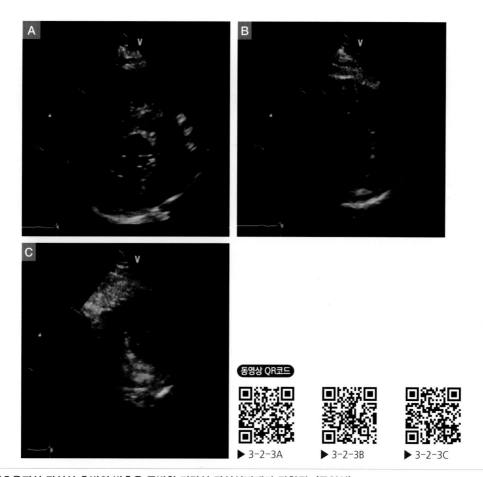

▶ 3-2-3A   ▶ 3-2-3B   ▶ 3-2-3C

그림 3-2-3. 심초음파상 좌심실 후벽의 반흔을 동반한 미만성 좌심실비대가 관찰됨. (동영상)

다(그림 3-2-3).

CMR에서 후벽이 얇아져 있고 좌심실 비대와 여러 곳에 반점형태의 LGE가 두꺼워져 있는 좌심실 base to mid anteroseptal과 basal inferoseptal wall, 그리고 mid posterolateral and apical inferolateral wall의 transmural enhancement가 관찰되었다(그림 3-2-4).

환자는 수술적 치료를 하기로 결정하고 흉부외과에서 심근절제술 및 승모판 성형술, Maze 수술을 시행하였다.

수술 후 시행한 심초음파에서는 더 이상 SAM이 관찰되지 않았고(그림 3-2-5), 환자는 ICD 삽입후 퇴원하였다.

❯ Keynote

진단

성인에서 임상적 진단은 후부하증가(고혈압 혹은 대동맥판협착증)로만 설명할 수 없는 좌심실의 비후가 있는 경우로 영상(심초음파, CMR, CT)에서 한 개 이상의 분절에서 두께 ≥ 15 mm이거나 가족력이 있는 경우 ≥ 13 mm로 정의한다. 과거에 사용되었던 ASH (asymmetrical hypertrophy), SAM은 반드시 필요하지 않다.

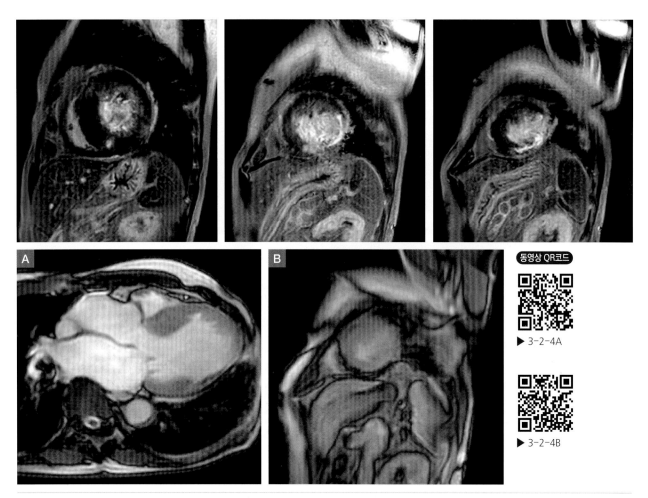

동영상 QR코드

▶ 3-2-4A

▶ 3-2-4B

그림 3-2-4. **CMR소견.** 좌심실의 multifocal LGE가 관찰됨. **(동영상)**

1) 심초음파

HCM이 의심되면 표3-2-1에 제시된 사항, 즉 표현형 (phenotype), 압력차, 승모판 및 유두근의 형태, 심첨부류, 심근의 퇴행 등을 꼭 살펴봐야 한다. 또한 심비대를 유발할 수 있는 다양한 질환과의 감별할 수 있어야 한다(표 3-2-2).

약 1/3에서 SAM으로 인한 안정시 좌심실유출로 폐쇄 (압력차 ≥ 30 mmHg)가 관찰되며, 1/3에서는 Vasalva maneuver, nitrate투여, 운동부하검사에서 좌심실유출로

폐쇄를 유발할 수 있다. 그 외에도 약 10%에서는 심실가운데(midcavity) 폐쇄가 관찰되는데 이것 역시 심부전, 급사위험을 증가시킬 수 있다. 심첨부류(apical aneruysm)가 있는 경우 혈전, 심실빈맥과 연관성이 있기 때문에, 심초음파에서 조금이라도 의심되면 반드시 조영초음파로 확인을 해야 한다.

폐쇄성 HCM에는 다양한 형태의 도플러가 동시에 나타날 수 있다(그림 3-2-6). SAM은 좌심실유출로 폐쇄를 야기시키는데, 좌심실유출로에서 연속파형 도플러는 수축기

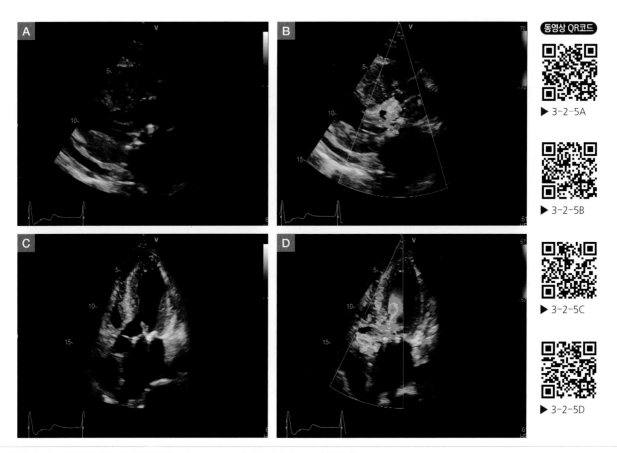

그림 3-2-5. **심근절제술 후 심초음파.** 더 이상 SAM이 관찰되지 않는다. **(동영상)**

가 진행될수록 속도가 증가되어 'dagger-shaped' 형태(A)가 된다. SAM으로 인해 승모판 역류가 생겨 좌실실유출로 도플러와 중첩되어 나타날 수 있다. 이는 포물선형태(parabolic shape)로 나타나며 QRS시작과 거의 동시에 나타난다(B). 보통 안정 시 최대속도가 > 5.0-5.5 m/sec인 경우 승모판 역류일 가능성이 높다. 만약 압력차가 60 mmHg이상일 경우 좌심실유출로 입구에서 간헐적도플러를 시행하면 최대압력일 때 일시적으로 혈류가 감소(mid-systolic drop)되어 'lobster claw'모양이 나타날 수 있다(C). 간혹 좌심실이 과대하게 수축되어 바로 좌심실내경이 너무 좁아지는 경우 도플러속도가 바로 0 m/sec로 되어 비

대칭형태의 도플러가 나타날 수 있다(D).

2) CMR

뛰어난 공간 해상력으로 심초음파로 측정이 어려운 심첨부, 전측벽의 비후를 좀 더 정확하게 좌심실 두께를 더 정확하게 측정할 수 있으며, 심첨부류, 혈전, 유두근의 이상을 잘 평가할 수 있다. 세포외용적측정과 LGE 평가는 CMR을 시행하는 가장 중요한 이유가 된다. LGE는 심근섬유화를 반영하며, 주로 비후된 심근의 가운데 반점형으로 나타나며 심장사망, 심부전과 매우 밀접한 연관이 있다.

표 3-2-1. **HCM의 심초음파로 관찰해야 할 소견**

Unexplained LV wall thickness ≥ 15 mm in one or more
  myocardial segments
  - Asymmetric/interventricular septum
  - Concentric
  - Apical
  - Midventricular
  - Anterolateral or inferior wall

Intracavitary obstruction

Pressure gradient ≥ 30 mmHg at rest or provoked
  - LVOT (left ventricular outflow tract) obstruction
    – SAM (systolic anterior motion)
    – Severe interventricular septum hypertrophy
    – Mitral leaflet abnormalities
    – Papillary muscle hypertrophy and displacement
  - Midventricular obstruction
    – Severe midwall hypertrophy
    – Apical aneurysms and thrombi

Systolic function
  - LVEF preserved/reduced in burn-out phenotype
  - Impaired GLS (global longitudinal strain) particularly
    in hypertrophic LV segments

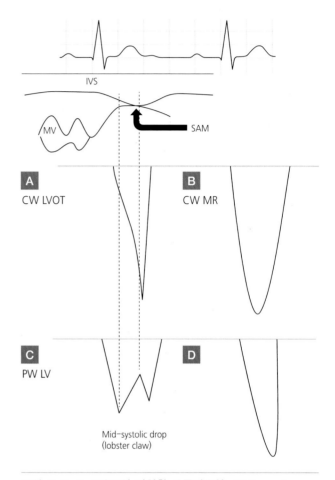

그림 3-2-6. **HCM의 다양한 도플러모양.** CW; continuous wave, IVS: interventricular septum, LVOT: left ventricular outflow tract, MR: mitral regurgitation, MV: mitral valve, PW: pulsed wave, SAM: systolic anterior motion of mitral valve

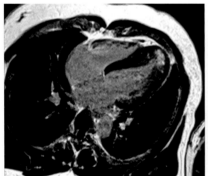
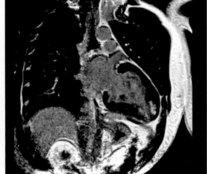
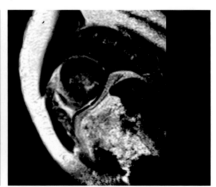

그림 3-2-7. **심첨부 HCM의 CMR.** 좌심실 첨부 주변으로 LGE 관찰됨.

표 3-2-2. 좌심실비후의 감별진단

	비후성 심근증	운동선수심장	고혈압성비후	아밀로이드	파브리
심전도	LVH ST/T wave change, T wave inversion, pathological Q waves	High QRS voltage, sinus bradycardia, Incomplete RBBB, ectopic atrial or junctional rhythm.	LVH, marked repolarization abnormalities, and unusual Q waves	Low QRS voltages (AL amyloidosis)	LVH, shortened P wave duration, shortened or prolonged PR interval, AV conduction abnormalities
심초음파					
좌심실	Severe LVH (≥ 15 mm) – asymmetric – apical – midventricular LVEDD < 45 mm LVOT obstruction with SAM in 30% of HCM at rest Impaired GLS specifically in hypertrophic segments	LVH (< 15 mm), concentric LVEDD > 55 mm No LV obstruction Normal GLS	LVH (< 15 mm), concentric	Moderately increased LV wall thickness – Concentric Sparkling myocardium Apical sparing of GLS	Concentric LVH Basal Inferolateral hypokinesia
우심실	RV thickness ↑	Enlarged RV		RV thickness ↑	RV thickness ↑
판막	MV and papillary muscle abnormalities, MR	No specific abnormalities	No specific abnormalities	Thickened AV valves and papillary muscles	Thickened AV valves
Strain pattern	Decreased strain in hypertrophied segments	Normal strain	Non-specific, usually decreased in basal	Apical sparing	Decreased strain in inferolateral (not specific)
심장 MRI	Extensive LGE with midwall patchy enhancement Increased ECV by T1 mapping	No LGE Reduction in ECV as hypertrophy increases	Extensive LGE unusual	LGE: diffuse transmural or subendocardial enhancement in combination with dark blood pool	LGE in the basal Inferolateral wall

	비후성 심근증	운동선수심장	고혈압성비후	아밀로이드	파브리
병의 경과	Regression of LVH and impaired LVEF in burnt-out phase	Regression of LV thickness and mass after a period of deconditioning	Possible regression of LVH after treatment	No regression of LV thickness Pericardial effusion	Regression of LVH after enzyme replacement therapy
기타	유전적변이 가족력		고혈압 병력	TTR-amyloidosis: cardiac uptake in bone scan	α-galactosidase deficiency

AV: atrioventricular LVH: left ventricular hypertrophy, LVEDD: LV end-diastolic dimension, LVEF: LV ejection fraction,
LVOT: LV outflow obstruction, GLS: global longitudinal strain, LGE: late gadolinium enhancement,

LGE는 전형적인 표현형인 경우 약 50% 미만에서 관찰된다. Gadolinim 주사 전후 T1 mapping은 gadolinium이 분포되는 정도를 알 수 있는데 이는 ECV (extracellular volume fraction)을 반영한다. T1 mapping으로 측정된 ECV는 심근섬유화가 진행될수록 증가하여, 조직학적 콜라겐양과 좋은 상관관계를 보인다. 때문에 LGE와 T1 mapping을 모두 이용한다면 섬유화 정도 및 예후를 더 정확하게 평가할 수 있다.

3) PET (positron emission tomography)

흉통은 관동맥의 협착없이 작은혈관 질환으로 흔하게 발생한다. PET은 HCM의 미세혈관 기능장애(microvascular dysfunction)으로 인한 심근허혈평가에 적합한 검사방법이다(그림 3-2-8).

4) 유전자 검사

약 60%에서 sarcomere 단백질유전자의 변이로 발생하며 일반적으로 보통염색체우성(autosomal dominant)으로 유전된다. 가장 흔한 유전자 변이는 MYH7 (heavy chains of β myocin), MYBPC3 (myosin-binding protein C)이며, 이외에도 다양한 유전자변이가 있을 수 있다(그림

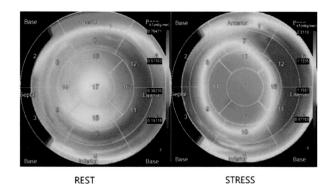

REST   STRESS

그림 3-2-8. 심첨부 HCM의 PET영상. 심첨부의 혈류가 감소되어 있는 소견이 관찰됨

3-2-9). Sarcomere 단백질변이는 심한 비후, 섬유화, 급사와 연관이 있다. 약 25-30%는 원인이 없이 산발적으로 나타난다.

유럽과 미국 심장학회의 권고안은 모두 환자와 자녀들의 유전자 검사를 권유한다. MYH7과 TNNT2 변이경우 악성변이로서 젊은 나이에 발현하고 급사의 위험성이 높다고 알려져 있으나, 현재까지 유전형(genotype)이 표현형(phenotype)을 결정하거나 치료의 방향을 결정하지는 않는다.

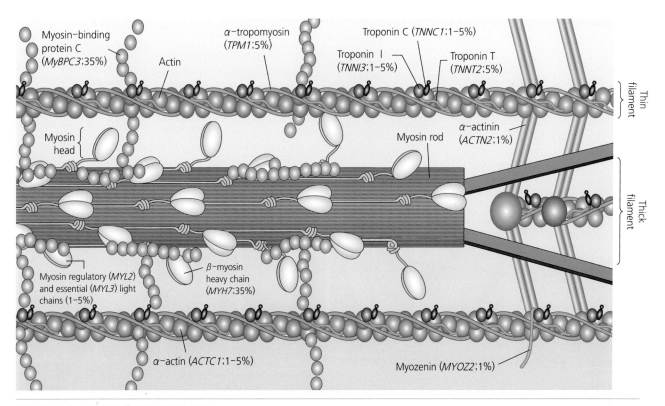

그림 3-2-9. **HCM의 다양한 유전자 변이.**

유전형과 표현형(genotype vs. phenotype)

Genotype (+)이나 아직 좌심실비후가 없는 경우(phenotype (−)) 이완기장애 tissue Doppler, strain이 도움을 줄 수 있지만, CMR이 초기질환을 평가하는데도 더 예민한 검사이다(그림 3-2-10). 다양한 틈새(multiple cleft), 승모판이 늘어나고, 심첨부의 잔기둥(trabeculation) 형성, 심실중격이 좌심실쪽으로 치우쳐있는지 관찰한다. 비후가 없는 자녀의 경우 청소년까지는 매년 심전도 및 심초음파를, 이후는 5년 간격으로 추적 관찰한다. 전형적인 표현형인 경우, 비대칭성 중격(asymmetrical septal type)이 가장 흔한 형태이며, 동심성(concentric), 심첨부, 심실 중앙(midventricular), 전측벽 비후 등 다양하게 나타난다. 한국인은 상대적으로 심첨부형태가 서양에 비해서 더 흔하다. 864명의 한국인을 대상으로 한 연구에서는 29.5%가 심첨부, 64%가 비대칭성, 6.4%가 혼재형(mixed type)이었다. 좌심실유출로 폐쇄는 20.4% (비대칭성: 30.4%)에서 관찰되었다.

병의 경과

초기단계에서는 LVEF가 정상이어도 global longitudinal strain (GLS)이 감소되며, 가족력이 있는 보균자에서도 심근비후가 나타나기 전 GLS가 감소될 수 있다.

진행된 단계에서는 5-10%에서 비후된 심근의 퇴행, 좌심실확장, LVEF가 감소되는 burn out phenotype로 진행한다. 이는 미세혈관기능저하로 심근허혈, 심근세포 사망,

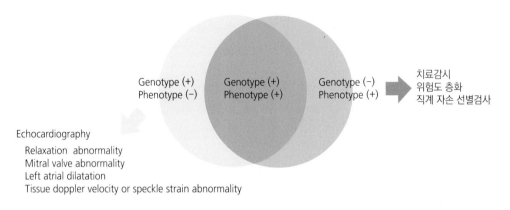

Genotype (+)
Phenotype (−)

Genotype (+)
Phenotype (+)

Genotype (−)
Phenotype (+)

치료감시
위험도 층화
직계 자손 선별검사

Echocardiography

Relaxation abnormality
Mitral valve abnormality
Left atrial dilatation
Tissue doppler velocity or speckle strain abnormality

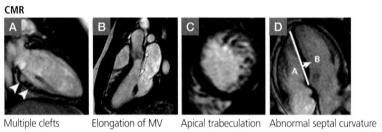

CMR

A	B	C	D
Multiple clefts	Elongation of MV	Apical trabeculation	Abnormal septal curvature

그림 3-2-10. 유전형(+)이나 표현형(−)의 심초음파 및 CMR소견.

섬유화가 주 발생원인이다.

　Genotype이 양성이어도 대부분 10대 이후에 비후가 생기며, 50−60대 이후에도 생길 수 있다. 15−20% 정도는 심근의 섬유화가 진행되고 좌심실 기능이 감소하고 심부전이 발생될 수 있다(그림 3-2-11). 이러한 변화는 영유아기 혹은 청소년기에도 생길 수 있지만, 보통 서서히 나이가 들면서 생긴다.

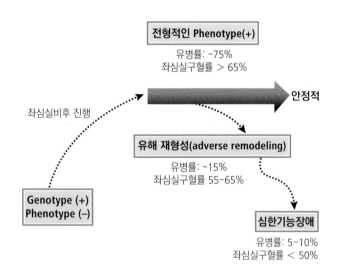

전형적인 Phenotype(+)

유병률: ~75%
좌심실구혈률 > 65%

안정적

좌심실비후 진행

유해 재형성(adverse remodeling)

유병률: ~15%
좌심실구혈률 55-65%

Genotype (+)
Phenotype (−)

심한기능장애

유병률: 5-10%
좌심실구혈률 < 50%

그림 3-2-11. HCM의 경과

3. 좌심실비조밀(Noncompaction)

35세 남자가 10일전부터 발생한 기침을 주소로 내원하였다. 병력상 수개월전부터 감기증상이 있었고, 기침이 지속되어 내원하였다. 외래에서 시행한 심전도(그림 3-3-1)에서 좌심실 비후가 관찰되었고, 흉부 X선에서 심비대와 소량의 양측 흉수가 의심되어 심장초음파를 시행하였다.

심장초음파에서 양심실의 수축기능이 감소되어 있으면서 심실 전체의 벽운동 저하가 관찰되었고 심낭삼출이 동반되어 있었다(그림 3-3-2).

좌심실 측부와 첨부는 심장내막(endocardium)의 육주(trabeculation)가 뚜렷하고 intratrabecular recess가 두드러지는 특징적인 좌심실비조밀(noncompaction) 소견이 관찰되었고, 심첨부에 혈전이 의심되는 큰 덩어리가 관찰되었다(그림 3-3-3A).

심장 CT에서 관상동맥에 유의한 협착은 관찰되지 않았으나, 좌심실의 전반적인 벽운동장애와 이로 인한 현저한 수축력 저하가 관찰되었다. 좌심실 후측벽의 육주가 두드러지는 소견이 관찰되었고 Jenni criteria상 22.4 mm/10.3 mm > 2:1, Peterson criteria상 21.8/8.83 mm > 2.3:1로 좌심실비조밀에 합당한 소견이 관찰되었다(그림 3-3-3 B, C). 좌심실 첨부에 3.7 × 1.9 × 2.3 cm크기의 충만결손이 있어 혈전이 의심되었고, 심낭삼출이 동반되어 있었다. 좌심실 첨부의 덩어리 및 심근병증에 대한 감별을 위해 CMR을 시행하였다.

CMR에서 좌심실의 전반적인 벽운동장애로 인한 좌심실부전, 우심실부전이 관찰되었고 LVEF 22%, RVEF 13%로 측정되었다. 좌심실 첨부에 조영증강이 되지 않는 혈전 덩어리가 관찰되었고, 좌심실 차측벽 근육의 육주가 두드러지는 소견이 관찰되어 좌심실비조밀에 합당한 소견이었다(그림 3-3-4). 좌심실의 기저중격의 가운데에서 조영이 증강되는 소견이 있었고, 심낭삼출과 함께 소량의 흉막삼출이 관찰되었고, MR angiography에서 관상동맥 협착은 관찰되지 않아 좌심실비조밀에 동반된 확장성 심근증 및 좌심실 첨부 혈전증으로 진단하였다.

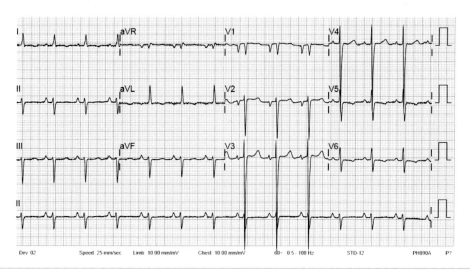

그림 3-3-1. **심전도 소견.** 좌심방 및 좌심실 비대, 좌전방속차단(left anterior fascicular block)이 관찰됨.

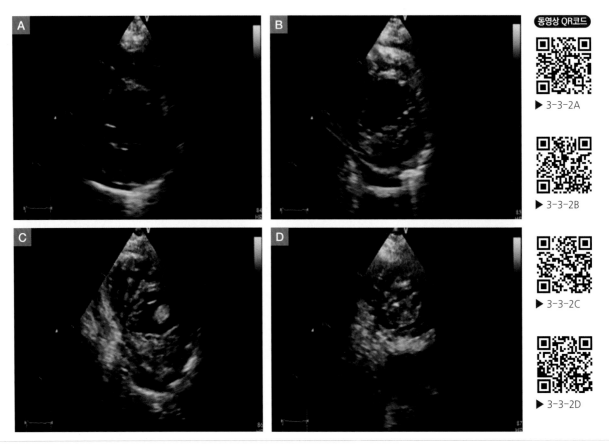

▶ 3-3-2A

▶ 3-3-2B

▶ 3-3-2C

▶ 3-3-2D

동영상 QR코드

그림 3-3-2. **심초음파.** 좌심실비조밀이 관찰되고 심첨부 내부에 덩어리가 관찰됨. **(동영상)**

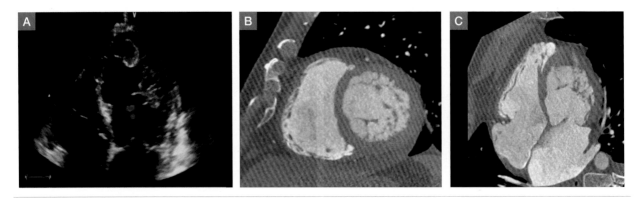

그림 3-3-3. **초기 심장초음파 및 CT 소견.** (A) Apical 4 chamber view로 좌심실 심첨부에 혈전이 의심되는 음영이 관찰됨. (B,C) 환자의 심장CT 상 좌심실 첨부 후측벽에 trabeculation이 두드러지는 소견이 있음.

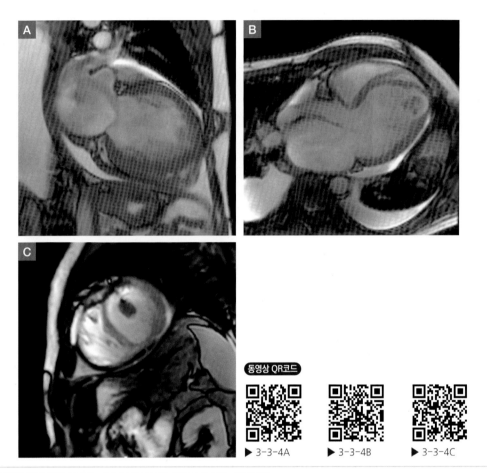

동영상 QR코드

▶ 3-3-4A   ▶ 3-3-4B   ▶ 3-3-4C

그림 3-3-4. **좌심실비조밀의 CMR.** 심첨부의 육주와 혈전이 관찰됨. **(동영상)**

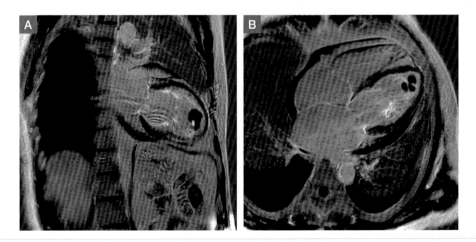

그림 3-3-5. **초기 심장 MRI소견.** 좌심실 첨부에 조영이 증강되지 않는 혈전이 관찰되며 소량의 심낭삼출이 동반되어 있음.

> **Keynote**

좌심실비조밀(hypertrabeculation, spongy myocardi-um, fetal myocardium, honeycomb myocardium, 혹은 hypertrabeculation syndrome)은 태아 심근원기(fetal myocardium primordium)의 섬유주(meshwork)가 자궁 내에서 5-6주째 조밀화과정(compaction)을 거치는데 이 과정이 멈춰져 발생된다. 정확한 원인은 알 수 없으나, 단일유전자(monogenic)질환으로 다른 심근증, 신경근육 질환 혹은 염색체결핍과 관련성이 있을 수 있다. 좌심실 비조밀의 유전변이는 HCM, RCM (restrictive cardiomy-opathy), DCM 유전변이 등과 공유되는 경우도 있다. 따라서 좌심실비조밀 환자의 경우 반드시 신경근육질환이 있는지, 반대로 신경근육질환이 있는 환자는 반드시 좌심실비조밀이 동반되어 있는지 확인해야 한다. 좌심실비조밀은 주로 좌심실 심첨부 혹은 측벽에 spongy endocar-dial layer와 compact epicardial layer로 두 층으로 구성되어 있다.

가장 흔한 3가지 증상으로 심부전, 부정맥, 색전증이 있다. 관동맥질환이 없어도 deep intertrabecular recess내 의 심근 혹은 심내막의 등척수축(isometric contraction)으로 심내막 관류가 감소되고 미세순환장애로 수축기기 능장애가 발생되며, 수많은 육주(trabeculae)로 인해 좌심실 충만에 장애가 되어 이완기 기능장애가 잘 동반되어 심부전이 잘 발생한다.

진단

1) 심초음파

진단 및 추적관찰에 가장 중요한 역할을 하고 있으며, 여러 심초음파적 진단기준이 있다. 하지만 어느 것도 정확하게 진단할 수 없으며, 관찰자간의 재현성이 좋지 않음을 명시해야 한다. 때문에 가족력 및 유전자에 대한 평가가

필요하다. 흔한 기준으로는 1) 동반된 심질환이 없고, 2) 두층(two-layer)의 심근으로 육주가 3개 초과하고, 수축기 말 non-compaction/compaction 비율 ≥ 2 (그림 3-3-6), 3) 위치는 주로 좌심실 심첨부, 중간 측벽 혹은 하벽에 호발하며, 4) 색체도플러에서 intertrabecular recess로 특징적인 색체가 관찰된다.

2) CMR

뛰어난 공간해상력으로 심근의 모양을 좀 더 명확하게 관찰할 수 있어서 심초음파에서 명확하지 않은 경우 도움이 된다.

유전자 검사는 동반질환을 선별하는데 도움이 될 수는 있으나, 특정 유전자와 치료 및 발생기전과 관련성이 증명되지 않았다. 좌심실비조밀이 진단되면, 일차친척은 심초음파 선별검사를 강력히 권유한다.

감별진단

Two-layered 심근은 정상, HCM, 임신, 고혈압심질환에서도 관찰될 수 있으나, 좌심실비조밀의 경우 육주가 더 거칠고, 정상적인 경우 육주가 주로 측벽에서 심실중격으로 주행하지만, 좌심실비조밀의 경우 중격은 보통 보존되어 있다.

예후 및 치료

34명의 환자를 44개월 추적관찰한 Swiss 코호트에 의하면 35%는 조기사망, 53%는 심부전으로 입원, 41%는 심실빈맥, 12%가 ICD가 필요하였고, 12%가 심장이식수술을 받게 되었다. 사망은 좌심실비조밀 자체보다는 좌심실 기능과 더 밀접한 관련이 있다. 때문에 심부전의 치료지침에 근거하여 치료한다. 심실부정맥으로 인한 급사가 25% 이상으로 잘 발생하지만 ICD 적응증은 DCM의 기준과 동일하다. 항응고제 치료는 환자의 위험편익비를 고려해서

결정해야 한다. LVEF < 40%, 심방세동, 색전증의 과거력이 있는 경우 적극적인 항응고제를 고려하는 것이 좋다. Noncompaction이 심첨부까지 위치하거나, non-compac-tion/compaction 비가 클수록 병의 진행속도가 빠르니 주의를 요한다.

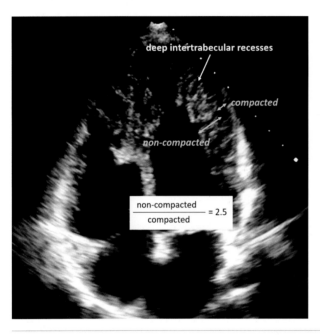

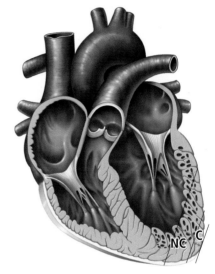

Epicardium to trabecular trough (compacted myocardium, C)
Trabecular peak to trough (non-compacted myocardium, NC)

그림 3-3-6. 심첨4방도에서 deep intertrabecular recess와 non-compacted/compacted > 2.0 으로 특징적인 좌심실비조밀 소견이다.

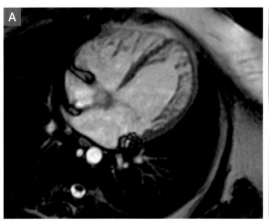

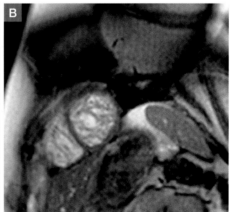

그림 3-3-7. Noncompaction의 CMR 소견

4. 부정맥유발성 우심실 이형성증 (Arrhythmogenic right ventricular cardiomyopathy/dysplasia)

49세 여자가 갑자기 발생한 빈맥을 주소로 타병원 경유하여 의뢰되었다. 환자는 과거력상 1년전 런닝머신에서 운동하던 중 실신한 이력이 있었다. 환자는 타병원에서 시행한 심전도(그림 3-4-1)상 wide QRS tachycardia가 관찰되어 심실빈맥으로 판단하고 심율동전환술 시행하고 본원으로 전원되었다.

심율동전환술을 시행한 후의 심전도에서는 맥박수 64회의 정상 동율동 리듬을 보였다(그림 3-4-2).

환자 관상동맥질환을 평가하기 위해 관상동맥 CT를 시행하였고 칼슘스캔에서 우심실 free wall 측의 지방침착이 관찰되었다. 관상동맥 협착은 관찰되지 않았고, 우심실이 커져있는 소견이 동반되어 있었다(그림 3-4-3).

심장초음파에서 우심실의 크기가 커져 있고 우심실 첨부의 외벽(free wall)이 무운동증, s'=7 cm/sec로 수축력이 감소되어 있었다(그림 3-4-4). 삼첨판막의 기능은 정상이었고 폐동맥압은 정상으로 폐동맥고혈압을 의심할 만한 소견은 관찰되지 않았다. 좌심실의 크기와 기능은 정상이었다. ARVC/D를 감별하기 위해 시행한 CMR에서 우심실의 확장 및 수축력 저하가 관찰되었다. 우심실의 free wall outpouching motion과 함께 free wall의 지방 침착이 관찰되었다(그림 3-4-5).

환자는 부정맥유발성 우심실 이형성증(arrhythmogenic right ventricular cardiomyopathy/dysplasia, ARVC/D)으로 진단되었고 심실빈맥이 있었기 때문에 급사방지를 위해 ICD를 삽입하였다.

❯ Keynote

ARVC/D는 급사를 유발하는 유전적질환이다. 우심실 평가가 쉽지 않고, 특징적인 주된 진단기준이 없으며, 불완전유전(incomplete penetrance)로 인해 임상적으로 진단하기가 어렵다. 하지만 불량한 예후로 조기에 병을 찾는 것이 매우 중요하다.

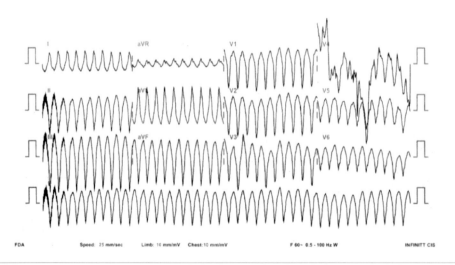

그림 3-4-1. **타병원에서 시행한 초기 심전도.** Wide QRS tachycardia가 관찰됨.

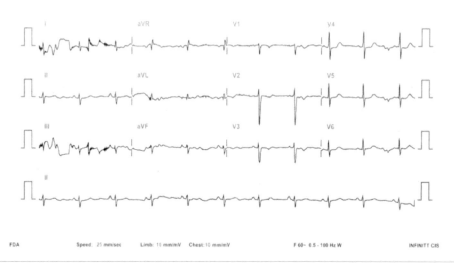

그림 3-4-2. **심율동전환술 시행 후 다시 시행한 심전도.** 정상 동율동으로 돌아옴.

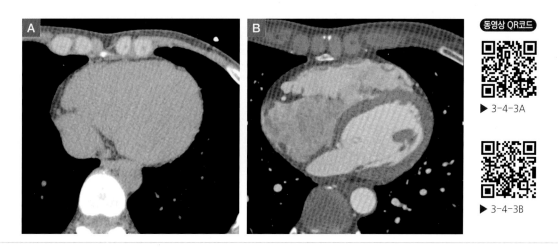

그림 3-4-3. **환자의 관상동맥 CT임.** 우심실이 커져 있으며 free wall의 지방침착이 관찰됨. **(동영상)**

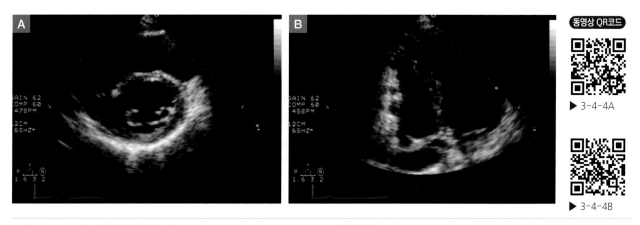

그림 3-4-4. **환자의 심초음파소견.** 우심실 확장과 수축력 감소가 관찰됨. **(동영상)**

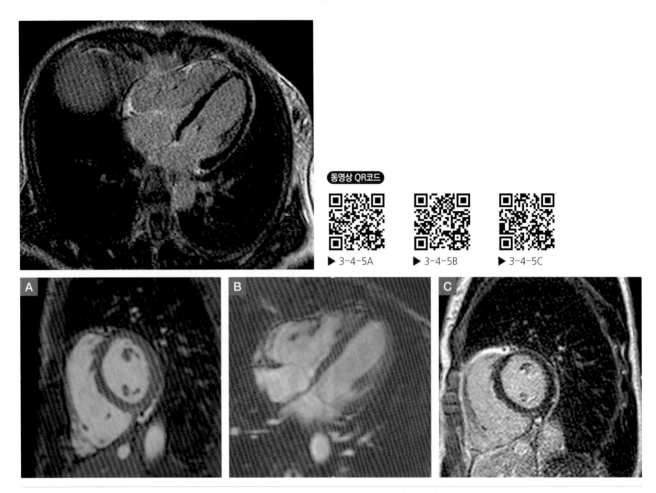

동영상 QR코드

▶ 3-4-5A   ▶ 3-4-5B   ▶ 3-4-5C

그림 3-4-5. 환자의 CMR소견. 우심실이 확장되어 있고 free wall의 지방침착이 관찰됨. **(동영상)**

진단

ARVC/D는 조직학적으로 심근세포의 점차적인 소실과 섬유지방(fibrofatty) 침윤이 발생하여 심실빈맥, 심실기능 저하, 심부전이 발생한다. 진단은 구조적 이상(영상), 병리학적(심근조직), 탈분극/재분극(심전도), 심실부정맥, 유전검사로 정의하지만, 초기단계에서는 예민도가 떨어진다 (표 3-4-1).

1) 심초음파

가장 많이 사용되지만 우심실의 복잡한 기하학적 구조 (complex geometry)로 인해 우심실 용적의 측정은 제한적 이며, 육안적 판단이 매우 중요하다. 이외에도 병의 초기 단계를 진단하고자 RV s' (< 10 cm/sec) 및 TAPSE (tri-cuspid annular plane systolic excursion < 16 mm), strain, mechanical dispersion 등이 도움을 줄 수 있지만, 유효성 검증이 필요하다. RV strain은 ARVC/D환자의 자녀들의 선별검사에 도움을 줄 수 있으며, 일반적으로

표 3-4-1. ARVC/D의 Taskforce Criteria

I. Global or regional dysfunction and structural alterations	
Major	2D TTE Regional RV akinesia, dyskinesia or aneurysm and 1 of the following criteria (end diastole): 　① PLAX RVOT ≥ 32 mm (PLAX/BSA ≥ 19 mm/m^2) 　② PSAX RVOT ≥ 36 mm (PSAX/BSA ≥ 21 mm/m^2) 　③ or RV fractional area change ≤ 33% CMR Regional RV akinesia, dyskinesia, or dyssynchronous RV contraction and 1 of the following criteria (end diastole): 　① RV end-diastolic volume/BSA ≥ 110 mL/m^2 (male) or ≥ 100 mL/m^2 (female) 　② or RV ejection fraction < 40% RV Angiography 　① Regional RV akinesia, dyskinesia or aneurysm
Minor	2D TTE Regional RV akinesia, or dyskinesia and 1 of the following criteria (end diastole): 　① PLAX RVOT ≥ 29-31 mm (PLAX/BSA ≥ 16-18 mm/m^2) 　② PSAX RVOT ≥ 32-35 mm (PSAX/BSA ≥ 18-20 mm/m^2) 　③ RV fractional area change > 33-39% CMR Regional RV akinesia, dyskinesia or dyssynchronous RV contraction and 1 of the following criteria (end diastolic): 　① RV end-diastolic volume/BSA ≥ 100-109 mL/m^2 (male) or ≥ 90-99 mL/m^2 (female) or RV ejection fraction > 40-44%
II. Histological characterization	
Major	Residual myocytes < 60% by morphometric analysis (or < 50% if estimated), with fibrous replacement of the RV free wall myocardium ≥ 1 sample, with or without fatty replacement
Minor	Residual myocytes 60-75% by morphometric analysis (or 50-65% if estimated), with fibrous replacement of the RV free wall ≥ 1 sample, with or without fatty replacement
III. Repolarization abnormalities	
Major	Inverted T waves in right precordial leads (V1, V2, V3) or beyond in individuals > 14 years of age (in the absence of complete RBBB QRS ≥ 120 ms).
Minor	Inverted T waves in V1 and V2 in individuals >14 years of age (in the absence of complete RBBB) or in V4, V5 or V6.
IV. Depolarization abnormalities	
Major	Epsilon wave (reproducible low-amplitude signals between end of QRS complex to onset of the T wave) in V1-3
Minor	Signal-averaged ECG with late potentials (if QRS on standard surface ECG < 110 ms)

V. Ventricular arrhythmias	
Major	Non-sustained or sustained ventricular tachycardia (VT) of LBBB morphology with superior axis
Minor	Non-sustained or sustained VT of RVOT configuration, LBBB morphology with inferior axis or of unknown axis > 500 VES per 24 h (Holter)
VI. Family History and genetics	
Major	ARVC/D in a first-degree relative who meets current Taskforce Criteria ARVC/D confirmed pathologically at autopsy or surgery in a first-degree relative Identification of a pathogenic mutation categorised as associated with ARVC/D in index patient
Minor	Suspected ARVC/D in a first-degree relative (current Taskforce criteria cannot be determined) Premature SCD (< 35 years of age) due to suspected ARVC/D in a first-degree relative ARVC/D confirmed pathologically or by current Taskforce Criteria in second-degree relatives Abbreviations:

진단기준: definite diagnosis: Two major or 1 major and 2 minor criteria or 4 minor from different categories;
　　　　borderline: One major and 1 minor or 3 minor criteria from different categories;
　　　　possible: One major or 2 minor criteria from different categories.
약어: RVOT, right ventricular outflow tract; RV, right ventricular; 2D, two dimensional; TTE, transthoracic echocardiograph; CMR, cardiac magnetic resonance; RBBB, right bundle branch block; LBBB, left bundle branch block; ECG, electrocardiograph; ARVC, arrhythmogenic right ventricular cardiomyopathy; SCD, sudden cardiac death; ARVD, arrhythmogenic right ventricular dysplasia.

−18%를 기준으로 정상과 비정상을 구분한다.

2) CMR

ARVC/D의 진단에 최적표준검사이다. 심초음파에 비해 조직특성(tissue characterization)이 가능하며, 더 정확하게 RV 용적을 구할 수 있다. 전형적인 소견으로는 RV의 LGE, 심실류(aneurysm), 이상운동증이다(그림 3-4-6). 하지만, 비록 LGE가 우심실과 좌심실에 각각 88%, 61%정도에서 관찰되지만, thin-walled RV에서 관찰하기 어렵고, 지방/섬유와의 감별이 쉽지 않다는 점에서 task force criteria에 major, minor 기준에 LGE는 포함되지 않는다.

3) 심장 CT

CT는 진단기준에 포함되지는 않는다. 하지만, 최근 MDCT가 0.5 mm 두께의 공간해상력이 가능하고 조영제를 사용하지 않고도 지방조직의 자연조영(native contrast)을 평가할 수 있어 지방침윤 정도를 정량적으로 평가할 수

있다. 때문에 부정맥, ICD삽입된 환자, 폐쇄공포증이 있는 환자에서 CMR 대안으로 사용할 수 있다.

각 영상에 대한 장단점은 표 3-4-2에 언급하였다.

4) 심근조직검사

보통 침윤이 반점형 분포(patchy distribution)로 인해 예민도가 낮다. 또한 대부분의 침범부위가 우심실 외벽인데 반해 조직검사는 우심실 중격에서 시행되고, 심실이 얇아서 천공의 위험성이 있기 때문에 임상적으로 ARVC/D가 강력히 의심되나 비침습적 영상으로 진단이 되지 않을때 시행한다.

치료

베타차단제는 반복되는 심실부정맥, 상심실정 부정맥은 적응증이 되며(Class I), 무증상에서 병의 진행을 막고자 사용하기도 한다(Class IIa). 항부정맥약(amiodarone, sotalol)은 부정맥을 억제하고자 사용하나 반드시 예방적

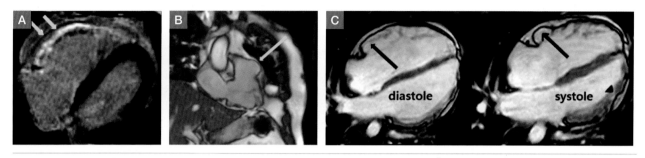

그림 3-4-6. ARVC/D의 CMR소견. (A) 우심실의 LGE, (B) 우심실류, (C) RV 이상운동증(dyskinesia) (subtricuspid valve)

표 3-4-2. 우심실 영상방법에 따른 장단점

	2D 심초음파	3D 심초음파	CMR	CT
Scan duration (min)	25–30	30–35	40–60	10–15
Window dependency	Present	Present	Absent	Absent
Temporal resolution	+++	++	++	+
Spatial resolution	+++	++	+++	++++
RV assessment				
Wall thickness	Yes	Yes	Yes	Yes
Diameter	++	+++	++++	++++
Volume	–	+++	++++	++++
Systolic function	FAC, TAPSE, s'	RVEF	RVEF	RVEF
Mechanics	+++	+	++++	+++

FAC: fractional area change, RVEF: right ventricle ejection fraction, s': systolic annular velocity, TAPSE: tricuspid annular plane systolic excursion
+: weak, ++++: strong

으로는 사용하지 않는다. 심실빈맥은 심도자절제술하는 것이 일차치료이다.

ICD

ICD삽입한 환자를 2–7년 추적관찰동안 48–78%가 적적한 쇼크가 시행되어 HCM 혹은 DCM 환자에서의 ICD

보다 비용대비 효과가 뛰어나다. 그림 3-4-7 에서와 같이 지속적인 심실빈맥, LVEF ≤ 35%, 혹은 우심실기능저하 (FAC ≤ 17%, RVEF ≤ 35%)와 같은 고 위험군은 ICD로 일차예방을 반드시 해야 한다. 실신, 비지속성 심실빈맥, 중등도의 우심실/좌심실기능저하가 있는 경우도 ICD로 일차예방을 고려할 수 있다.

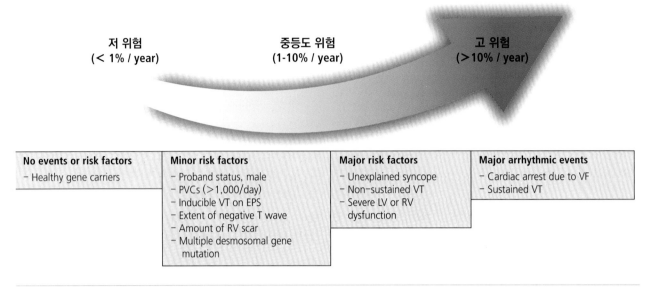

No events or risk factors	Minor risk factors	Major risk factors	Major arrhythmic events

- Healthy gene carriers	- Proband status, male
	- PVCs (>1,000/day)
	- Inducible VT on EPS
	- Extent of negative T wave
	- Amount of RV scar
	- Multiple desmosomal gene
	  mutation
		- Unexplained syncope
		- Non-sustained VT
		- Severe LV or RV
		  dysfunction
			- Cardiac arrest due to VF
			- Sustained VT

그림 3-4-7. **ARVC/D의 위험 층화도.** EPS: electrophysiologic study, LV: left ventricle, PVC: premature ventricular complex, RV: right ventricle, VF: ventricular fibrillation, VT: ventricular tachycardia

5. 심근염(Myocarditis)

17세 남자가 하루 전부터 시작된 두근거림과 6시간 전부터 발생한 흉통으로 왔다. 과거력은 특별한 병력이 없었고, 내원 2일 전 한 차례 어지러움으로 주저앉았다가 5분 후 회복했던 일이 있었다. 내원 하루 전 밤부터 두근거림과 함께 구역감, 구토, 식은땀 등의 증상이 동반되었고 좌측 흉부의 통증이 발생하여 응급실로 내원하였다. 응급실 내원직후 시행한 심전도상 동율동 리듬이었고 심실조기수축외에 이상소견은 없었다(그림 3-5-1). 혈액검사상 분엽중성구가 주된 백혈구 증가증(WBC 13920, segmented neurophil 80.9%), 간기능 검사에서 AST/ALT 126/26 IU/L으로 급성기 감염증이 의심되었고, 심근효소 수치가 CK/CKMB 1190/114 U/L, troponin I 35.7 ng/mL로 매우 상승되어 있었다.

내원 직후 심장초음파에서 좌심실 기능은 정상 범위 이내로 뚜렷한 이상소견은 관찰되지 않았고(그림 3-5-2A, B, C), 관상동맥질환을 확인하기 위해 시행한 심장혈관 CT상 유의한 협착이나 기형은 관찰되지 않았다. CT상 심근에 특이소견도 관찰되지 않았다(그림 3-5-3).

입원 2일 후 심근효소치의 상승이 지속되어 심장초음파 검사를 추적하였고, 좌심실 기저에서 중간까지 후하벽의 무운동이 관찰되면서 LVEF가 50%로 감소되었다(그림 3-5-2D,E,F). 환자의 병력과 검사 소견을 토대로 심근염 의심 하에 심근손상의 범위를 평가하기 위해 CMR을 시행하였다. T2 weighted image에서 좌심실 주변으로 광범위한 심근부종이 관찰되었고 좌심실 주변으로 광범위하게 LGE가 관찰되어 광범위한 심근염이 있음을 시사하였다(그림 3-5-4).

퇴원 후 1년 뒤 외래에서 추적한 심장초음파 소견은 변화 없었고(그림 3-5-5) CMR상에서도 LGE는 그대로 관찰되었다(그림 3-5-6).

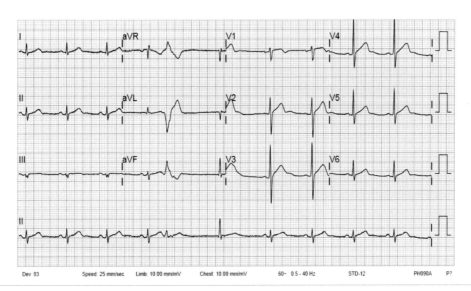

그림 3-5-1. 응급실 내원 직후 시행한 심전도. 동율동 리듬으로 조기수축외 이상소견은 없음.

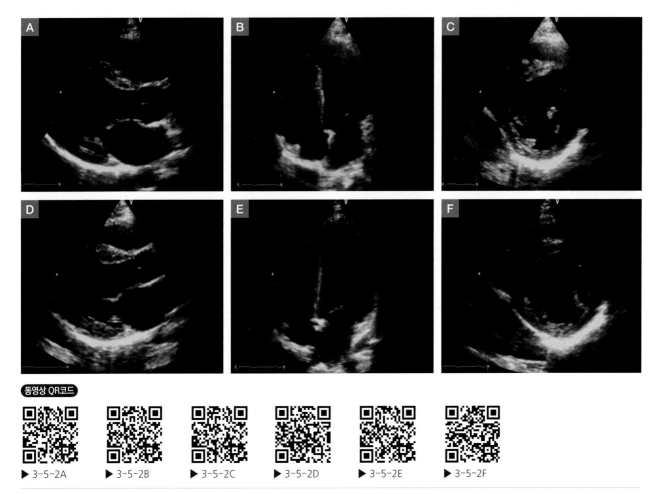

그림 3-5-2. 내원 직후(A, B, C) 및 2일 후 심초음파(D, E, F) 소견. 내원 직후 심초음파소견은 이상없었음. 2일 후 추적초음파상 좌심실의 국소 적벽운동장애가 관찰되고 LVEF저하가 동반됨. **(동영상)**

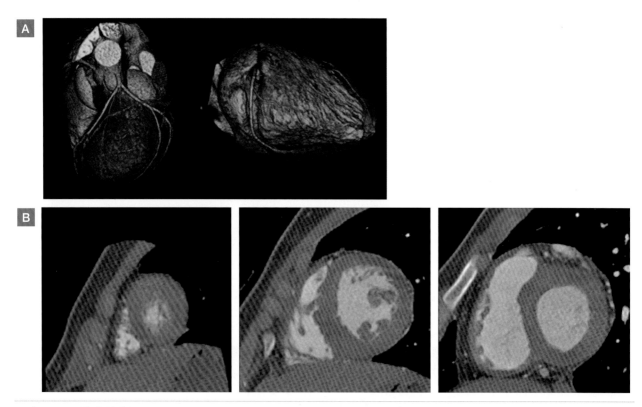

그림 3-5-3. **초기 심장 CT.** (A) 관상동맥에 유의한 협착이나 이상소견은 관찰되지 않음. (B) 심근 자체의 특이소견은 관찰되지 않음.

> **Keynote**

정의

WHO/ISFC 기준으로 심근의 염증성 질환으로 조직학적(Dallas criteria; histologic evidence of inflammatory infiltrates within the myocardium associated with myocyte degeneration and necrosis of non−ischemic origin), 면역 및 면역조직학적(abnormal inflammatory infiltrate; ≥ 14 leucocytes/mm^2)으로 정의한다. 염증성 심근증은 심근염으로 인한 심실기능저하가 있을 때로 하기 때문에 조직학적인 진단기준이 포함되어, DCM과는 구분해야 한다.

진단

1) 심초음파

특징적인 소견은 없다. 정상부터 심한 좌심실기능저하까지 다양하게 나타나며, 일반적으로 심근의 두께가 부종으로 증가되어 있고, 국소적인 벽운동장애가 흔하게 관찰된다(그림 3-5-7).

2) CMR

심근염의 진단 및 감시에 가장 유용한 검사이다. 때문에 심근조직검사를 시행할 수 없는 경우 2차적 진단기준으로 사용할 수 있다(표 3-5-1).

중요한 것은 CMR은 안정적인 환자에서 조직검사 전에

시행할 수 있지만 조직검사를 절대로 대체할 수 없으며, 위독한 상황에서 CMR을 위해 조직검사를 연기해서는 절대 안 된다.

앞서 HCM에 언급하였 듯이 T1 mapping과 ECV는 심근염과 다른 질환의 감별진단에 도움을 준다 . 급성 심근염의 경우 native T1 value가 높고 중앙 하측벽(화살표)에

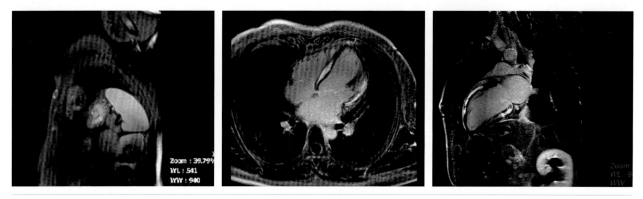

그림 3-5-4. 환자의 초기 CMR소견. 좌측의 T2WI에서 광범위한 심근의 부종이 관찰되고 우측 LGE 영상에서 심근의 광범위한 LGE가 관찰됨.

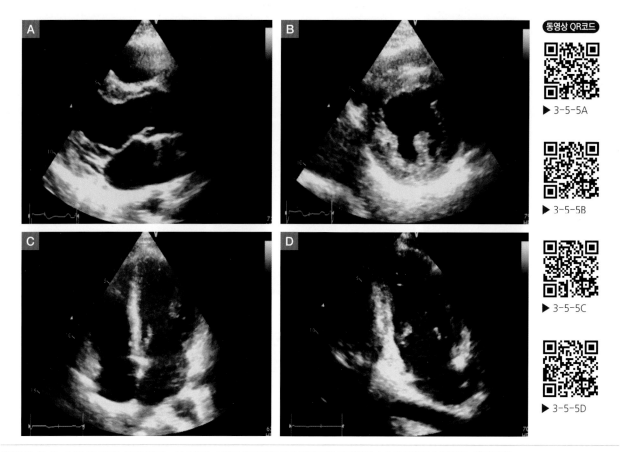

동영상 QR코드

▶ 3-5-5A

▶ 3-5-5B

▶ 3-5-5C

▶ 3-5-5D

그림 3-5-5. 1년 뒤 추적 심초음파. 심초음파 소견은 변화없이 국소적인 벽운동장애와 수축력 저하가 남아있음. **(동영상)**

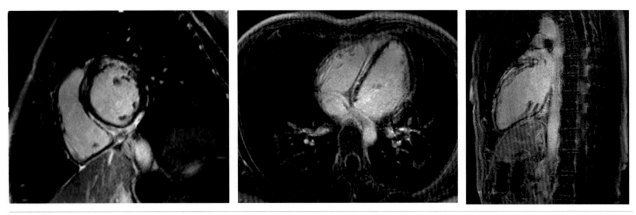

그림 3-5-6. **퇴원 1년 후 추적 CMR소견임.** LGE가 여전히 남아있음.

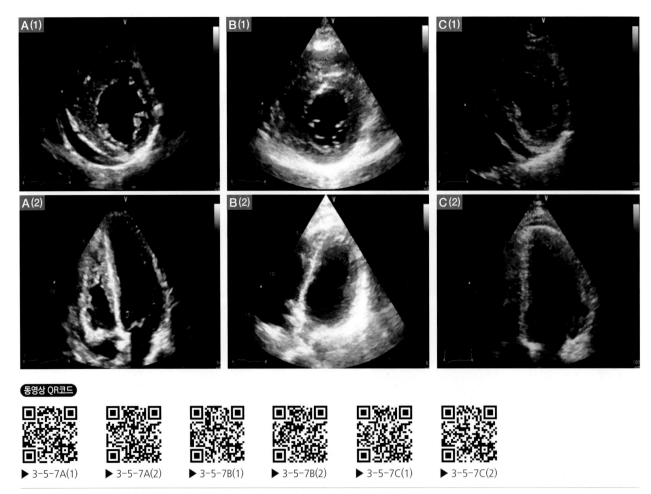

동영상 QR코드

▶ 3-5-7A(1) ▶ 3-5-7A(2) ▶ 3-5-7B(1) ▶ 3-5-7B(2) ▶ 3-5-7C(1) ▶ 3-5-7C(2)

그림 3-5-7. **급성심근염의 다양한 심초음파 소견.** (A) Viral myocarditis, 전반적으로 심근이 두껍고 하벽과 중격에서 운동장애가 보이며 심낭삼출이 관찰된다. (B) Fulminant myocarditis. 심장은 전반적으로 두껍고, 심실중격의 운동장애, 좌심실이 확장되어 있지 않으나 매우 심한 수축기장애를 보이고 있다. (C) Eosinophilic myocarditis, 심낭삼출과 하벽의 운동장애, 측벽으로 심근의 비후가 관찰된다. **(동영상)**

LGE가 관찰된다. ECV역시 미만성으로 세포외공간 (extra-cellular space)이 증가되어 있음을 보여준다. HCM 은 비후된 심근에서 특히 native T1이 증가되어 있고 LGE

가 관찰된다. ECV역시 증가되어 있음을 보여준다. DCM 의 경우 LGE는 없으나, 중격에서의 native T1이 1000-1,200msec로 증가되어 있고, ECV 역시 증가되어 있다. 심

표 3-5-1. 심근염의 CMR진단 기준(Lake-Louise criteria)

임상적으로 심근염이 의심되며 2개 이상의 기준을 충족T

(1) Myocardial edema: regional or global myocardial signal intensity increase in T2-weighted images (➞)

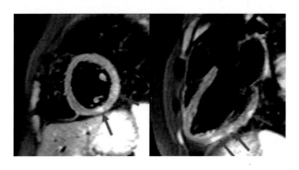

(2) Hyperemic/capillary leak (Increased early gadolinium enhancement ratio between myocardium and skeletal muscle) in gadolinium-enhanced T1-weighted images (조영제 주입 전(좌측)/후(우측)의 enhancement

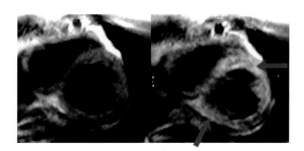

(3) LGE at least one focal lesion with non-ischaemic regional distribution, often in the infero-lateral wall (➞)

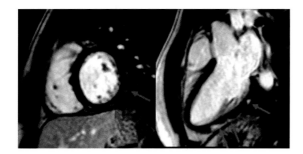

이외에도 좌심실기능저하 혹은 심낭삼출이 있으면 심근염을 더 뒷받침한다.

장 amyloid 경우 native T1 value가 전반적으로 증가되어 있으며, LGE 영상에서 contrast−noise ratio가 낮고, ECV map에서 모든 심근의 세포외공간이 증가되어 있다.

3) 심근조직검사(표 3-5-2)

조직검사는 심근염이 의심되는 모든 환자에서 시행하는 것이 원칙이며, 특히 혈역학적으로 불안전한 환자는 반드시 시행하여 가역적 원인이 있는 지 밝혀야 한다.

조직학적 심근염의 분류

염증세포의 침윤형태에 따라서 림프구심근염, 호산구심근염, polymorphic, 거대세포심근염, sarcoidosis로 분류한다.

1) 림프구심근염

조직검사에서 바이러스가 검출되지 않으며 다른 원인이 없는 경우 특발성 혹은 자가면질환과 연관에서 나타나며 가장 흔한 형태의 심근염이다. 초기에 심근의 두께가 증가하고 제한적 이완기능, 수축기 기능장애를 보인다. 감염−음성 림프구심근염(infection−negative lymphocytic myocarditis)인 경우 일반적인 약제에 반응을 하지 않는다면 면역억제제를 사용할 수 있다.

2) 호산구심근염(Chapter IV 참조)

호산구심근염은 심근괴사 및 섬유화가 매우 적은 과민심근염(hypersensitivity myocarditis)에서 재한성심근증을 유발할 수 있는 hypereosinophilic syndrome (HES)까지 다양하게 나타난다. HES는 호산구가 6개월 이상 지속적으로 1,500/μl이상이며 말초장기를 침범한 경우로 정의한다. HES에서 심장의 침범은 50%정도이다. 호산구심근증은 3단계로 나누며 첫째, acute necrotic phase: 심초음파에서 간질성 부종으로 심근의 비후가 관찰된다. 좌심실 기

표 3-5-2. 심근조직검사의 원칙

1. 조직은 반드시 조직학, 면역조직화학, 바이러스 PCR을 반드시 시행한다.
2. 1−2 mm 크기의 3개 이상 조직을 얻는다.
3. 원인에 대한 치료(etiology−directed therapy)를 할 경우 필요 시 반복해서 조직검사를 시행한다.

저 혹은 가운데 부분에 비해 심첨부의 두께가 증가되어 "ace of spades" 모양을 보인다. 또한 승모판 후엽의 침범으로 승모판 역류가 잘 동반된다. 호산구가 조직으로 침투하여 약 50%에서는 호산구증가가 없을 수 있다. CMR은 acute necrotic phase에서도 심근의 침범 범위를 간접적으로 알 수 있기 때문에 반드시 시행한다. 둘째, thrombotic phase: 손상된 심내막을 따라서 혈전이 생기며 특발성 호산구증환자의 4−29%에서 혈전이 발생된다. 셋째, fibrotic (scarring) stage로서 약 2년 정도 경과되면 나타나며, 재한성 심근증으로 발현될 수 있고, 심실 및 판막하구조에 섬유화가 관찰된다. 전도장애 및 심실부정맥을 유발할 수 있다. 이러한 단계는 "Loeffler's endocarditis"라 불리며 심첨부 비후성 심근증과 감별이 필수적이다.

HES는 평균 생존율이 9개월로 매우 나쁜 예후를 보이기 때문에 빠른 진단이 필수적이다. 심초음파에서 의심이 되면 빨리 CMR과 심근조직검사를 시행한다. 다만, 심근 침범이 국소적이어서 심근조직에서 양성으로 나올 확률은 50% 정도이다.

3) 거대세포심근염

심장 sarcoidosis와 비슷한 병리소견을 가지고 있지만, 임상양상은 전격심근염을 잘 유발한다. 대부분 급격히 진행되는 심부전, 50%에서 불응성 심실빈맥 및 심방차단이 발생하여 사망 및 심장이식을 받아야만 하는 질환이기 때

문에 빠른 진단과 치료가 중요하다. 미만성으로 심근을 침범하여 조직검사에서 진단할 수 있다. 심초음파 혹은 CMR은 비특이적으로 심실비후부터 확장까지 다양하게 나타나며 sarcoidosis와는 다르게 좌심실류는 잘 생기지 않는다.

■ 참고문헌 ■

1. Arbustinin E, Weidemann F, Hall JL. Left ventricular nonompaction. A distinct cardiomyopathy or a trait shared by different cardiac diseases? J Am Coll Cardiol 2014;64:1840-50.

2. Bennett RG, Haqqani H, Berruezo A et al., Arrhythmogenic cardiomyopathy in 2018-2019: ARVC/ALVC or both? Heart, Lung and Circulation 2019:28:164-177.

3. Current state of knowledge on aetiology, diagnosis, management, and therapy of myocarditis: a position statement of the European Society of Cardiology Working Group on Myocardial and Pericardial Diseases. European Heart Journal 2013;34: 2636-2648.

4. Finsterer J, Stöllberger C, Towbin JA. Nat Rev Cardiol 2017;14:224-237.

5. Friedrich MG, Marcotte F. Cardiac magnetic resonance assessment of myocarditis. Circ Cardiovasc Imaging 2013;6:833-839.

6. Gandjbakhch E, Redheuil A, Rousset F, Charron P, Frank R. Clinical diagnosis, imaging, and genetics of arrhythmogenic right ventricular cardiomyopathy/dysplasia. J Am Coll Cardiol 2018;72:784-804.

7. Haaf P, Garg P, Messroghli DR et al., Cardiac T1 Mapping and Extracellular Volume (ECV) in clinical practice: a comprehensive review. Journal of Cardiovascular Magnetic Resonance 2016;18:89-100.

8. Habib M, Hoss S, Rakowski H. Evaluation of hypertrophic cardiomyopathy:newer echo and MRI approaches. Current Cardiology Reports 2019;21:75-90.

9. Hussein A, Karimianpour A, Collier P, Krassuski RA, J Am Coll Cardiol 2015;66:578-85.

10. Japp AG, Gulati A, Cook SA, Cowie MR, Prasad SK. J Am Coll Cardiol 2016;67:2996-3010.

11. Kadkhodayan A, Chareonthaitawee P, Raman SV, Cooper LT. Imaging of inflammation in unexplained cardiomyopathy. J Am Coll Cardiol Img 2016;9:603-17.

12. Kim SH, Oh YS, Nam GB, Choi KJ, Kim DH, Song JM, Kang DH, Song JK, Kim YH. Morphological and electrical characteristics in patient with hypertrophic cardiomyopathy: Quantitative analysis of 864 Korean cohort. Yonsei Med J 2015;56:1515-1521.

13. Makavos G, Kairis C, Tselegkidi ME et al., Hypertrophic cardiomyopathy: an updated review on diagnosis, prognosis, and treatment. Heart Failure Reviews 2019; 24:439-459.

14. Marcus FI, McKenna WJ, Sherrill D, Basso C, Bauce B, Bluemke DA, et al. Diagnosis of arrhythmogenic right ventricular cardiomyopathy/dysplasia: proposed modification of the task force criteria. Circulation 2010;121:1533-41.

15. Maron BJ, Maron MS. Hypertrophic cardiomyopathy. Lancet 2013;381:242-55.

16. Nagueh SF, Zoghbi WA. Role of imaging in the evaluation of patients at risk for sudden cardiac death. JACC Cardiovasc imaging 2015;8:825-45.

17. O'Hanlon R, Grasso A, Roughton M, et al. Prognostic significance of myocardial fibrosis in hypertrophic cardiomyopathy. Am Coll Cardiol 2010;56:867-74.

18. Olivotto I, Cecchi F, Poggesi C, Yacoub MH. Patterns of Disease Progression in Hypertrophic Cardiomyopathy. An Individualized Approach to Clinical Staging. Circ Heart Fail 2012;5:535-546.

19. Oomen Ad W, Semsarian C, Puranik R, Sy RW. Diagnosis of arrhythmogenic right ventricular cardiomyopathy: progress and pitfalls. Heart, Lung and Circulation 2018:27:1310-1317.

20. Park YH, Korean Circ J 2017;47:291-298.

21. Pinto YM, Elliott PM, Arbustinin E, et al. European Heart Journal 2016;37:1850-1858.

22. Ratel AR, Kramer CM, J Am Coll Cardiol Img 2017;10:1180-93.

23. Sen-Chowdhry S. Jacoby D. Moon CJ. McKenna WJ. Update on hypertrophic cardiomyopathy and a guide to the guidelines. Nat Rev Cardiol 2016;13:651-675.

24. Tadiac M. Multimodality evaluation of the right ventricle: an updated review. Clin. Cardiol 2015:38;770-776.

25. Van der Bijil P, Delgado V, Bootsma M, Bax JJ. Circulation 2018;137:2514-2527.

CHAPTER

IV 전신질환, 대동맥, 대혈관
(Systemic disease, Aorta, and Great Vessel)

1. Amyloidosis

증례. 심장 amyloidosis

과거력상 특이 소견 없었던 77세 여자가 3개월 전부터 노작성 호흡곤란 및 기좌호흡을 호소하였다. 신체 검진에서 양하지의 부종이 동반되어 있었다. 특이한 가족력은 없었다. ECG 사지유도에서 저전압 및 심방세동 소견을 보였다(그림 4-1-1). 흉부 X선에서 심비대 및 양측 흉막 삼출 소

견이 관찰되었다(그림 4-1-2).

경흉부심초음파 검사에서 좌심실의 이완기말 내경은 40 mm, 구혈률은 67%, 이완기말 심실중격의 두께는 9 mm로 정상 소견을 보였고, 후벽은 12 mm로 경도로 두꺼워져 있었다. 양측 심방이 확장되었고(좌심방 부피 지수 = 53 mL/m^2), 심장의 기저부에 소량의 심낭삼출이 동반되었으며 좌심실 심근이 반짝거리는 granular sparkling 소견이 관찰되었다(그림 4-1-3). 승모판막 유입혈류의 간헐 파형도플러(pulse wave Doppler) 및 내측 승모판륜 조직도

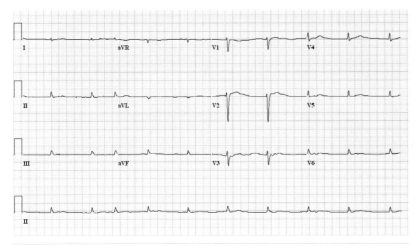

그림 4-1-1. **ECG.** 심방세동 및 저전압이 관찰됨.

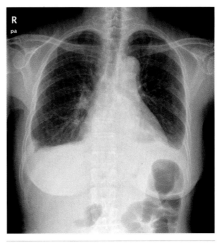

그림 4-1-2. **흉부 X선 검사.** 심비대 및 양측 흉막삼출이 관찰됨.

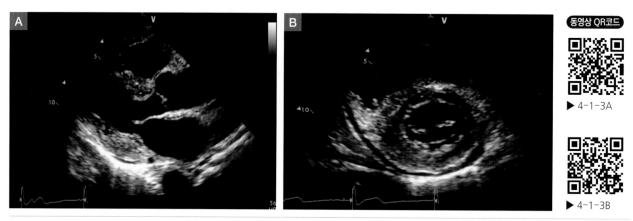

동영상 QR코드

▶ 4-1-3A

▶ 4-1-3B

그림 4-1-3. 경흉부심초음파. (A) 흉골연장축단면도, (B) 흉골연단축단면도. 좌심실의 심근이 반짝거리는 granular sparkling 소견을 보이고, 좌심실의 기저부에 소량의 심낭삼출이 관찰됨. **(동영상)**

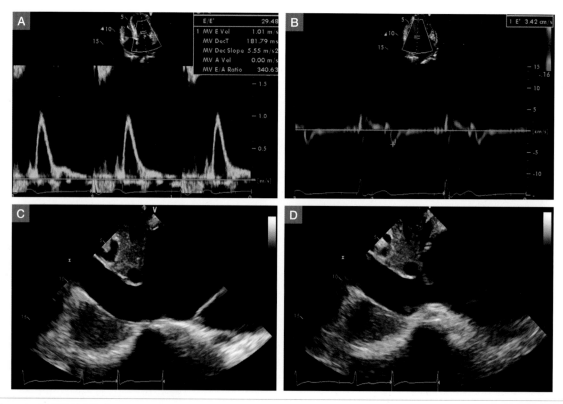

그림 4-1-4. 경흉부심초음파. (A) 승모판막 유입혈류 (B) 내측 승모판륜의 조직도플러 (C) 호기 때의 하대정맥 (D) 흡기 때의 하대정맥. 심한 좌심실 이완기능장애 소견과 하대정맥의 확장 및 호흡에 따른 크기 변화의 소실이 관찰됨.

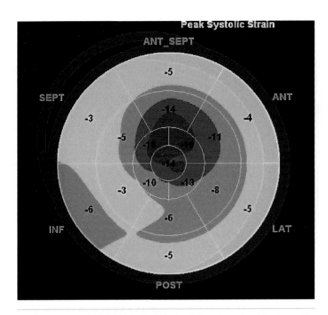

그림 4-1-5. 경흉부심초음파에서 global longitudinal strain 수축기 최고 값의 Bull's eye view. 기저부위에 비해 심첨부 strain 값이 상대적으로 보존되어 apical sparing pattern이 관찰됨.

플러(tissue Doppler) 검사에서 E파 속도 100 cm/s, E파 deceleration time 182 ms, E/e' 29.5로 좌심실의 이완기능 장애가 심하였다. 하대정맥은 확장되었고, 호흡에 따른 변화가 소실되었다(그림 4-1-4). Strain영상 기법에서 좌심실 기저부에서 중간부위까지 longitudinal strain이 감소되었고, 심첨부의 strain은 비교적 잘 유지된 apical sparing pattern 소견을 보였다(그림 4-1-5).

Gadolinium 조영제를 이용한 CMR에서 좌심실 심내막 및 우심실 벽, 양심방 벽의 LGE 소견이 관찰되었다(그림 4-1-6). ^{11}C-Pittsburg B compound (PIB) PET/CT 검사에서 좌심실 및 우심실 모두에서 방사능 추적자의 섭취가 증가되었다(그림 4-1-7).

심근 조직 H&E 염색에서 심근 세포 사이사이 간질에

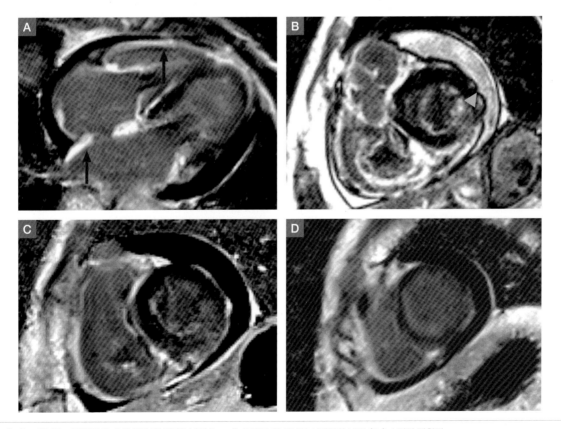

그림 4-1-6. CMR. 양심방 및 우심실의 전반적인 LGE (⟶), 그리고 좌심실의 심내막하 LGE (▷) 소견이 관찰됨.

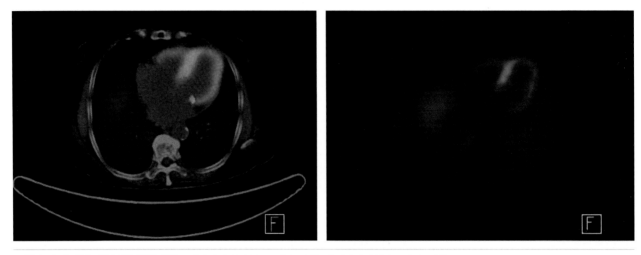

그림 4-1-7. ¹¹C-PIB PET/CT 검사. 좌심실 및 우심실 모두에서 방사능 추적자의 섭취가 증가되어 있음.

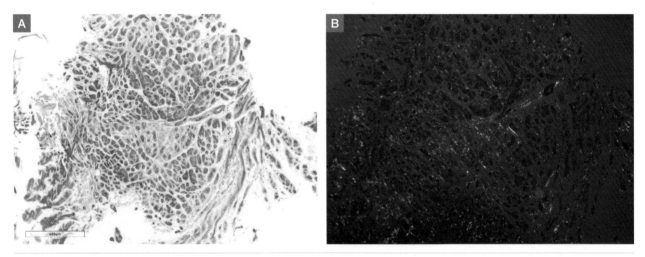

그림 4-1-8. 심내막조직검사(endomyocadial biopsy, EMB). (A) 심근 조직 H&E 염색, (B) Congo Red 염색 후 편광현미경 검사. H&E 염색에서 심근 세포 간질 사이에 붉은 색의 amyloidosis 침착이 관찰되고, 편광현미경 검사에서 녹색 이중 굴절 소견이 관찰됨.

서 붉은 색의 amyloid 침착이 관찰되었고, Congo Red 염색 후 편광현미경 검사에서 녹색 이중 굴절(apple-green birefringence)이 확인되어 심장 amyloidosis로 확진하였다 (그림 4-1-8).

환자는 추가 검사에서 다발성 골수종을 진단받아, 이와 연관된 immunoglobulin light chain amyloidosis (AL)로 확진되었고 이후 항암치료를 받았다.

> **Keynote**

심장 amyloidosis는 심근에 fibril protein인 amyloid가 과도하게 침착되면서, 심근의 비대와 심부전을 유발하는 질환이다. Amyloid의 침착은 주로 심내막하에서 점상으로 시작하여 심근 세포 사이 간질로 퍼져서 심벽의 두께가 두꺼워지고, 전기전도계로의 침착도 발생한다. 이로 인해 제한성 심근증에 의한 심한 이완기능장애, 간비대와 하지 부종, 수축기 심부전 및 심장 전도장애와 심방세동 등의 부정맥으로 인한 증상이 나타나게 된다. 임상적으로는 심부전 환자에서 좌심실 비대가 있으나 심전도에서 저전압이 있는 경우에 침윤성 심근증으로 심장 amyloidosis를 의심을 하게 된다. Amyloidosis는 immunoglobulin light chain 이 침착한 immunoglobulin light chain amyloidosis (AL), transthyretin 이 침착한 transthyretin amyloidosis (ATTR), serum amyloid A protein이 침착한 reactive systemic 또는 inflammation-associated amyloidosis (AA) 등으로 분류할 수 있으며, 심장 amyloidosis의 대부분은 AL amyloidosis와 ATTR amyloidosis이다(표 4-1-1). ATTR amyloidosis에는 유전자 변이로 생성된 variant transthyretin의 침착에 의한 hereditary-type ATTR amyloidosis와 고령에서 wild-type transthyretin의 침착에 의한 wild-type ATTR amyloidosis (senile systemic amyloidosis)가 있다.

심장 amyloidosis의 확진은 심내막조직 검사(endomyocadial biopsy, EMB)에서 Congo Red 염색 후 편광현미경의 녹색 이중굴절(apple-green birefringence) 소견으로 amyloid 침착을 확인하는 것이다. 또한 조직 면역화학 또는 면역형광염색에서 각 단백질의 항체 염색으로 침착 된 amyloid의 종류를 알 수 있다. 그러나, CMR이나 bone scintigraphy 등의 영상 기법을 이용하여 심장 amyloidosis가 의심될 때, EMB를 하지 않고도 복부 지방 흡입 검사 또는 직장 조직검사 등에서 amyloid 침착을 확인하여 심장 amyloidosis을 진단할 수도 있다.

AL amyloidosis는 주로 골수의 형질세포 이상, 다발성 골수종 등에 의해 발생한다. 혈청과 소변에서 면역고정 전기영동(immunofixation electrophoresis), free light chain assay로 immunoglobulin light chain의 monoclonal gammopathy가 확인되면 골수 검사를 시행한다. 이 검사가 정상이면 ATTR amyloidosis를 확인하기 위해 trans-

표 4-1-1. 심장 amyloidosis의 종류와 임상 양상

종류	Precursor Protein	기저 질환	주요 침범 장기	심부전 외 동반된 임상 양상	예후 (Median Survival)
AL	Immunoglobin light chains	Plasma cell dyscrasia	Kidney, heart, liver, ANS, PNS	Nephrotic syndrome. Autonomic dysfunction and peripheral neuropathy.	8-48 개월
ATTRwt	Wild-type transthyretin	Aging	Heart	Slowly progressive energy decline. History of carpal tunnel syndrome.	7-8 년
ATTRm	Mutant transthyretin	TTR gene mutation	ANS, PNS, heart	Peripheral or autonomic neuropathy. Family history of neurological disease.	7-8 년

AL, amyloid light chain; ATTRwt, wild-type amyloid transthyretin; ATTRm, mutant amyloid transthyretin; ANS, autonomic nervous system; PNS, peripheral nervous system thyretin이나 ApoA1의 유전자 변이 검사를 시행한다.

1) ECG

심장 amyloidosis에서 ECG의 QRS 전압이 낮아지는 특징이 있다(모든 전흉부 유도에서 QRS amplitude < 1.0 mV 또는 모든 사지유도에서 < 0.5 mV). 심실비대가 있음에도 불구하고, ECG에서 QRS 전압이 낮을 경우 심장 amyloidosis을 의심해 볼 수 있다. 하지만 고혈압이 있는 경우에 QRS 전압이 정상일 수 있다. 그 외에도 심방세동, 심실상성 빈맥 및 심실전도장애가 동반될 수 있다.

2) 심초음파

경흉부심초음파는 심장 amyloidosis를 진단하는 가장 기본적이면서 중요한 검사이다. 심장 amyloidosis의 전형적인 소견들은 좌심실 및 우심실 비대, 심근 조직의 심초음파 음영 증가 및 granular sparkling pattern, 양 심방 확장, 심장 판막 비후, pseudonormal 또는 restrictive physiology의 진행된 좌심실 이완기능장애 등이다. Strain 영상 기법에서 좌심실의 기저 부위와 중간 부위의 longitudinal strain이 감소되어 있고, 상대적으로 심첨부의 strain은 비교적 잘 유지되어 있는 apical sparing pattern 소견을 보이는데, 이를 이용하면 고혈압성 심근증 및 비후성심근병증을 감별하는데 유용하다(그림 4-1-5).

3) CMR

심초음파와 함께 CMR은 amyloidosis를 진단하는데 중요한 표준 검사이다. CMR은 영상의 질과 해상도가 좋아서, 경흉부심초음파의 화질이 좋지 않아 평가가 어려운 경우에 유용하다. CMR에서 심실의 비대 및 확장, 심방의 확장 소견을 관찰할 수 있다. 또한 심초음파에서 정상 소견을 보인 전신 amyloidosis 환자의 약 절반에서 심근의

LGE 소견이 관찰되므로, CMR을 이용하면 amyloidosis의 심장 침범을 조기에 확인할 수 있다.

LGE 영상에서는 amyloid가 침착된 심근 세포 외 공간에 gadolinium 농도가 높아지고 정상 심근에 비하여 gadolinium이 빠져 나가는 시간이 지연되어 신호 강도가 증가된다. 즉, 심근의 LGE 부분은 amyloid 침윤이 일어난 병변으로 추정할 수 있다. 심근의 LGE 양상은 다양하게 나타나는데, 관상동맥 영역과 일치 하지 않는 심내막하 또는 심근 전층의 LGE 및 심방, 우심실 벽의 LGE는 특징적인 소견들이다. LGE가 심내막하에서 심근 전층으로 진행할수록 예후가 더 나쁜 것으로 알려져 있다(그림 4-1-6). Native T1 mapping (pre-contrast)에서 부종이 있거나 세포 외 간질이 증가하게 되면 native T1 값이 증가하게 되는데, amyloid 가 세포 사이 간질에 침착하게 되므로 심장 amyloidosis에서는 native T1 값이 증가하게 된다. T1 mapping으로 세포외용적을 측정할 수 있는데, 심장 amyloidosis 에서는 간질의 amyloid 침착으로 세포외용적이 40% 이상으로 증가되어 있다(정상 심근 세포외용적 약 25%). 또한, 심근 부종과 연관되어 있는 T2 값도 길어진다.

4) 심장 핵의학 검사

심근 single photon emission computed tomography (SPECT)나 심근 PET 검사를 이용하여 심장 amyloidosis를 영상화 할 수 있다. 심근 SPECT의 방사선 표지자로서 amyloid 섬유에 직접 부착되는 ^{123}I-labeled serum amyloid P component가 있으며, 골 영상에 사용하는 ^{99m}Tc-pyrophosphate (PYP) 혹은 ^{99m}Tc 3,3-diphosphono-1,2-propanodicarboxylic acid (DPD) 방사선동위원소들이 amyloidosis 진단에 유용하게 사용된다. ^{99m}Tc-DPD/PYP bone scan은 ATTR amyloidosis에서 거의 100%의

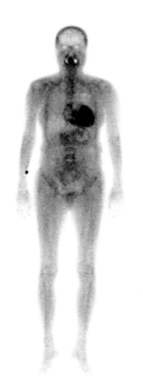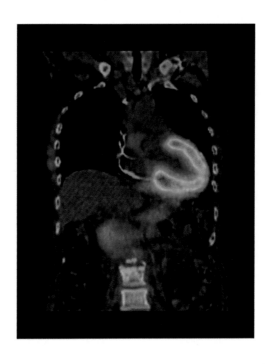

그림 4-1-9. ATTR amyloidosis 환자의 ^{99m}Tc-DPD bone scan. 심근에 강한 방사능 표지자의 섭취 증가가 관찰됨.

민감도와 특이도를 보여 AL amyloidosis와 감별하는데 유용하므로, 임상적으로 ATTR amyloidosis가 의심되는 경우에 진단적 가치가 높다(그림 4-1-9).

^{123}I-metaiodobenzylguanidine (MIBG) 방사성동위원소의 경우, 심장의 sympathetic denervation 부위를 영상화 할 수 있는데, 신경병증이 동반된 hereditary-type ATTR amyloidosis를 진단하는데 유용하다. PET 검사에서 사용되는 ^{11}C-Pittsburg B compound (PIB)와 ^{18}F-florbetapir는 직접 amyloid 섬유에 달라 붙어서 영상화 하는 방사성동위원소로 Alzheimer 병에서 뇌의 amyloid 침착의 진단에 이용되었으나 심장 amyloidosis의 진단에도 이용되고 있다(그림 4-1-7).

AL amyloidosis는 주로 골수의 형질세포 이상, 다발성 골수종 등에 의해 발생하므로 항암치료나 자가조혈모세포 이식을 한다. AL 심장 amyloidosis의 예후는 cardiac troponin T, NT-proBNP, free light chain difference로 예측할 수 있으며, NT-proBNP가 30% 이상 감소하고, 300 pg/mL 이하이면 치료 반응군으로 예후가 양호하다. ATTR amyloidosis는 간에서 TTR 단백질 생성을 방해하는 TTR gene silencer (small interfering ribonucleic acid, antisense oligonucleotide)와 transthyretin protein stabilizer 약제를 사용할 수 있고, 일부의 환자에서는 간이식을 고려할 수 있다. Transthyretin protein stabilizer인 tafamidis는 ATTR amyloidosis 환자에서 사망 위험과 심혈관질환 관련 입원율을 감소시키는 것으로 보고되었다.

ATTR amyloidosis의 예후는 cardiac troponin T, NT-proBNP, eGFR 등으로 예측할 수 있다. AA amyloidosis 는 만성적인 감염이나 염증성 질환으로 인해 발생하며 특별한 치료는 없으나 예후는 양호한 편이다.

2. Cardiac sarcoidosis

증례 . Cardiac sarcoidosis

56세 남성이 2주 전 시작된 어지러움을 주소로 내원하였다. 6개월 전 운동 중 호흡곤란이 발생하여 타 병원에서 검사하였을 때 심전도는 동서맥이었으며 당시 경흉부심초음파에서 좌심실박출률이 저하되어 있었다. 심장 CT에서 관상동맥은 정상이었다. 이에 앤지오텐신전환효소억제제와 이뇨제, 알도스테론 길항제를 복용 중이었다. 내원하여 시행한 ECG에서 심박수 28회의 완전방실차단(그림 4-2-1)

이 확인되었으며, 경흉부심초음파에서 좌심실 기저 하벽과 중격의 국소이상운동(그림 4-2-2)을 동반한 좌심실 수축력 저하(좌심실박출률 30%) 및 우심실 확장과 우심실 외벽(free wall)의 수축력 저하가 관찰되었다. 타병원에서 시행한 흉부 CT에서는 기관옆림프절 및 기관분기부하림프절 종대와 폐야에서 다수의 간유리음영이 확인되었다(그림 4-2-3).

상기 소견을 종합하여 심기능 저하의 원인으로 염증성 심근병증(inflammatory cardiomyopathy)의 가능성을 고려하여 CMR을 시행하였으며, LGE 영상에서 우심실벽 전체 및 좌심실벽에 비균일한 심외막하(patchy subepicardial) 또는 전층(transmural)의 LGE을 관찰할 수 있어 cardiac sarcoidosis의 가능성이 높다고 판단하였다(그림 4-2-4).

확진을 위해 시행한 EMB에서 육아종은 확인할 수 없었으나 기관지내초음파 유도하 림프절조직 검사에서 비건락성 육아종(noncaseating granuloma) (그림 4-2-5)을 확인하여 유육종증(sarcoidosis)을 확진하였고 이에 삽입형심

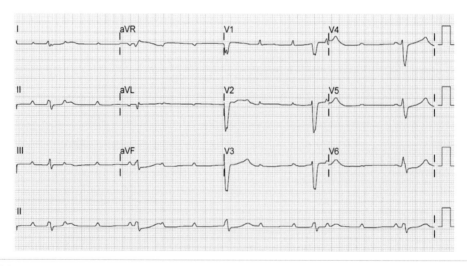

그림 4-2-1. ECG. 완전방실차단과 심실성 escape rhythm이 관찰됨.

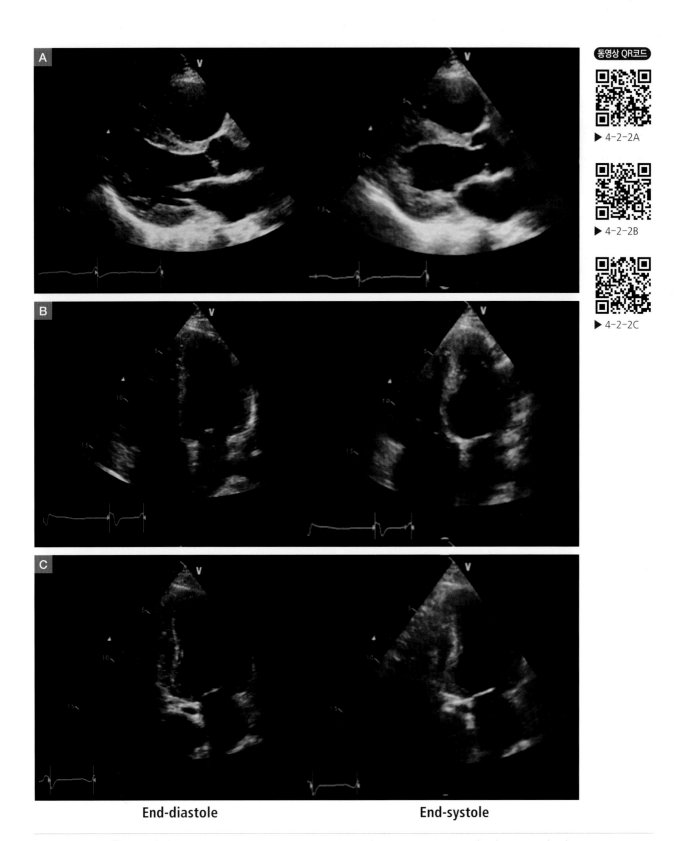

동영상 QR코드

▶ 4-2-2A

▶ 4-2-2B

▶ 4-2-2C

End-diastole　　　　　**End-systole**

그림 4-2-2. 경흉부심초음파. (A) 흉골연 장축단면도, (B) 심첨4방도, 그리고 (C) 심첨 2방도의 이완기말(좌측)과 수축기말(우측) 영상. 좌심실 기저 하벽과 중격의 국소이상운동과 우심실 확장 및 우심실 자유벽의 운동 저하가 관찰됨. **(동영상)**

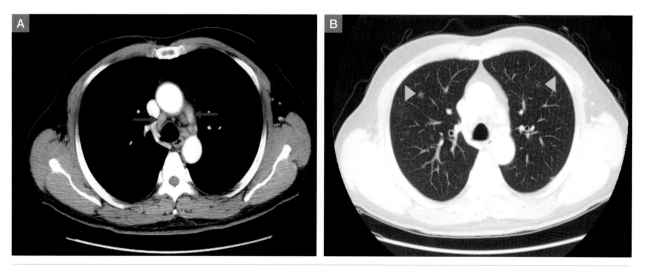

그림 4-2-3. **흉부 CT.** (A) 기관옆림프절이 커져있고 (➡), (B) 폐야에서 다수의 간유리음영이 관찰됨 (▷).

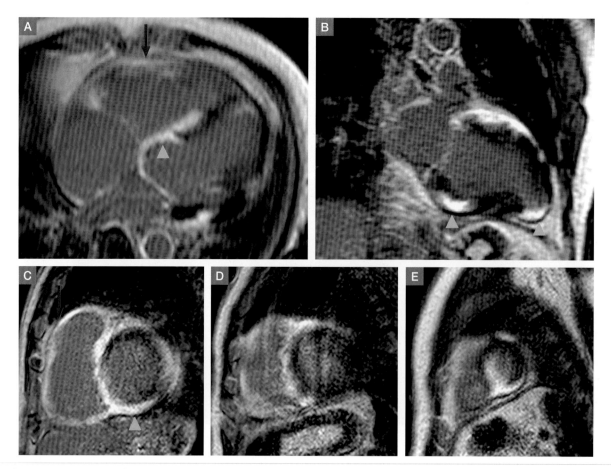

그림 4-2-4. **CMR LGE 영상.** 우심실벽 전체(➡)와 좌심실벽에 비균일하게 심외막하 또는 전층의 LGE (▷)가 하얗게 관찰됨.

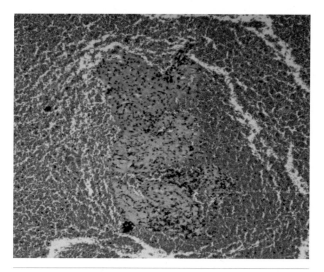

그림 4-2-5. 기관지내초음파 유도하 림프절 조직검사의 병리소견.
괴사를 동반하지 않은 비건락성육아종(noncaseating granuloma)이 관찰됨.

율동전환제세동기(ICD)를 삽입하였다.

질병의 활성도를 평가하기 위해 ¹⁸F−Fluorodeoxyglu-cose (FDG) 전신 PET을 시행하였고 좌심실 및 우심실 심근의 여러 부위에서 높은 SUV 값을 확인할 수 있었으며(그림 4-2-6A), 프레드니솔론 1 mg/kg를 1개월간 투여한 후 시행한 추적 FDG PET에서는 이전 검사에서 SUV 값이 높았던 일부 심근에서 활성도가 감소한 것을 확인할 수 있었다(그림 4-2-6B). 이후 스테로이드를 감량하면서 환자의 심기능은 다소 호전되었으며 sinus rhythm을 유지하며 외래 추적 관찰 중이다.

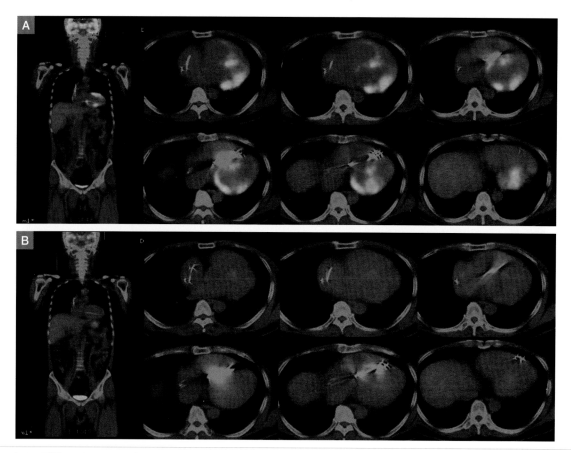

그림 4-2-6. 전신 FDG PET 소견. (A) 치료 시작 전 좌심실 및 우심실 심근의 여러 부위에서 높은 SUV 값을 보이고 있음. (B) 스테로이드 치료 1개월 후 SUV 값이 높았던 심근에서 활성도가 감소하였음.

▶ Keynote

유육종증(sarcoidosis)은 육아종성 전신 염증성 질환으로, 조직검사에서 괴사를 동반하지 않은 육아종(noncaseating granuloma)을 특징으로 한다. 원인은 아직 정확히 밝혀져 있지 않으나 유전적으로 취약점을 가지고 있는 환자에서 특정 항원이 방아쇠역할을 하여 면역반응이 일어남으로써 질병이 발생하는 것으로 생각되고 있다. 90% 이상의 환자에서 폐의 침범이 확인되며 심장, 간, 비장, 피부 등 전신 장기를 침범할 수 있다. 15세 미만 또는 70세 이상에서는 드물고, 25-60세 사이에 대부분의 환자가 진단된다.

유육종증환자에서 증상이 있는 심장 침범은 전체 유육종증 환자의 5% 이며, 심장 외 유육종증 환자에서 무증상의 심장 침범은 25% 전후로 보고 있다. 보고에 따라 다양하지만 cardiac sarcoidosis 환자의 25-65%는 다른 장기의 침범이 없는 isolated cardiac sarcoidosis이므로 폐를 비롯한 다른 장기 침범이 없다는 이유로 cardiac sarcoidosis를 배제할 수는 없다.

Cardiac sarcoidosis의 가장 흔한 증상은 전도장애, 심실성 부정맥 및 심장돌연사 그리고 심부전으로, 유육종증이 심장을 침범하면 예후가 나쁘다. Cardiac sarcoidosis의 확진은 조직학적 진단으로, 심근 조직에서 병리학적으로 비건락성육아종을 확인하는 것이다. 그러나 위 증례의 CMR 소견에서 알 수 있듯이 침범부위가 비균일하고 우심실보다 좌심실을 침범하는 경우가 많아 심근조직검사의

표 4-2-1. Cardiac sarcoidosis의 진단 기준

Heart Rhythm Society의 cardiac sarcoidosis 진단기준 (Heart Rhythm. 2014;11:1305-23)	Japanese Circulation Society의 2016 cardiac sarcoidosis 진단기준(Circ J. 2019;83:2329-88)
1. 조직학적 진단 　심근 조직에서 비건락성육아종 확인 2. 임상적 진단 　1) 조직학적으로 확진된 심장 외 유육종증 　　그리고 　2) 아래 cardiac sarcoidosis의 임상적 소견 중 하나 이상 　　(1) 스테로이드나 면역억제제에 의해 호전되는 심근증 또는 전도장애 　　(2) 원인 불명의 심기능 저하(좌심실구혈률<40%) 　　(3) 설명되지 않는 지속성 심실빈맥 　　(4) Mobitz II 2도 또는 3도 방실차단 　　(5) PET에서 심근에 대한 FDG의 비균일한 섭취(patchy uptake) 　　(6) CMR에서 cardiac sarcoidosis에 합당한 LGE 양상 　　(7) 갈륨 스캔에서 cardiac sarcoidosis에 합당한 gallium-67의 섭취 　　그리고 　3) 심장기능 이상의 다른 원인이 없을 때	1. 조직학적 진단 　심근 조직에서 비건락성육아종 확인 2. 임상적 진단 　1) 심장 외 유육종증이 조직학적으로 확인되었고 　2) 유육종증의 심장 침범이 강력히 의심되는 경우(아래에서 2개 이상의 major criteria 또는 1개의 major criteria와 2개 이상의 minor criteria를 만족할 경우) 　■ Major criteria 　　(1) 고도 방실차단(완전방실차단 등) 또는 치명적인 심실 부정맥(지속성 심실빈맥, 심실세동) 　　(2) 심실기저중격의 얇아짐 또는 비정상적인 심벽(심실류, 국소 벽 비후 등) 　　(3) 좌심실구혈률<50% 또는 국소 심실협동불능(ventricular asynergy) 　　(4) 갈륨 스캔 또는 ^{18}F-FDG PET 이상 소견 　　(5) CMR의 특징적인 LGE 　■ Minor criteria 　　(1) ECG 이상: 비지속성심실빈맥, 빈번한 심실조기박동, 각차단, 비정상Q파 등 　　(2) 심근 SPECT 관류 이상 　　(3) EMB: 단핵구 침착과 중등-중증의 심근 섬유화

표 4-2-2. **Probable cardiac sarcoidosis의 진단 기준(Clin Cardiol. 2018;41(10):1386-1394)**

Findings	Score
심초음파: RWMA unusual for coronary artery territory or mimicking ARVC/D	1
CMR: Multiple patch mid wall or subepicardial delayed enhancement	1
FDG PET: single focal	1
FDG PET: multiple patch	2
EMB: focal fibrosis	1
Associated clinical findings*	1

ARVC/D, Arrhythmogenic right ventricular cardiomyopathy/dysplasia; RWMA, regional wall motion abnormality.
*Uveitis, Raynaud's syndrome, interstitial pneumonia, interstitial lung disease, or neurologic signs with possible CNS involvement

수득률이 25% 미만으로 낮으므로, cardiac sarcoidosis의 임상적 진단(probable cardiac sarcoidosis 또는 clinical diagnosis of cardiac sarcoidosis)을 이용하게 된다(표 4-2-1). 60세 미만의 환자에서 원인을 알 수 없는 Mobitz II 2도 또는 3도 방실차단, 심실빈맥이 발생하였을 경우, cardiac sarcoidosis가 진단될 확률이 25-30%이므로 cardiac sarcoidosis에 대한 선별검사를 하는 것이 추천된다. 흉부 저선량 CT를 통해 폐의 유육종증 침범 여부를 확인하고 CMR 또는 FDG PET을 시행하여 cardiac sarcoidosis 여부를 선별하며, 두 가지 검사 중 한 가지 이상 양성일 경우 조직검사를 통해 유육종증을 확진하게 된다.

그러나 표 4-2-1에서 제시하고 있는 cardiac sarcoidosis의 임상적 진단기준의 경우 진단에 심장 외 유육종증이 반드시 필요하기 때문에 isolated cardiac sarcoidosis는 진단하기 어렵다. Japanese Circulation Society는 isolated cardiac sarcoidosis 임상적 진단으로 갈륨 스캔 또는 ¹⁸F-FDG PET 검사의 이상 소견이 있으면서 다른 major criteria를 3개 이상 만족하는 것으로 제시하고 있다. 또한 표 4-2-2와 같이 각각의 영상기법 및 조직검사, 임상상을 기반으로 scoring system을 통한 진단도 제시되고 있으며, 4점 이상일 경우 cardiac sarcoidosis의 가능성이 높다고 판단

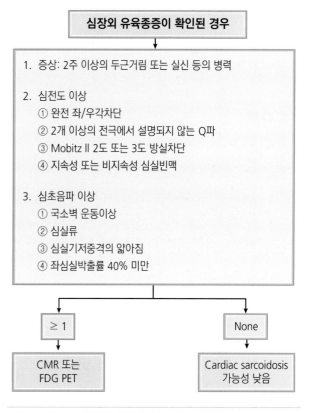

그림 4-2-7. **심장외 유육종증(extracardiac sarcoidosis)으로 확인된 환자의 심근 침범 여부 진단 과정.** (Heart Rhythm. 2014;11:1305-23)

할 수 있다.

심장 외 유육종증으로 확진된 환자의 경우에는 ① 2주 이상의 두근거림 또는 실신 등의 병력, ② ECG 이상, ③ 심초음파 이상소견 중 한 가지 이상 있을 경우 CMR이나 FDG PET을 시행하여 심장 침범 여부를 확인할 것을 권고하고 있다(그림 4-2-7).

1) 심초음파

Cardiac sarcoidosis의 경흉부심초음파에서 가장 특징적인 소견은 기저부 심실중격이 얇아지는 소견이며, 좌심실이 확장되고 좌심실 수축기능이 저하되어 있는 경우가 많다. 그 외 심근이 두꺼워지거나, 우심실 수축 기능 저하, 심실류, 그리고 관상동맥 영역에 맞지 않는 국소벽 운동이상 등이 관찰될 수 있다.

2) CMR

LGE 영상이 cardiac sarcoidosis의 진단에 중요하지만 cardiac sarcoidosis에만 특이적인 패턴은 없다. 흔하게 관찰되는 소견은 심내막을 침범하지 않은 LGE가 여러 곳의 심근에 고르지 않게 분포하는 것이다. LGE는 심근 기저부, 그 중에서도 특히 중격 및 외측벽에 주로 분포하며 심

근의 중앙이나 심외막쪽에 위치하는 경우가 많지만, 경우에 따라 심근의 전층을 침범하기도 하고, 우심실 심근에도 나타날 수 있다. T2 영상에서는 활성화된 염증으로 인한 부종 소견이 일부 심근에서 높은 신호강도로 관찰될 수 있다.

3) ¹⁸F–FDG PET

¹⁸F–FDG PET은 cardiac sarcoidosis의 진단 및 치료 반응 평가에 도움이 된다. 활성화된 염증이 있는 경우 포도당의 대사가 활발히 이루어지기 때문에, 심근의 염증이 있을 경우 그 부위의 FDG 섭취가 강하게 나타나게 된다. 따라서 FDG PET에서 높은 SUV 값을 보이는 심근이 존재하면, 스테로이드나 면역억제제로 심기능을 회복시킬 수 있는 가역적인 심근으로 판단할 수 있다. 또한 스테로이드 치료의 반응을 평가할 때에도 심근의 FDG 섭취 정도의 변화를 보고 판단할 수 있다. Cardiac sarcoidosis에서 FDG 섭취는 일부 심근에 국한하여 나타나거나, 전체적으로 FDG 섭취가 증가된 배경에 일부 심근에 강하게 FDG 섭취가 관찰될 수 있다. 최근에는 CMR의 LGE 영상과 FDG PET의 융합 영상도 이용되고 있다(그림 4-2-8).

FDG PET은 cardiac sarcoidosis 특이 프로토콜로 검사

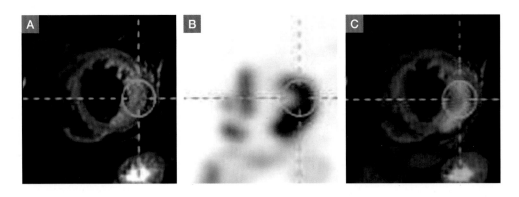

그림 4-2-8. Cardiac sarcoidosis으로 진단된 58세 여자 환자의 영상 소견. (A) CMR T2강조 black blood 영상에서 좌심실 외측벽에 심근의 염증으로 인해 고신호강도를 보이는 부분이 관찰됨. (B) FDG PET에서 같은 부위의 심근에 높은 FDG 섭취를 보이고 있음. (C) CMR과 전신 FDG PET의 합성 영상을 통해 FDG 섭취가 높은 심근의 해부학적 위치를 알 수 있음.

해야 진단의 정확도를 높일 수 있다. 이는 염증 심근만 포도당(FDG)을 섭취하도록 하기 위해, 정상 심근의 포도당 섭취를 억제하고 지방산을 에너지원으로 사용하도록 인슐린을 낮추고 지방산의 공급을 올려 주는 것이다. 검사 하루 전 고지방 저탄수화물 식이를 섭취한 후 최소 12시간 이상 생수 외 금식을 한다. 미분획헤파린을 투여하면 혈중 지방산 농도가 상승되므로 FDG 주사 15분 전 미분획헤파린을 50 IU/kg 투여하기도 한다. 다만 혈당 조절이 불량한 환자에서는 검사가 적합하지 않다.

4) EMB

Cardiac sarcoidosis의 확진을 위해서는 EMB에서 비건락성육아종을 확인하는 것이 필요하나, EMB의 민감도가 낮고 심근을 비균일하게 침범하기 때문에 심내막 조직에서 비건락성육아종이 확인되는 것은 25% 미만이다. 따라서 폐나 림프절과 같은 심장 외 유육종증 침범 부위에서 먼저 조직검사를 시행하고 진단이 어려울 경우 EMB를 권고하고 있다. 전기생리학적 방법이나 CMR, PET 등의 영상기법 유도 하에 EMB를 시행하는 것이 검사의 민감도를 높일 수 있다. Cardiac sarcoidosis의 병리소견은 비건락성육아종으로 림프구의 침윤이 없이 괴사를 동반하지 않은 상피양 육아종(nonnecrotizing epitheloid granuloma)이며, 군데군데 섬유화가 함께 관찰될 수 있다.

그 외 진단에 필요한 보조적 영상기법으로는 흉부 CT, CAG 또는 관상동맥 CT, 갈륨스캔(^{67}Ga scintigraphy) 등이 있다. 심장외 유육종증의 진단을 위해서는 흉부 CT가 도움이 되는데, 유육종증에서 폐를 침범하는 경우는 90% 이상으로 알려져 있기 때문이다. 폐 및 기관주위 림프절은 조직검사의 민감도가 높고 비교적 안전하게 조직검사를 할 수 있다. Cardiac sarcoidosis은 관상동맥을 거의 침범하지 않지만, 심기능 저하의 원인 중 허혈성 심근병증을 배제하기 위해 CAG 또는 관상동맥 CT를 통해 관상동맥에 대해 평가해야 한다. 갈륨 스캔의 경우 cardiac sarcoidosis의 진단기준에 포함되어 있으나 진단의 정확도가 높지 않아 현재는 많이 사용되지 않고 있다.

Cardiac sarcoidosis의 치료는 심근의 염증 조절하기 위한 스테로이드 등의 면역억제치료와 부정맥으로 인한 심장돌연사를 방지하기 위한 ICD 삽입이 있다. Mobitz II 2도 또는 3도 방실차단, 심실부정맥, 또는 좌심실 기능부전이 있으면서 심근 염증의 증거가 있을 때 스테로이드 치료를 고려해야 한다. 심장돌연사나 지속성 심실빈맥의 병력이 있거나, 적절한 면역억제치료에도 좌심실구혈률이 35% 이하로 저하되어 있는 경우 ICD 삽입을 고려한다.

3. 호산구성 심근염 (Eosinophilic myocarditis)

증례. Löffler's endocarditis

28세 남성이 2개월 전 시작된 호흡곤란 및 2주 전 시작된 운동 중 흉부 불편감으로 내원하였다. 이전에 건강했던 환자로 복용하던 약제는 없었고 알레르기 병력 및 날음식을 먹은 적도 없었다. 흉부 X선 검사는 정상이었고 ECG에서 심박수 105회/분의 동성빈맥 및 좌심실비대 소견이 확인되었다(그림 4-3-1). 일반혈액 검사에서 백혈구 20,180/μL, 헤모글로빈 10.2 g/dL, 혈소판 90,000/μL로 확인되었으며, 백혈구 중 호산구가 66%인 13,319/μL로 호산구증증을 보였다. C-반응성 단백은 1.60 mg/dL였고 혈중 CK-MB 수치는 1.9 ng/mL (0-2.8 ng/mL), Troponin I 0.444 ng/mL (0-0.045 ng/mL) 였다. 혈중 IgE는 17.12 U/

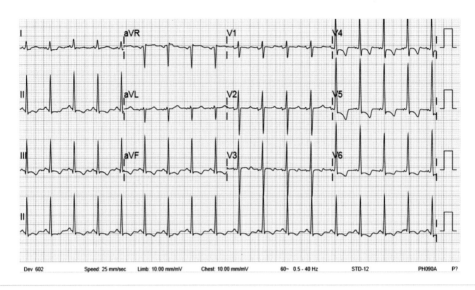

그림 4-3-1. **ECG.** 동성빈맥과 좌심실비대 소견이 관찰됨.

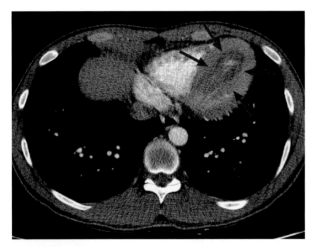

그림 4-3-2. **흉부 CT.** 조영 CT에서 좌심실 내부에 조영이 되지 않아 어둡게 보이는 혈전 (➡)이 관찰됨. **(동영상)**

▶ 4-3-2

mL (0–100 U/mL)로 정상이었고 대변 및 혈액을 이용한 기생충 검사는 모두 음성이었다.

흉부 CT에서 좌심실 심근의 안쪽 벽을 따라서 조영이 잘 되지 않는 부위가 관찰되어(그림 4-3-2), 심실내 벽혈전으로 생각되었고, 심근의 부종이 함께 동반되어 있었다. 경흉부심초음파에서는 심첨부쪽의 심근이 두꺼워진 소견이었으나, 심첨부형 HCM과는 달리 심근보다 높은 에코신호를 보이는 부분이 심근과 명확히 경계지어 보이고 있었으며, 좌심실 수축기능은 정상이었다(그림 4-3-3). 도플러 상에서는 제3단계의 이완기능장애(restrictive physiology)를 보이고 있었다(그림 4-3-4).

이어 시행한 CMR의 cine 영상에서 좌심실의 중간부터 심첨부까지 심근이 두껍게 관찰되었고(그림 4-3-5), LGE 영상에서 심내막하 부위의 높은 신호강도와 그 안쪽으로 신호강도가 낮아 검게 보이는 소견으로 심내막하 섬유화와 심실내 벽혈전을 확인할 수 있었다(그림 4-3-6).

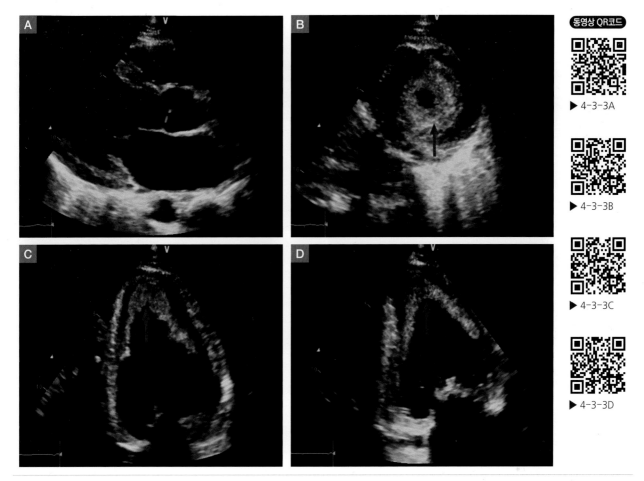

그림 4-3-3. 경흉부심초음파. (A) 흉골연장축단면도, (B) 흉골연단축단면도 중 심첨부, (C) 심첨4방도, (D) 심첨2방도. 좌심실 수축기능은 정상이지만, 심첨부쪽의 심근이 두꺼워져 있음. 일반적인 심첨부형 비대심근병증과는 달리 심근보다 높은 에코신호를 보이고(➡) 심근과 경계가 명확하여 좌심실 벽혈전을 의심할 수 있음. **(동영상)**

동영상 QR코드

▶ 4-3-3A

▶ 4-3-3B

▶ 4-3-3C

▶ 4-3-3D

이러한 검사 결과를 종합하여 과다호산구증후군에 동반된 호산구성 심근염의 가능성이 높을 것으로 보고 골수검사를 시행하였다. 그 결과 골수 내 호산구가 매우 증가해 있었고(그림 4-3-7) 세포유전학적 검사에서 CHIC2 유전자(4q12)의 결실(deletion)과 함께 FIP1L1과 PDGFRα 유전자 재배열(rearrangement)이 71%의 세포에서 관찰되었다. 이에 환자는 FP1L1-PDGRFα 유전자이상을 동반한 골수증식성질환에 동반된 호산구성 심근염으로 진단하여 스테로이드와 imatinib 투여 및 항응고치료를 시작하였다. 치료 직후 일반혈액 검사상 호산구의 비율은 급격히 감소하였으며, 3개월 후 경흉부심초음파에서는 심장 내 혈전은 더 이상 관찰되지 않았고 심첨부의 두께도 많이 얇아졌으며 이완기능도 정상화되었다(그림 4-3-8). 추적 CMR에서는 심내막하 섬유화가 일부 관찰되나 혈전은 사라진 상태였다(그림 4-3-9). 환자는 현재까지 imatinib을 지속적으로 투여하면서 재발 없이 지내고 있다.

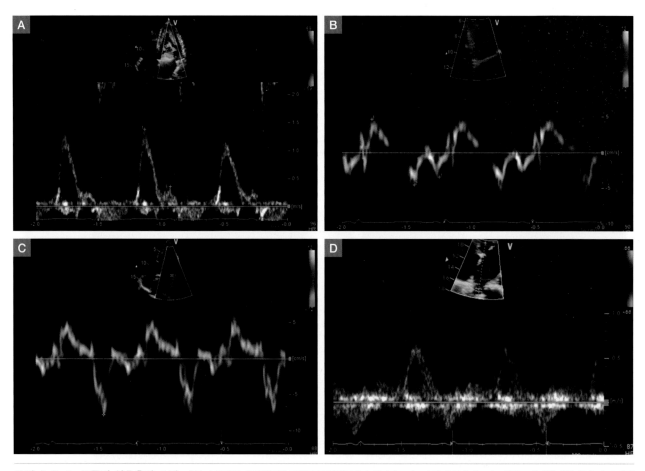

그림 4-3-4. 도플러 심초음파 소견. (A) 승모판막 유입혈류의 간헐파도플러(E파 속도 1.4 m/s, A파 속도 0.4 m/s, E/A = 3.91), (B) 내측 승모판막륜 조직도플러(e' 속도 4.6 cm/s, a' 속도 3.5 cm/s, E/e' = 30.1), (C) 외측 승모판막륜 조직도플러(e' 속도 8.0 cm/s) 소견에서 제3단계의 이완기능장애 (restrictive physiology)가 의심됨. (D) 폐정맥 혈류의 간헐파도플러에서 이완기 최대속도가 수축기 최대속도보다 높고, 좌심방에서 폐정맥으로 역류하는 혈류(Ar)의 시간이 증가되어 있음.

❯ Keynote

과호산구증후군(hypereosinophilic syndrome, HES)은 말초 혈액에서 호산구증가증이 관찰되면서 호산구의 침윤으로 인한 장기 손상이 있을 때 진단할 수 있다. 호산구증가증은 호산구 수치 1,500/µL 이상 증가가 적어도 1달 이상의 간격을 두고 두 번 이상 확인된 경우이며, 조직에서 호산구의 과다 침윤이 병리학적으로 확인되거나, 골수의 경우 세포의 20% 이상이 호산구이면 진단이 가능하다. 일차성 과호산구증후군(primary HES)은 골수의 단클론성 증식으로 발생하고, 이차성 과호산구증후군(secondary HES)은 기생충감염, 약제과민성(drug hypersensitivity), Churg-Strauss 증후군(eosinophilic granulomatosis with polyangiitis) 등 면역질환, 고형암, 림프종 등으로 인한 경

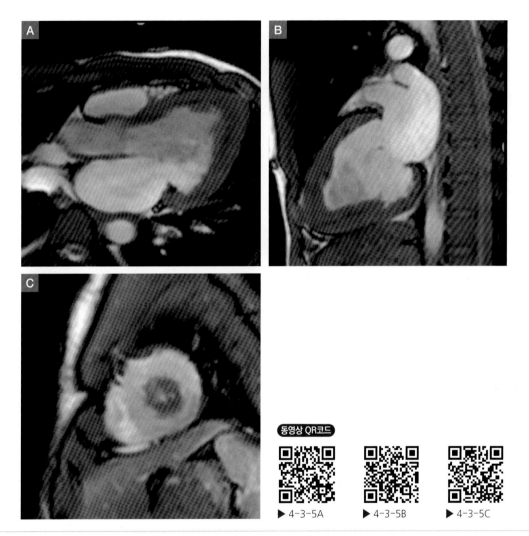

그림 4-3-5. **CMR cine 영상.** (A) 좌심실유출로영상, (B) 심첨2방도영상, (C) 좌심실 단축면 중 심첨부 영상. 좌심실의 중간부터 심첨부까지 심근이 두껍게 보임. **(동영상)**

▶ 4-3-5A ▶ 4-3-5B ▶ 4-3-5C

동영상 QR코드

우이며, 약 35%는 두 가지 모두 아닌 경우로 원인 불명의 과호산구증후군(idiopathic HES)으로 진단한다.

호산구성 심근염은 이러한 과호산구증후군에서 나타나는 심근 손상으로 Löffler's endocarditis 라고 불리며 과호산구증후군 환자의 예후를 결정하는 중요한 질병이다. 호산구성 심근염의 심근 손상은 ① 급성 괴사, ② 혈전 생성, 그리고 ③ 섬유화의 3단계로 분류한다. 급성 괴사기에

는 호산구의 심내막 침윤 및 탈과립으로 인해 심근 괴사가 발생한다. 이 시기에는 심장 초음파가 정상 또는 일반적인 심근염에서 관찰되는 소견들이 보일 수 있으나 EMB에서는 호산구로 인한 심근세포의 손상이 관찰된다(그림 4-3-10). 혈전 생성 단계에서는 손상된 심내막 위로 혈전이 생성되며 전신 및 뇌의 색전증이 발생할 수 있다. 섬유화 단계에는 심내막의 섬유화로 이차적인 판막 이상이 나타나

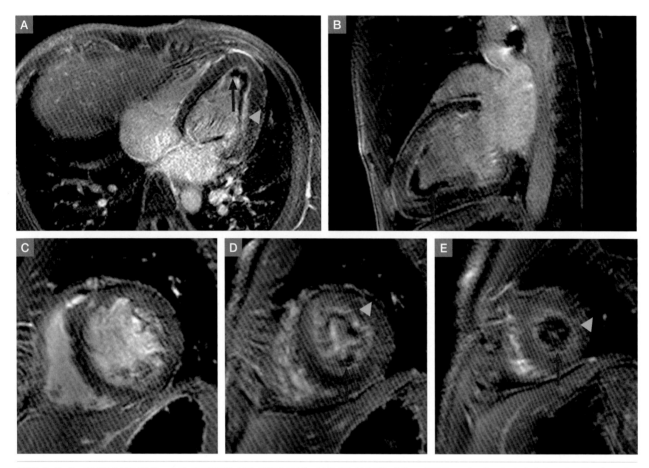

그림 4-3-6. **CMR LGE 영상.** 높은 신호강도를 보여 하얗게 보이는 심내막하 섬유화(▶)와 그 안쪽으로 신호강도가 없이 검게 보이는 혈전 (➡)이 관찰됨.

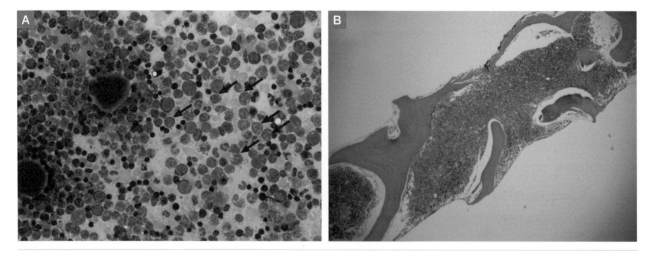

그림 4-3-7. (A) 골수흡인검사에서 핵이 2개로 나누어져 있고 세포질이 붉게 보이는 호산구(➡)가 다수 관찰됨. (B) 골수생검에서 세포 충실도가 81-90%로 매우 높게 증가되어 있음.

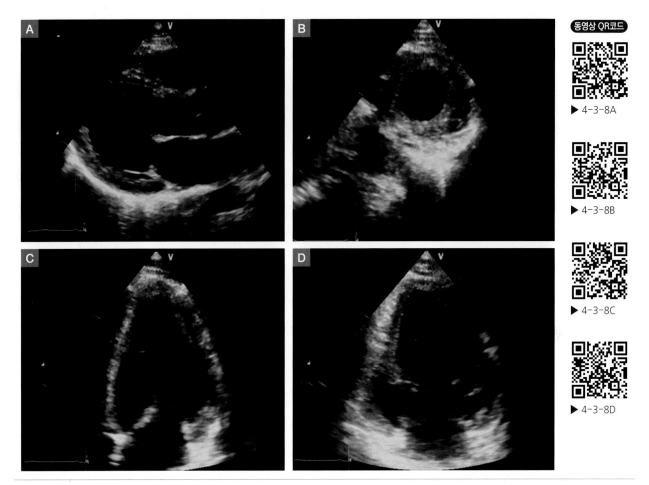

동영상 QR코드

▶ 4-3-8A

▶ 4-3-8B

▶ 4-3-8C

▶ 4-3-8D

그림 4-3-8. **스테로이드 및 imatinib 치료 3개월 후 경흉부심초음파.** (A) 흉골연장축단면도, (B) 흉골연단축단면도 중 심첨부, (C) 심첨4방도, (D) 심첨2방도. 더 이상 혈전이 관찰되지 않음. **(동영상)**

거나, 심실 이완기능장애로 인한 호흡곤란이나 우심실부전 증상이 발생할 수 있다.

임상적으로 호흡곤란이나 흉통 등의 급성 관동맥증후군이나 아급성 심부전의 증상을 보이지만 유의한 관상동맥협착은 없는 환자에서 말초 호산구가 1,500/μL 이상으로 증가되어 있을 때, 호산구성 심근염을 의심할 수 있다. 그러나 호산구성 심근염 환자의 25%는 말초 혈액에서 호산구의 증가를 동반하지 않는다. 따라서 경흉부심초음파 및 CMR에서 심내막 섬유화, 심첨부 혈전, 진행된 좌심실

이완기능장애의 호산구성 심근염의 특징적인 소견이 있을 때, EMB에서 심근의 호산구 침윤 및 심근 괴사나 섬유화가 관찰되면 호산구성 심근염으로 진단할 수 있다. 확진 후에는 호산구증가증에 대한 원인 감별을 위한 골수 검사 및 세포유전학적이상에 대한 검사를 하고, 호산구증가증을 유발할 수 있는 원인을 찾아보고, 다른 장기의 침윤 여부를 확인한다. 허혈성 심근증에서도 심내막 섬유화와 동반한 심첨부 혈전이 관찰될 수 있으므로 CAG 또는 심장 CT를 통해 이를 감별하는 것이 필요하다.

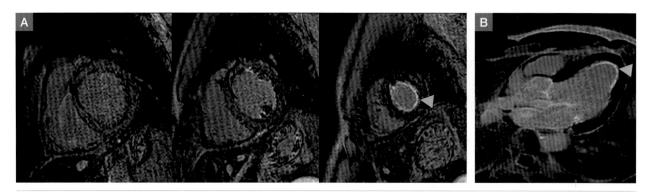

그림 4-3-9. 스테로이드 및 imatinib 치료 3개월 후 CMR의 LGE 영상. (A) 단축영상, (B) 좌심실유출로 영상에서 심첨부 심내막하 부위에 섬유화로 인한 높은 신호강도가 관찰되나(▶), 혈전은 더 이상 관찰되지 않음.

1) 경흉부심초음파

경흉부심초음파는 호산구성 심근염의 진행 단계에 따라 다양한 상태로 나타날 수 있다. 급성 괴사 단계에서는 일반적인 심근염에서 나타나는 소견들로, 심근 부종으로 인한 심근 두께의 증가, 좌심실 또는 우심실의 일부 또는 전체 심근의 수축기능 감소가 관찰되고 심낭삼출도 동반될 수 있다. 혈전 생성 단계에서 심실내 혈전은 주로 심첨부에 위치하며, 양심실에서 관찰될 수 있는데 경흉부심초음파에서 심근과 구별되는 에코신호를 보이기 때문에 쉽게 구별할 수 있다. 좌주간부를 침범한 허혈성심근병증에서 관찰되는 심첨부 혈전은 심첨부 심근의 무운동증이나 심실류 변화를 동반하는 경우가 많으나, 호산구성 심근염에서는 해당 부위의 수축기능은 대개 정상이다. 심내막 섬유화와 기질화된 혈전(organizing thrombus)으로 인하여 제한성 심근병증(restrictive cardiomyopathy)에서 보이는 좌심실 이완기능장애의 도플러소견을 관찰할 수 있다. 승모판막 후엽의 운동제한으로 승모판 역류도 흔히 관찰된다.

2) CMR

CMR 또한 질병의 단계에 따라 다르게 나타날 수 있으며, 두 가지 이상의 단계가 동시에 관찰될 수도 있다. 급성 괴사 단계에는 일반적인 급성심근염에서와 같이 Cine 영상에서는 감소된 심장 수축기능 및 동반된 심낭삼출액을 관찰할 수 있다(Chapter III 참조). 급성심근염에 특징적인 CMR 진단 기준인 Lake Louise Criteria는 ① T2 강조영상에서 국소 또는 전반적인 고신호강도 소견(염증으로 인한 심근 부종), ② 조기조영증강영상에서 골격근과 비교했을 때 일부 또는 전체 심근이 고신호강도를 보이는 소견(심근 울혈), ③ LGE 영상에서 고신호강도 소견(심근 괴사를 의미함. 침범하는 심근의 층은 다양하며 침범된 심근 영역은 허혈성 심근병증과는 다른 분포를 보임)이며, ①–③ 중 2가지 이상을 만족하면 심근염을 진단할 수 있다. Native T1 mapping에서는 급성 염증이 있는 심근에서 높은 T1 값을 보이며, 최근 메타분석에서 Native T1 mapping이 Lake Louise Criteria를 비롯한 어떤 CMR 기법보다 심근염을 진단하는데 더 정확하다고 보고하기도 하였다.

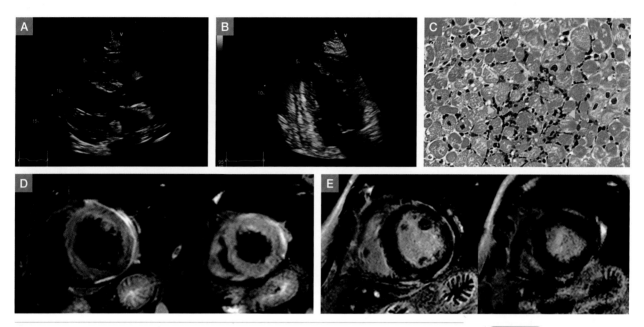

그림 4-3-10. 급성 호산구성 심근염으로 진단된 76세 남자 환자. (A) 경흉부심초음파의 흉골연 장축단면도와 (B) 심첨4방도에서 심실중격의 두께가 17 mm로 심하게 증가되어 있고 좌심실구혈률 저하 및 관상동맥 분포영역에 맞지 않는 심근의 운동이상이 나타남. (C) EMB에서 심근 사이로 세포질이 적고 호염기성 핵을 가지고 있는 림프구(▶) 및 붉은색 세포질을 가진 호산구(➡)가 침윤하여 심근세포가 일부 손상된 소견이 관찰됨. (D) CMR의 T2 강조영상에서 심근 및 심장막의 전반적인 신호강도 증가가 관찰되어 염증으로 인한 부종을 시사하고 있으며, (E) LGE 영상에서는 불균일한 양상의 LGE가 right ventricular insertion point 및 심근 중앙, 그리고 심장막에 관찰됨. **(동영상)**

동영상 QR코드

▶ 4-3-10A

▶ 4-3-10B

심실내 혈전은 LGE 영상에서 조영이 되지 않으므로 저신호강도로 나타난다. 반대로 심내막 섬유화는 LGE 영상에서 고신호강도로 나타난다. 허혈성 심근병증에서 심첨부 혈전이 관찰될 경우 심근 전층이 지연조영증강되는 경우가 많고 무운동증이나 심실류 변화가 동반되는데 반해, 호산구성 심근염에서는 LGE의 범위가 심내막에 국한되어 있고 cine 영상에서 심첨부의 수축력이 유지되면서 혈전에 해당하는 소견이 함께 관찰된다.

호산구성 심근염은 초기에 적절한 치료를 하면 예후는 좋으나 간혹 급격한 좌심실구혈률저하와 심실빈맥/심실세동의 부정맥을 일으킬 수 있으며, 병원 내 사망률이 22%에 이른다. 특히 약제과민성에 의한 경우 병원 내 사망률이 36%로 예후가 나쁜 것으로 알려져 있다. 치료는 원인에 따라 다른데, PDGFRα 또는 PDGFRβ와 같은 tyrosine kinase의 유전자이상을 동반한 골수증식성질환에서는 tyrosine kinase inhibitor인 imatinib을 사용한다. 원인 불명의 과호산구증후군(idiopathic HES)은 corticosteroid를 사용하면 치료 반응률이 85%에 이르는 것으로 알려져 있다. 이차성 과호산구증후군(secondary HES)은 원인 질환을 치료한다. 그 외 급성기 심실내 혈전이 확인되면 항응고치료가 필요하다. 심내막 섬유화로 인한 제한성심근병증의 심부전 상태가 되면 심부전 치료 및 심장이식을 고려할 수 있다.

4. 스트레스심근증 (Stress cardiomyopathy)

증례. 스트레스심근증(Stress cardiomyopathy)

77세 여자 환자가 호흡곤란을 호소하였다. 환자는 소장에 발생한 광범위 큰B세포림프종(diffuse large B-cell lymphoma)으로 회장절제술 및 회장조루술(ileostomy)을 시행 받았다. 수술 시행 후 1일째, 병실에서 호흡곤란이 발생하였다. 이전 심장질환의 병력은 없었고, 고혈압, 당뇨병 및 고지혈증 등 죽상동맥경화성 심장혈관 질환의 위험인자도 없었다. ECG의 모든 전흉부 유도에서 ST분절 하강과 함께 T파 역위가 관찰되었다(그림 4-4-1). Troponin I 농도는 0.33 ng/mL (0-0.04 ng/mL)로 경도로 상승되어 있었다. 흉부 X선 촬영에서 심비대, 폐울혈 및 양측 흉막 삼출이 관찰되었다(그림 4-4-2).

경흉부심초음파에서 좌심실구혈률 35%로 좌심실의 수축기능은 감소하였고, 좌심실의 중간 및 심첨부 벽의 움직임이 저하되었고, 좌심실의 기저부의 움직임은 항진되어 좌심실 수축기에 심장의 모양이 풍선화(apical ballooning)되는 것이 관찰되었다(그림 4-4-3).

급성심근경색을 감별하기 위해서 시행한 CAG에서 관상동맥에 유의한 협착은 관찰되지 않았다. 좌심실 조영술에서도 경흉부심초음파 소견과 동일한 수축기 때 좌심실 모양이 풍선화되는 모습이 관찰되었다(그림 4-4-4).

CMR 검사에서 양심실 모두에서 LGE 소견은 관찰되지 않았다(그림 4-4-5). 환자는 보존적인 치료 후 호전되었다. 일주일 후 시행한 경흉부심초음파에서 좌심실 구혈률은 55%로 회복되었고, 심첨부의 국소벽 운동이상 소견도 정상화되었다. 3개월째 시행한 ECG에서 T파 역위 역시 호전되었다.

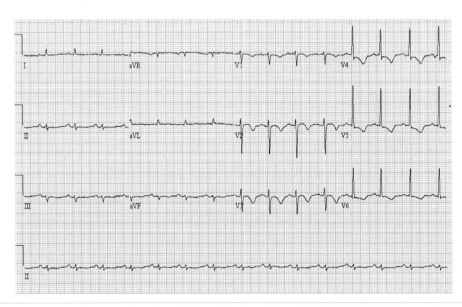

그림 4-4-1. ECG. 전흉부 유도에서 ST분절 하강 및 T파 역위 소견이 관찰됨.

> **Keynote**

Stress cardiomyopathy (SCM)은 극심한 육체적, 정신적 스트레스에 반응하여 가역적인 심실 기능 부전이 나타나는 심근증으로, 심첨부가 풍선 모양으로 확장되는 특징적인 운동 양상이 대부분 동반되어 Takotsubo 심근병증 또는 apical ballooning 증후군이라고 불린다. 병인은 아직 명확히 밝혀져 있지 않으나, 스트레스에 의해서 급격하게 분비가 증가된 카테콜라민으로 인한 심근의 기절(stunning)이 주요한 원인으로 생각되고 있다. 베타 아드레날린 수용체가 상대적으로 많이 분포되어 있는 심첨부에서 심근 기절 효과가 더 크게 나타나기 때문에 전형적으로 심첨부의 국소벽 운동이상 소견이 나타나는 것으로 추정하고 있다. 약 2/3의 환자에서 유발 요인으로서 육체적, 정신적 스트레스가 동반되어 있고, 대부분의 환자가 중년기의 여성이다. 하지만, 중환자실에서 발생한 SCM 만을 분석해 보면, 남성의 비율이 절반 이상으로 높게 보고되고 있다. 임상적으로는 흉통, ECG 변화 및 심근효소 수치 상승 등 그 임상 양상이 급성 관동맥 증후군과 비슷하여, 급성관동맥증후군과 감별하는 것이 매우 중요하다(표 4-4-1). 침습적 CAG가 급성 관동맥 증후군 배제를 위해서 필요하나, 비침습적 영상 진단들을 통해 도움을 받을 수 있다.

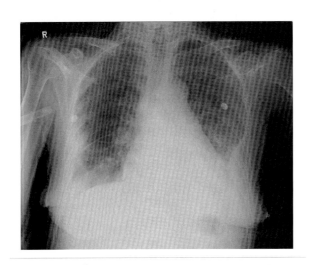

그림 4-4-2. 흉부X선. 심비대, 폐울혈 및 양측 흉막삼출 소견이 관찰됨.

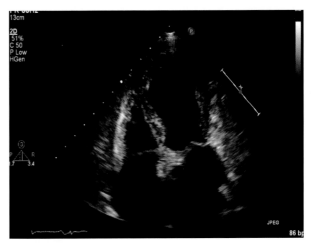

▶ 4-4-3

그림 4-4-3. 경흉부심초음파. 심첨4방도에서 좌심실의 심첨부의 국소벽 운동 저하와 상대적으로 심실 기저부의 벽 운동이 항진된 것이 관찰됨. **(동영상)**

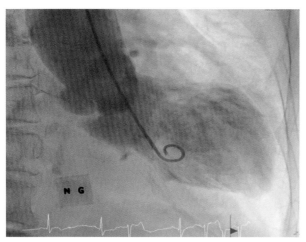

▶ 4-4-4

그림 4-4-4. **좌심실 조영술.** 좌심실의 중간 및 심첨부 벽운동 저하와 좌심실 기저부의 움직임 항진으로 좌심실 수축기에 심장의 모양이 풍선화(apical ballooning) 되는 것이 관찰됨. **(동영상)**

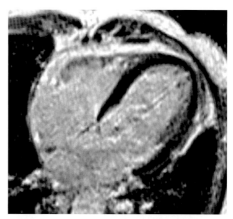

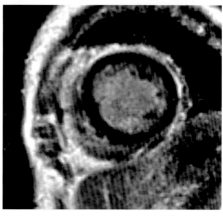

그림 4-4-5. **CMR LGE 영상.** Gadolinium을 이용한 조영 증강 영상에서 LGE 소견은 관찰되지 않음.

1) ECG

대부분의 SCM에서 ECG 변화가 동반된다. ST 분절 상승 또는 하강, T 파의 역위 및 QTc 간격 연장 등의 소견이 관찰될 수 있으나, SCM에 특이적인 소견은 아니다. 이러한 심전도의 변화로 인해 급성 관동맥 증후군과 감별이 어려울 수 있다. 반대편 리드의 상호 변화(reciprocal change)가 없다거나, QTc 간격이 500 ms 이상일 경우에는 급성관동맥증후군 보다는 SCM을 더욱 시사하는 소견이다.

2) 심초음파

심초음파는 비침습적이고, 이동성이 좋아서 응급상황에서 가장 먼저 고려되는 검사 방법이다. 급성기 심초음파 검사에서 관상동맥 영역과 잘 맞지 않는 심실의 국소벽운동이상 및 기능 부전 소견이 관찰된다. 약 80%에서는 심첨부 수축력이 저하되어 풍선처럼 부풀어 오르고(apical

ballooning), 상대적으로 심실의 중간 및 기저부위는 움직임이 유지되거나 오히려 과수축을 보인다. 20% 정도에서는 국소벽 운동이상 소견이 다양하게 나타날 수 있다(그림 4-4-6). 우심실의 기능장애도 SCM 환자의 약 절반 정도에서 보고되고 있는데, 이 경우 예후가 좋지 않은 것으로 알려져 있다. 심초음파는 좌심실 유출로 폐색(그림 4-4-7) 및 좌심실 심첨부 혈전(그림 4-4-8) 등 SCM에 동반된 합병증을 확인하고, 치료 방침을 결정하는데 유용하다. SCM 환자가 혈압이 지속적으로 낮고 수축기 심잡음이 청진될 때 좌심실 유출로 폐색을 의심하고, 설명되지 않은 뇌경색 및 전신 색전증이 동반될 경우 심첨부 혈전을 의심하여 즉시 심초음파를 시행하여야 한다. 경흉부심초음파 영상 화질이 좋지 않은 경우 조영심초음파 검사를 이용하면 특징적인 국소벽 운동이상 소견을 좀 더 명확하게 확인할 수 있다. 관상동맥질환을 배제하지 못한 상태에서도 수일 정도 경과한 뒤 심장초음파를 반복 시행하여 국소벽 운동이상 소견 회복 여부를 확인하면 SCM을 진단할 수 있다.

표 4-4-1. SCM의 진단(InterTAK Diagnostic Criteria)

1. 국소벽 운동이상 소견을 동반한 일시적인 좌심실 기능장애가 발생하는데,[a] 국소벽 운동이상의 경우, 심첨부(apical ballooning) 및 심실 중간 부위 또는 다른 곳에 나타날 수 있으며, 우심실을 침범하기도 한다. 국소벽 운동이상은 대부분 관상동맥 지배 영역과는 잘 맞지 않게 나타난다.

2. 정신적 혹은 육체적인 극심한 스트레스가 SCM에 선행하는 경우가 많다(진단에 필수 요소는 아님).

3. 신경계 질환(지주막하 출혈, 뇌졸중/일과성허혈발작 및 경련 등)나 갈색세포종(pheochromocytoma)에 의해서 SCM이 유발되기도 한다.

4. 대부분의 경우 ECG 변화들(ST 분절 상승 및 저하, T파 역위 또는 QTc 연장)이 동반되나, 일부에서는 ECG 소견이 정상일 수 있다.

5. 심근 표지자들(troponin 또는 creatinine kinase) 상승이 관찰되나 심근경색증에서 보이는 상승 보다는 덜하다. 뚜렷한 brain natriuretic peptide (BNP) 상승이 흔하다.

6. 유의한 관상동맥 협착이 동반될 수 있다.

7. 감염성 심근염(infective myocarditis)의 증거가 미약하다.[b]

8. 폐경기 여성에서 많이 발생한다.

[a] 국소벽 운동이상 소견은 일부에서는 오래 동안 지속 될 수 있으며, 정상 운동으로의 회복을 확인하지 못하는 경우도 있다(예를 들면, 회복 전에 환자가 사망하였을 경우).
[b] 감염성 심근염을 배제하기 위해서 CMR이 권고된다.

3) CAG

SCM을 확진하기 위해서는 CAG가 필요하다. 대부분의 SCM의 경우 정상 관상동맥을 보이지만, 일부에서는 관상동맥 협착이 존재할 수 있다. 하지만, 이 경우에도 관상동맥 협착의 정도나 위치가 심실의 국소벽 운동이상 소견 및 기능 저하 소견과는 잘 맞지 않는다. 침습적 CAG를 시행할 때 좌심실 조영술도 같이 시행해 볼 수 있는데, 좌심실의 국소벽 운동이상 소견을 잘 관찰할 수 있다(그림 4-4-4).

4) CMR

CMR은 SCM을 진단하는데 꼭 필요한 검사는 아니지만, 높은 해상도, 비침습적 검사, 방사선 노출 감소 등의 장점을 가지고 있어, 심초음파 영상이 좋지 않을 경우 이차적인 검사 방법으로 선택이 가능하다. CMR은 심장 내 구조물의 모양 및 기능을 명확하게 평가해 주고, 심근 손상의 기전 및 범위에 대한 특징적인 영상 정보를 제공해 줄 수 있어, 다른 심장 문제를 감별해 주는데 용이하다. 특히, SCM에서는 LGE가 관찰되지 않아서 허혈성 심근병증과 감별을 용이하게 해준다(그림 4-4-5).

심장의 변화는 대부분 가역적이어서 보존적 치료에 의해 수 일에서 수주 내로 호전되는 것이 일반적이나, 일부에서는 급성기에 심실 부정맥, 심부전, 좌심실 유출로 폐색, 좌심실 내 혈전 형성 및 전신 색전증이 발생할 수 있어 주의를 요한다. 재발은 흔하지 않으나 10% 미만으로 보고되고 있다.

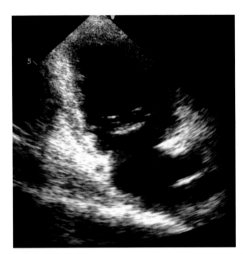

▶ 4-4-6

그림 4-4-6. **비전형적인 SCM 환자의 경흉부심초음파 소견.** 좌심실의 심첨부 및 기저부의 국소벽 운동이 항진되어 있고, 심실 중간 부위 운동이 떨어져 있음. **(동영상)**

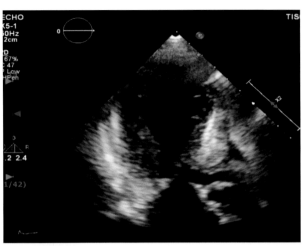

▶ 4-4-7

그림 4-4-7. **SCM 환자의 경흉부심초음파 소견.** 좌심실 수축기에 승모판 전엽의 전방 이동(systolic anterior motion)으로 좌심실 유출로 폐쇄가 관찰됨. **(동영상)**

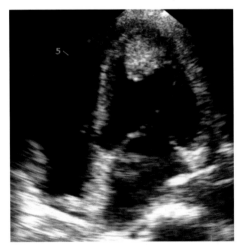

▶ 4-4-8

그림 4-4-8. **재발성 뇌졸중이 발생한 SCM 환자의 심초음파.** 심첨부에 거대한 혈전이 관찰됨. **(동영상)**

5. 대동맥질환(Aorta disease)

증례. A형 대동맥박리(type A aortic dissection)

51세 남자가 수 시간 전부터 갑자기 시작된 호흡곤란 및 흉통으로 응급실을 내원하였다. 환자는 심방세동, 고혈압, 당뇨병으로 약제를 복용하고 있었다. 내원 당시 혈압은 80/50 mmHg, 심박동수는 분당 108회였고, 호흡수는 분당 26회, 체온은 37.5℃였다. 신체검진에서 좌측흉골연에서 이완기 심잡음이 청진되었다. 흉부 X선 검사에서 심비대, 종격동의 확장 및 폐울혈 소견이 관찰되었다(그림 4-5-1).

경흉부심초음파에서 좌심실 확장이 관찰되었고(이완기 말내경 = 59 mm), 좌심실구혈률은 50%로 다소 저하되어 있었다. 대동맥이 확장되어 있었고(대동맥동 직경 = 52

mm), 중증의 대동맥판폐쇄부전증이 동반되어 있었다. 국소벽운동이상 소견은 없었으나, 심장 기저부에 소량의 심낭삼출액이 관찰되었다(그림 4-5-2). 대동맥의 확장 및 대동맥판폐쇄부전에 대한 추가적인 평가를 위해 경식도심초음파를 시행하였고, 대동맥근부에서, 대동맥박리에 의한 intimal flap을 확인할 수 있었다(그림 4-5-3).

흉부 CT에서 대동맥근부에서 intimal flap을 재차 확인하였는데, 대동맥박리는 대동맥근부에만 국한되어 있었다(그림 4-5-4). Stanford A형 대동맥박리로 진단하고, 응급수술을 시행하였다. 환자는 수술 후 안정화되었다.

▶ Keynote

대동맥의 내막 파열로 인해 혈액이 대동맥 벽 중막으로 흘러 들어와 대동맥 벽이 두 개로 갈라지면서 대동맥박리가 발생한다. 대동맥박리는 상행대동맥을 침범한 Stanford A형과 상행대동맥을 침범하지 않은 Stanford B형으로 분류할 수 있다.

대동맥박리 환자의 약 75%가 고혈압을 가지고 있으며, 잘 조절되지 않는 고혈압은 급성 대동맥박리의 주요한 위험인자이다. 약 20%의 환자는 유전적 결체조직질환(Marfan's syndrome, Turner's syndrome, Ehlers−Danlos syndrome)이나 선천적 혈관질환(bicuspid aortic valve, coarctation of the aorta)과 관련이 있다.

대동맥박리는 그 자체로 대동맥 파열을 발생시키거나, 대동맥동을 침범하여 관상동맥 혈류에 장애를 초래할 수 있어, 신속한 치료가 따르지 않으면 치명적일 수 있다. 상행대동맥을 침범하는 Stanford A형 급성 대동맥박리는 치료를 하지 않으면 급성기에 1시간에 1%씩 사망률이 증가하여 72시간내 사망률이 50%에 이르며, 수술적인 치료를

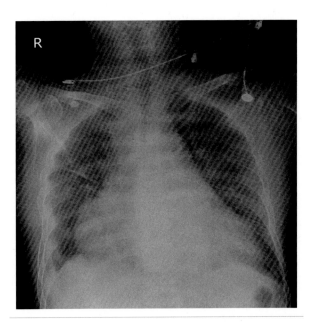

그림 4-5-1. **흉부 X선.** 심비대, 종격동의 확장 및 폐울혈 소견이 관찰됨.

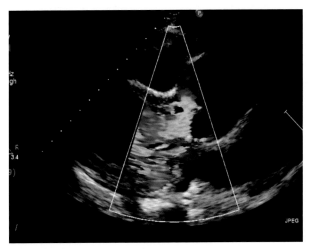

▶ 4-5-2

그림 4-5-2. **경흉부심초음파 흉골연 장축단면도.** 확장된 대동맥과 중증의 대동맥판폐쇄부전이 관찰됨. **(동영상)**

했을 때 사망률 약 25%, 약물치료만으로는 사망률이 50% 이상이다. 따라서, 정확하고 빠른 진단이 치료 성적을 좋게 하고 환자의 예후를 개선시키는데 매우 중요하다. 영상

검사의 목적은 대동맥박리를 진단 및 분류하고, 침범 혈관 및 내막 파열의 위치를 확인하여 응급 수술의 필요성을 판단하는 것이다.

1) 심초음파

경흉부심초음파는 비침습적이고, 이동성이 좋고, 쉽고 빠르게 검사를 진행할 수 있어 응급상황에서 일차적으로 많이 사용된다. 경흉부심초음파를 이용하여 상행대동맥과 대동맥궁 및 복부 대동맥의 일부를 평가할 수 있는데 (그림 4-5-5, 그림 4-5-6), 대동맥박리의 선별검사로 양성 예측률은 80% 이상으로 좋다. 또한, 경흉부심초음파는 좌심실의 기능을 평가할 수 있고, 대동맥판폐쇄부전, 심낭압전, 관상동맥 침범으로 인한 심근허혈 등 대동맥박리의 심장 합병증을 진단할 수 있다는 장점이 있다. 하지만, 하행 대동맥을 평가하기 어렵고, 영상의 질이 좋지 않은 경우, 박리의 존재를 확인하기 어렵다는 제한점이 있다. 따라서, 경흉부심초음파 검사에서 대동맥박리를 시사하는 소견이 없다 하더라도 검사 전 대동맥박리의 가능성이 중

그림 4-5-3. **경식도심초음파에서 확장된 상행대동맥의 intimal flap이 관찰됨.** (동영상)

▶ 4-5-3

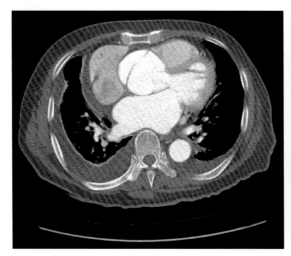

그림 4-5-4. **흉부 CT.** 대동맥근위부 대동맥박리에 의한 intimal flap과 우심방 주변 심낭삼출액이 관찰됨.

등도 이상인 경우에는 진단을 위한 추가적인 검사를 시행해야 한다. 경식도심초음파는 대동맥박리 진단에 있어 좀 더 선명한 영상을 제공하여, 민감도가 98%, 특이도가 100%에 달한다. 경식도심초음파는 특히 상행대동맥을 침범한 Stanford A형 대동맥 박리에서 대동맥판막과 관상동맥 침범 여부를 판단하는데 큰 도움이 된다. 하지만, 대동맥궁 및 위 하부의 하행대동맥을 평가하기 어렵다는 제한점이 있고, 주변 조직이나 대동맥류내의 혈종 및 확장된 대동맥에 의한 reverberation 현상에 의한 허상으로 인해 오진이 발생할 수 있어 주의를 요한다.

　Intimal flap의 존재는 대동맥박리 진단에 있어 가장 중요한 소견이다. 대동맥박리의 flap은 심초음파에서 진하고 반사가 큰 에코를 보이면서 혈류의 움직임에 따라 불규칙적으로 움직이며(그림 4-5-6), 이 flap을 경계로 한 쪽 진강(true lumen)에서 혈류의 흐름이 박동성으로 관찰되는 것이 전형적인 소견이다(그림 4-5-5). 때때로 심초음파를 이용하여 내막 박리 발생 부위를 확인할 수 있고, 위강(false lumen) 내의 혈전을 관찰할 수도 있다. 대동맥판폐쇄부전증은 ① 대동맥근부와 대동맥륜이 늘어나거나, ② 위강(false lumen)의 압력으로 판막의 접합이 잘 안되거나, ③ intimal flap에 의해 대동맥판의 지지대가 떨어져 판막의 탈출이 발생하거나, ④ 박리된 intimal flap이 좌심실 내로 일탈하여 판막의 정상적인 폐쇄를 막는 기전으로 생기게 된다. 상행대동맥을 침범한 Stanford A형 대동맥 박리에서 관찰되는 심낭액의 존재는 대동맥 파열로 인한 혈심낭의 가능성이 높으므로 경흉부심초음파를 이용하여 심낭압전 여부를 확인해야 한다. 관상동맥 개구부에 박리가 있거나 flap이 개구부를 막으면 관상동맥 혈류장애가 초래된다. 따라서, 좌심실의 국소벽 운동이상 동반 여부도 잘 관찰하여야 한다.

2) 흉부 CT

　흉부 CT는 진단 정확도(민감도 및 특이도가 96-100%)가 높고 신속하게 진단할 수 있는 비침습적 검사 방법으로 현재 대동맥박리의 진단에 가장 많이 사용되고 있다. CT는 거의 모든 대동맥 부위를 관찰할 수 있기 때문에,

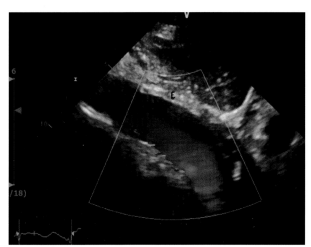

그림 4-5-5. 경흉부심초음파. 복부 대동맥의 대동맥 박리로 인해 intimal flap을 경계로 하방의 진강(true lumen)에서 박동성 혈류가 관찰됨. **(동영상)**

▶ 4-5-5

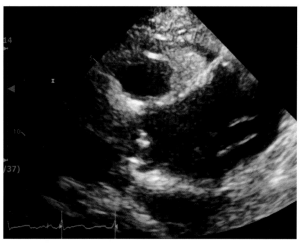

그림 4-5-6. 경흉부심초음파. 상행 대동맥에 대동맥박리에 의한 intimal flap이 혈류에 따라 움직이는 것이 관찰됨. **(동영상)**

▶ 4-5-6

대동맥박리의 시작점, 범위 및 분지 침범 여부를 판단할 수 있고, 내장이나 신장의 경색 등 다른 장기에 동반되어 있는 합병증도 확인할 수 있다. 또한, 3차원 영상을 재구성하여 전통적인 대동맥 조영술과 비슷한 영상을 얻을 수 있다(그림 4-5-4). 하지만, 조영제를 사용해야 하고, 방사선에 노출이 되며, 대동맥판 역류를 평가할 수 없다는 단점이 있다.

3) CMR

CMR을 이용하면, gadolinium 조영제를 사용하여 3차원 영상을 얻을 수 있어, 입체적으로 파악이 쉽다. 특히, 사위 관상면을 통해 대동맥궁이나 분지 침범을 영상화 하기 좋고, 파열 부위와 재진입 부위도 용이하게 찾을 수 있다. 방사선 조사를 피하고 싶은 환자를 안전하게 검사할 수 있다. 그러나, 검사 시간이 오래 걸리고, 검사 중에 모니터링 혹은 생명유지 장치를 유지할 수 없다는 단점이 있다.

초기 치료는 대동맥박리의 진행을 막기 위해 혈압과 심박수를 조절하고 주요 장기의 관류를 유지시키는 것이다. 상행대동맥을 침범하는 Stanford A형 급성 대동맥박리는 수술적인 치료를 한다. Stanford B형은 약물적인 치료만으로 비교적 예후가 좋으나, 지속적인 통증이 있는 경우, 대동맥파열의 가능성이 높은 경우, 급성 대동맥판막 역류가 동반된 경우, 주요 장기 또는 하지의 허혈의 증거가 있는 경우, 연속적인 영상 검사에서 박리의 진행이 확인되는 경우는 수술적인 치료 또는 thoracic endovascular aortic repair (TEVAR)를 한다.

6. 폐혈관질환(Diseases of pulmonary vessels)

증례 1. 폐색전증(Pulmonary thromboembolism)

37세 남성이 내원 전일 시작된 호흡곤란을 주소로 내원하였다. 이전 건강했던 환자로 3일 전 양쪽 무릎의 반월연골전제술(menicectomy)를 시행받은 후 누워서 지내고 있었다. 내원 시 혈압 153/92 mmHg, 심박수 분당 110회, 호흡수 분당 24회, 체온 37.3 ℃ 였으며 산소 포화도는 85% 였으나 흉부 X선 검사에서 양측 폐야는 깨끗하였다. ECG에서 동성빈맥과 불완전우각차단 및 S1Q3T3 양상(그림 4-6-1)이 관찰되었고 D-dimer는 8.65 μg/mL (< 0.4 μg/mL)로 상승되어 있었다. 폐동맥 CT에서 양쪽 폐동맥에 큰 혈전들이 보였고 우심실이 확장되어 있었다(그림 4-6-2). 경흉부심초음파 검사에서도 우심실은 확장되어 있었고, 우심실 외벽(free wall) 운동은 감소되어 있었으나 우심실 첨부의 운동은 항진되어 있었다(그림 4-6-3). 환자는 항응고치료를 시작한 후 호흡곤란 및 활력징후가 안정되어 퇴원하였다.

▶ Keynote

폐색전증은 폐동맥이나 그 가지가 혈전이나 종양, 공기 등의 물질로 인해 막히는 병으로, 부적절한 가스 교환으로 인해서 호흡곤란, 빠른 호흡(tachypnea)과 저산소혈증, 폐경색으로 인해서 흉막성통증과 객혈, 그리고 심박출량 감소로 인한 저혈압, 쇼크 및 심정지 등이 발생할 수 있다.

임상적으로 ① 폐색전증으로 인한 우심부전과 저혈압, 조직 관류저하, 다장기 기능상실(multisystem organ failure)이 있는 대량 폐색전증(massive pulmonary embolism), ② 우심부전은 있으나 저혈압은 없는 폐색전증(submassive pulmonary embolism), ③ 폐색전증이 있으나 우심부전이나 저혈압이 없는 경우로 분류할 수 있다. 심부정맥혈전증의 증상이나 징후가 있거나, 4주 이내 수술이나 부동화(immobilization), 6개월 이내 암으로 인한 치료를 받은

환자에서 호흡곤란이나 저혈압이 있을 때 강력하게 의심할 수 있다. 폐색전증의 가능성이 높지 않은 경우 D-dimer가 정상이면 폐색전증의 진단을 배제할 수 있다.

1) 폐동맥 CT

폐색전증의 진단에 민감도 및 특이도가 뛰어나며, 폐색전증의 가능성이 높은 환자에서는 높은 양성예측도를 보이므로 임상적으로 폐색전증이 의심될 경우 즉시 폐동맥

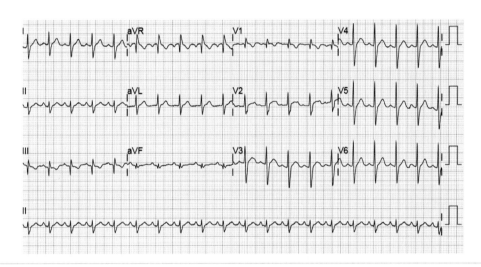

그림 4-6-1. **ECG.** 동성빈맥과 불완전우각차단, S1Q3T3 양상(전극 I에서 S파, 전극 III에서 Q파와 T파 역위)이 관찰됨.

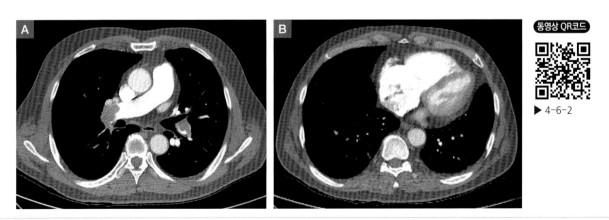

동영상 QR코드

▶ 4-6-2

그림 4-6-2. **폐동맥 CT.** (A) 양쪽 폐동맥의 큰 혈전들이 보이며 (B) 우심실 확장이 동반되어 있음. **(동영상)**

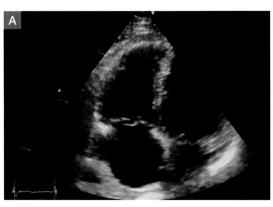
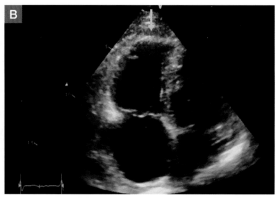

▶ 4-6-3B

그림 4-6-3. 경흉부심초음파. (A) 이완기말 영상, (B) 수축기말 영상. 우심실 확장이 관찰되며 우심실자유벽의 운동이 감소되어 있으나 우심실 첨부(➡)의 운동은 오히려 증가되어 있는 McConell's sign이 관찰됨. (동영상)

CT를 시행한다. 폐동맥 CT로 폐동맥이 혈전으로 인해 막힌 소견을 직접 확인할 수 있고 동반된 폐경색 및 다른 폐 이상소견 또한 확인할 수 있으며, 우심실의 확장 소견을 통해 우심실 부하를 간접적으로 확인할 수 있다. 하지정맥 CT를 함께 시행하면 심부정맥혈전증(deep vein thrombosis)을 동시에 감별할 수도 있다. 폐동맥에 조영제의 농도가 최대가 되는 시점에 촬영해야 하며 segment level까지 볼 수 있도록 2.5 mm 이하의 얇은 두께로 촬영하여야 한다. 따라서 일반적인 조영증강 폐 CT에서도 폐색전증이 우연히 발견될 수 있지만, 여기서 폐동맥 혈전이 안보여도 폐색전증을 완전히 배제하기는 어렵다.

2) 심초음파

CT를 바로 시행하기 어려운 경우에는 경흉부심초음파를 시행한다. 급성 폐색전증 환자의 50%에서 심초음파는 정상 소견을 보이나, 심한 폐색전증이 있을 경우 우심실 확장 및 기능부전이 관찰될 수 있다. 따라서 폐색전증이 의심되는 환자에서 저혈압이 있으나 활력징후가 불안정하여 CT를 시행할 수 없을 경우, 이동식 경흉부심초음파를 통해 우심실의 과부하 소견이 있는지 확인해야 한다. 우심

실 과부하 소견이 없을 경우에는 쇼크의 원인이 폐색전증일 가능성은 낮다고 판단할 수 있으며, 이 경우 혈압저하의 다른 원인인 심근경색이나 심낭질환을 경흉부심초음파로 감별할 수 있어 유용하다. 우심실이 확장되고 압력이 증가하면 수축기와 이완기 모두 심실중격이 평평하게 눌리게 되어 흉골연 단축영상에서 D형의 좌심실 모양을 관찰할 수 있다. 심한 우심실 수축 기능 저하, 지속적인 폐동맥 고혈압, PFO 동반, 우심실이나 우심방에 유동적인 혈전이 관찰되면 사망이나 재발성 혈전색전증의 위험이 높다. 갑자기 우심실부하가 증가하는 상황에서 우심실 외벽의 수축력이 감소하면서 우심실 심첨부의 수축력은 정상 또는 오히려 증가되는 McConell's sign이 관찰될 수 있다. 폐동맥압이 증가하면 우심실 유출로의 최대 속도까지의 가속시간(acceleration time)이 짧아져 최대속도가 수축 초기에 발생하고 수축중기 패임(notching)이 보인다. 60-60 sign은 우심실유출로의 간헐파도플러에서 측정한 최대 속도까지의 가속시간(acceleration time)이 60 ms 이하로 감소하고 삼첨판 역류 속도로 추정한 우심실수축기압이 60 mmHg 이하인 것인데, 이러한 소견들이 관찰될 경우에는 폐색전증을 강력히 의심할 수 있다(그림 4-6-4).

3) 폐 환기관류스캔(Ventilation/Perfusion lung scan, V/Q scan)

색전으로 막힌 폐동맥 영역의 폐 관류 결손이 관찰되나 환기스캔은 정상 환기소견을 보이는 환기-관류 불일치(V/Q mismatch) 소견이 있을 경우 폐색전증의 가능성이 높다(그림 4-6-5). 관류스캔이 정상으로 나올 경우 폐색전증을 배제할 수 있다. 그러나 폐색전증 환자의 다수에서 V/Q scan 결과가 모호하므로 폐색전증 진단을 위하여 V/Q scan을 일차적으로 시행하지 않으며, 폐동맥 CT를 우선적으로 시행한다. 다만, 신기능 저하 환자, 임신 중인 환자, 조영제 아나필락시스의 병력이 있는 환자에서 방사선 노출이 적고 조영제 사용이 필요 없는 V/Q scan을 사용할 수 있다. CT에서 폐동맥의 혈전이 관찰되지 않았으나 V/Q scan에서 V/Q mismatch가 관찰될 경우 종양의 미세색전(microembolization)이나 혹은 만성혈전색전성폐고혈압(chronic thromboembolic pulmonary hypertension, CTEPH)을 반드시 감별해야 한다.

증례 2. 특발성 폐동맥 고혈압(Idiopathic pulmonary arterial hypertension)

이전 건강했던 20세 남성이 2개월 전부터 시작된 운동 시 호흡곤란과 1주 전 하루 두 차례 발생한 실신으로 내원하였다. 흉부 X선 검사에서 양 폐야는 깨끗하였고 심장의 우심방연이 약간 돌출된 소견이 관찰되었으며 ECG에서 우축편위와 우심방 및 우심실 비대 소견이 나타났다(그림 4-6-6).

경흉부심초음파에서 우심실 확장 및 우심실 수축 기능이 다소 저하된 소견과 수축기 및 이완기 모두에서 좌심실이 우심실에 눌리는 D형의 좌심실이 관찰되었으며(그림 4-6-7A-C), 심한 폐동맥 고혈압이 관찰되었다(그림 4-6-7D). 좌심실 기능은 정상이었고 agitated saline을 주입하였을 때 심장 내/외의 단락은 없었으며(그림 4-6-7 E), 폐기능 검사도 정상이었다. 흉부 CT에서는 폐색전이나 다른 심장 외 단락을 유발할 만한 병변은 관찰되지 않았고, V/Q

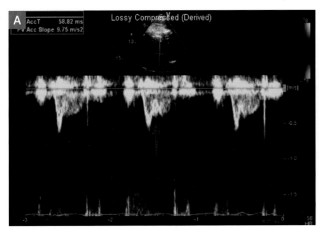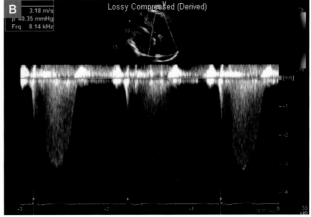

그림 4-6-4. 폐색전증 환자의 심초음파 도플러 소견. (A) 폐동맥판막 가속시간(acceleration time)이 60 ms 미만으로 감소해 있고 수축기 중간에 midsystolic notch가 관찰됨(➡). (B) 삼첨판 역류 속도 3.2 m/s로 증가되어 있으며 이로부터 추정한 폐동맥수축기압은 45 mmHg 로 경도의 폐고혈압소견을 보임.

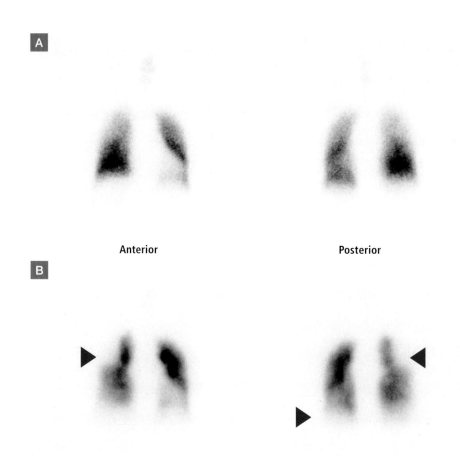

Anterior　　　　　Posterior

그림 4-6-5. 폐 환기관류스캔. (A) 환기스캔은 정상소견을 보이나, (B) 관류스캔에서 우상엽과 좌하엽에 관류결손이 있는 (▶) 환기-관류 불일치(V/Q mismatch)가 관찰됨.

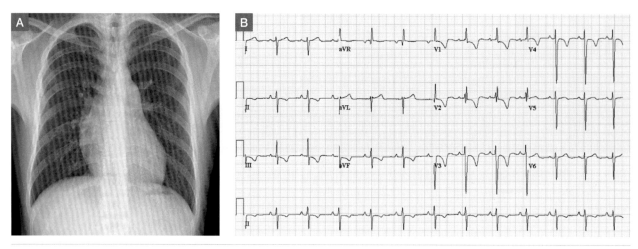

그림 4-6-6. (A) 흉부 X선에서 심장 우심방연이 약간 돌출되어 있음. (B) ECG에서 우심방 및 우심실 비대 소견이 관찰됨.

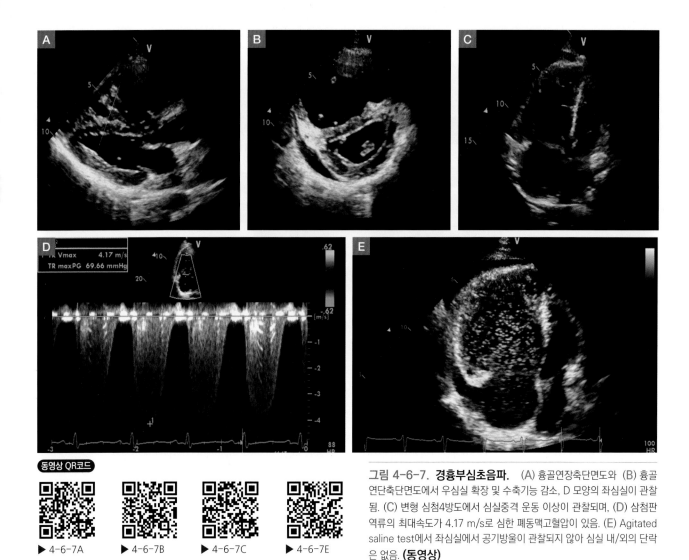

▶ 4-6-7A   ▶ 4-6-7B   ▶ 4-6-7C   ▶ 4-6-7E

그림 4-6-7. **경흉부심초음파.** (A) 흉골연장축단면도와 (B) 흉골연단축단면도에서 우심실 확장 및 수축기능 감소, D 모양의 좌심실이 관찰됨. (C) 변형 심첨4방도에서 심실중격 운동 이상이 관찰되며, (D) 삼첨판 역류의 최대속도가 4.17 m/s로 심한 폐동맥고혈압이 있음. (E) Agitated saline test에서 좌심실에서 공기방울이 관찰되지 않아 심실 내/외의 단락은 없음. **(동영상)**

scan에서도 관류 결손은 확인되지 않아 CTEPH의 가능성을 배제할 수 있었다. 환자는 심장도관술을 시행하였고 평균 폐동맥압 65 mmHg, 폐혈관저항 13.8 Wood units, 폐동맥쐐기압 14 mmHg로 측정되어 특발성 폐동맥 고혈압으로 진단 후 약물치료를 시작하였다(그림 4-6-8).

▶ Keynote

폐고혈압의 증상은 비특이적이나, 우심실기능 저하에 의한 활동 중 호흡곤란, 피로감, 협심증, 실신 등이며, 우심실부전이 진행하면 발목 부종이나 복부 팽만이 생길 수 있다. 2015년 유럽심장학회 가이드라인에 따르면 폐고혈압은 심장도관술에서 안정 시 평균 폐동맥압력이 25 mmHg 이상인 경우이고, 이 중 폐동맥 고혈압은 동시에 폐동맥쐐

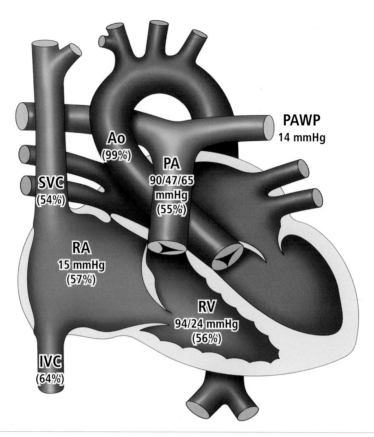

그림 4-6-8. 우심도자술 소견. 각 위치의 수축기/이완기/평균 압력(산소포화도)을 나타냄. 평균폐동맥압이 65 mmHg로 증가되어 있고 폐모세혈관쐐 기압이 14 mmHg로 정상임. SVC, superior vena cava; IVC, inferior vena cava; RA, right atrium; RV, right ventricle; Ao, aorta; PA, pulmonary artery; PAWP, pulmonary artery wedge pressure.

기압이 15 mmHg 미만이고, 폐혈관저항이 3 Wood units 을 넘는 경우로 정의한다(표 4-6-1). 폐고혈압은 원인에 따라 크게 5가지 그룹으로 분류할 수 있다: 그룹1. 폐동맥고혈압, 그룹2. 좌심장질환을 동반한 폐고혈압, 그룹3. 폐질환이나 저산소증에 동반된 폐고혈압, 그룹4. 만성 폐색전증으로 인한 폐고혈압(CTEPH 등), 그룹5. 기타 폐고혈압.

이 중 특발성 폐동맥 고혈압은 원인 없이 폐혈관저항이 상승하여 폐동맥압이 상승하는 질환이다. 경흉부심초음파 검사에서 폐고혈압이 확인되면 가장 흔한 원인인 좌심장질환으로 인한 폐고혈압과 폐질환으로 인한 폐고혈압을

배제한다. 이 두 경우가 아니면, V/Q scan으로 만성 폐색전증으로 인한 폐고혈압을 배제하고, 이 경우도 아니면 심장도관술을 통해 폐동맥고혈압을 진단할 수 있다(그림 4-6-9).

1) 심초음파

경흉부심초음파는 폐동맥압을 비침습적으로 추정할 수 있으므로 폐고혈압의 진단에 필수적인 검사이다. 또한 폐고혈압의 원인이 될 수 있는 좌심실 기능 부전과 선천성 심기형을 확인할 수 있다. 삼첨판 역류 속도를 이용하여

표 4-6-1. **폐고혈압의 혈역학적 정의(2015 ESC/ERS Guideline)**

Definition	심장도관술 소견	임상 분류 그룹
PH	mPAP ≥ 25 mmHg*	모든 그룹
Pre-capillary PH	mPAP ≥ 25 mmHg* PAWP ≤ 15 mmHg	그룹1. 폐동맥고혈압 그룹3. 폐질환이나 저산소증에 동반된 폐고혈압 그룹4. 만성 폐색전증으로 인한 폐고혈압(CTEPH 등) 그룹5. 기타 폐고혈압
Post-capillary PH	mPAP ≥ 25 mmHg* PAWP > 15 mmHg	그룹2. 좌심장 질환을 동반한 폐고혈압 그룹5. 기타 폐고혈압
Ipc-PH	DPG < 7 mmHg and/or PVR ≤ 3WU	
Cpc-PH	DPG ≥ 7 mmHg and/or PVR ≤ 3WU	

CO, cardiac output; Cpc-PH, combined post-capillary PH; DPG, diastolic pressure gradient (diastolic PAP - mean PAWP); Ipc-PH, Isolated post-capillary PH; mPAP, mean pulmonary arterial pressure; PAWP, pulmonary arterial wedge pressure; PH, pulmonary hypertension; PVR, pulmonary vascular resistance; WU, Wood units (dynes.s.cm^{-5}). All values measured at rest.
* The 6th World Symposium on Pulmonary Hypertension (2019)에서는 mPAP 기준이 20mmHg로 하향조정되었으나 현재 유럽에서 consensus가 이루어지지 않은 상태로, 본 책에서는 2015년 유럽심장학회 가이드라인을 따름.

우심방과 우심실간의 압력 차이를 얻을 수 있으며, 폐동맥판막이나 우심실 유출로에 협착이 없을 경우 우심실수축기압은 폐동맥수축기압과 동일하다: [폐동맥수축기압 = 우심실수축기압 = 4 × (삼첨판 역류 속도)^2 + 우심방압]. 삼첨판 역류속도가 3.4 m/s 이상으로 높을 때는 폐고혈압이 있다고 판단한다. 삼첨판 역류 속도가 2.9-3.4 m/s 인 경우는 폐고혈압으로 인한 심장의 변화가 함께 관찰되면 폐고혈압의 가능성이 높다고 판단할 수 있는데, 이 소견들로는 ① 심실: 우심실 확장, D 모양의 좌심실, ② 폐동맥: 우심실유출로 간헐파도플러로 측정한 가속시간 단축(< 105 msec), midsystolic notching 관찰, 초기이완기 폐동맥판 역류속도 2.2 m/s 이상 증가, 폐동맥 직경 25 mm 이상 확장, ③ 하대정맥 또는 우심방: 하대정맥의 팽창 또는 울혈(직경 > 21 mm, 흡기 때 50% 미만의 직경 변화), 수축기말 우심방 크기가 증가가 있다.

폐동맥 고혈압 환자의 치료 반응 및 예후 평가를 위해 심초음파를 시행하며, 우심실 기능이 예후와 운동기능과 관련이 있다. 우심방 확장 및 심장 삼출액은 우심실 기능부전의 이차 소견으로 고위험을 시사한다.

2) V/Q scan

그림 4-6-9에서와 같이 CTEPH을 감별하기 위해 V/Q scan 검사를 한다. V/Q scan은 폐동맥 CT에 비해 CTEPH의 진단의 민감도가 월등히 높으므로 초기 선별검사로 시행한다. CTEPH에서는 최소 한 개 이상의 구역(segmental)의 환기관류불균형을 관찰할 수 있으며, 대개는 여러 구역에 불균형이 분포해 있는 경우가 많다. CTEPH으로 진단이 되면 항응고제를 사용하면서, pulmonary endarterectomy와 같은 수술적인 치료를 적극적으로 고려한다. 수술이 불가능할 경우는 폐동맥 풍선 성형술(balloon pulmonary angioplasty)를 고려할 수 있다.

3) CMR

CMR에서만 확인할 수 있는 폐고혈압의 소견은 없기

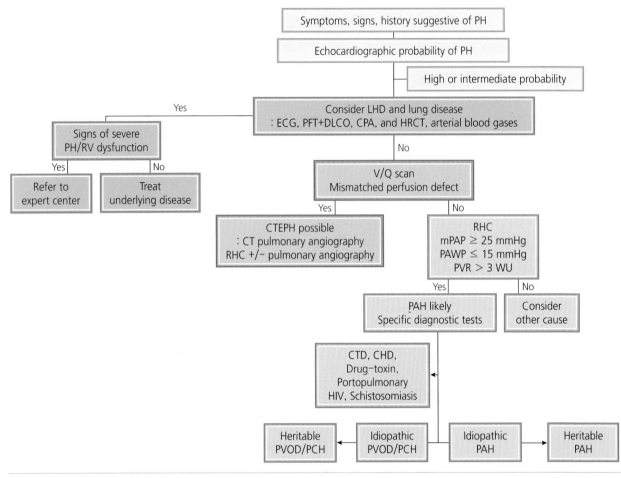

그림 4-6-9. 폐고혈압의 진단 알고리즘 (2015 ESC/ERS Guideline).
CHD: congenital heart diseases; CTD: connective tissue disease; CTEPH: chronic thromboembolic pulmonary hypertension; DLCO: carbon monoxide diffusing capacity; HIV: Human immunodeficiency virus; HRCT: high-resolution CT; LHD: left heart disease; mPAP: mean pulmonary arterial pressure; PAH: pulmonary arterial hypertension; PAWP: pulmonary artery wedge pressure; PFT: pulmonary function tests; PH: pulmonary hypertension; PVOD/PCH: pulmonary veno-occlusive disease or pulmonary capillary hemangiomathosis; PVR: pulmonary vascular resistance; RHC: right heart catheterization; V/Q: ventilation/perfusion.

때문에 폐고혈압에서 CMR의 사용은 아직 제한적이다. CMR은 우심실의 크기 및 기능을 평가하는 gold standard이며, 비침습적 혈류 평가 및 심장내 단락, 폐동맥 역류량 등을 평가할 수 있다. 또한 폐혈관의 조영 및 비조영 영상을 통해 환기와 폐혈관 관류를 평가할 수 있어 V/Q scan을 시행할 수 없는 환자에서 CTEPH을 감별하는데 사용할 수 있다.

증례 3. 폐동정맥기형(Pulmonary arteriovenous malformation)

71세 여성이 내원 당일 시작된 왼쪽 편마비로 내원하였다. 뇌 MRI에서는 다발성 급성 뇌경색이 확인되었으며 경동맥 및 뇌혈관의 협착 소견은 관찰되지 않았다. 색전의 원인을 찾기 위해 시행한 경식도심초음파에서 좌심방혈전이나 난원공개존을 통한 우–좌 단락은 확인되지 않았다. Agitated saline을 주입하였을 때 좌측 폐정맥을 통해 좌심방으로 공기방울이 다수 유입되는 것을 확인할 수 있었다 (그림 4-6-10). 조영증강된 흉부 CT에서는 좌상엽에 8 mm 크기의 폐동정맥기형과 그 영양동맥을 확인할 수 있었다(그림 4-6-11). 환자는 폐동정맥기형에 대해 색전술을 시도하였으나 실패하였고 수술적 치료는 고령으로 시행하지 못하였다.

눈으로 확인할 수 있다. 심장초음파에서 폐동정맥기형이 강력히 의심될 경우 조영증강 폐 CT를 시행하여 진단한다. 침습적 폐혈관조영술은 진단의 gold standard이지만 진단 목적으로는 최근에는 많이 시행하지 않고 주로 치료 목적으로 사용한다.

❯ Keynote

폐동정맥기형은 폐동맥과 폐정맥 사이가 비정상적으로 연결되는 병으로, 호흡곤란, 객혈, 곤봉지 등의 호흡기 증상이나 뇌졸중, 뇌 농양과 같이 색전으로 인한 신경학적 증상으로 나타날 수 있다. 유전성출혈모세혈관확장증(hereditary hemorrhagic telangiectasia)에 동반된 폐동정맥기형의 경우 코피, 위장관출혈 및 이로 인한 빈혈 등의 증상이 함께 나타날 수 있다. 흉부 X선상 폐동정맥기형은 부드러운 가장자리를 가진 결절로 관찰될 수 있으며, 조영 경흉부심초음파로 폐동정맥기형으로 인한 단락의 양을

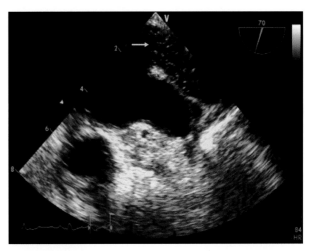

▶ 4-6-10

그림 4-6-10. 조영 경식도심초음파. 좌측 폐정맥을 통해 좌심방으로 공기방울이 유입되는 것을 볼 수 있음(⟶). **(동영상)**

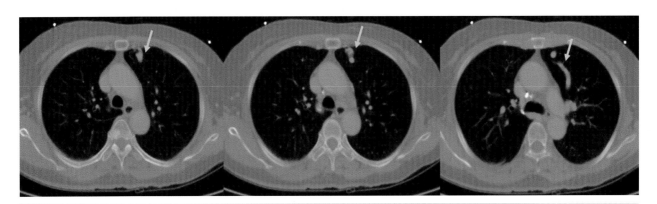

그림 4-6-11. 조영증강한 폐 CT. 좌상엽에 8 mm 크기의 폐동정맥기형과 그 영양동맥이 관찰됨(⟶).

1) 조영 경흉부심초음파

조영 경흉부심초음파는 폐동정맥기형의 진단에 민감도가 높으므로 초기 검사로 활용된다. Agitated saline test로 폐동정맥기형으로 인한 단락의 양을 눈으로 확인할 수 있고, 코일 색전술 후 단락의 양 평가에 활용할 수 있다(그림 4-6-12). 경흉부심초음파 검사에서 강도 2 이상의 심장 외 단락이 의심될 경우, 또는 강도 1이더라도 폐동정맥기형이 강력히 의심될 경우 조영증강 폐 CT를 통해 폐동정맥기형을 확진한다.

조영 경흉부심초음파에서 agitated saline을 팔의 정맥에 주사하면 상대정맥, 우심방, 우심실, 폐동맥에 순차적으로 조영이 증가되게 되는데, agitate saline은 폐순환을 통과하지 못하므로 우심방에 공기방울이 가득 찬 뒤 3–6박자 이후에 좌심방 및 좌심실에서 공기방울이 관찰될 경우 심장 외, 즉 폐내 단락을 시사하는 소견으로 볼 수 있다(그림 4-6-12). 그러나 좌심방이나 좌심실 내 공기방울이 나타나는 시기는 단락의 위치와 크기, 심박출량 등 여러 요인에 의해 영향을 받을 수 있으므로 해석 시 주의를 요

한다. 강도의 구분 기준은 명확하게 정의되어 있지는 않지만 좌심방에서 관찰되는 공기방울의 개수에 따라 강도 1에서 4로 구분하는데 좌심방에서 약간의 공기방울이 관찰되면 강도 1, 좌심방에 상당한 양의 공기방울이 관찰되는데 좌심방을 완전히 채우지는 못하면 강도 2, 완전히 좌심방을 채우면 강도 3, 그리고 우심방과 같은 정도로 좌심방에 공기방울이 꽉 차면 강도 4로 구분할 수 있다.

2) CT

조영증강 폐 CT에서 동그란 모양의 결절 혹은 종괴와 함께 연속된 이미지에서 연결된 영양혈관을 확인하면 폐동정맥기형을 진단할 수 있다. CT에서 측정한 영양혈관의 크기에 따라 치료 방침을 결정하게 되며, 영양혈관의 직경이 2–3 mm 이상일 경우 뇌졸중 등의 위험도가 증가하기 때문에 코일 색전술을 시행하는 것이 좋고(그림 4-6-13), 영양혈관의 직경이 2 mm 미만이더라도 증상을 유발하는 경우에 색전술을 고려할 수 있다. 중재적시술로 색전술을 시도하기 어려울 경우 수술적 치료를 고려할 수 있다.

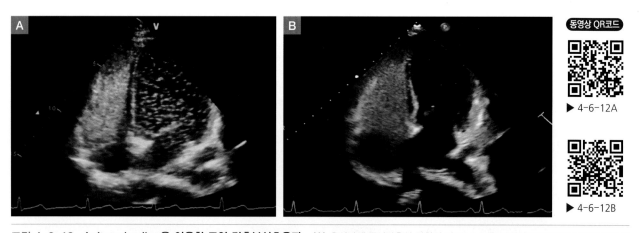

동영상 QR코드

▶ 4-6-12A

▶ 4-6-12B

그림 4-6-12. Agitated saline을 이용한 조영 경흉부심초음파. (A) 우심방에 공기방울이 관찰된 뒤 3 beat 후 좌심방에 강도3의 공기방울이 관찰되어 상당한 양의 단락을 시사함. (B) 코일 색전술 후 추적 조영 경흉부심초음파에서 좌심방에서 매우 소량의 공기방울만 관찰됨. **(동영상)**

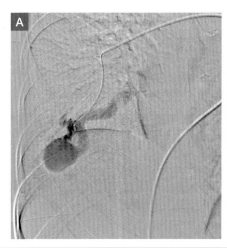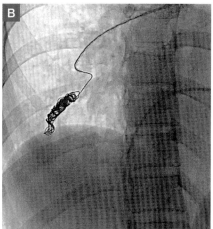

그림 4-6-13. **폐혈관조영술.** 폐동정맥기형의 영양동맥에 선택적으로 카테터를 삽입한 후 코일 색전술로 영양동맥을 막음.

참 고 문 헌

1. Ballal RS, Nanda NC, Gatewood R, D'Arcy B, et al. Circulation 1991;84:1903-1914.

2. Banypersad SM, Moon JC, Whelan C, Hawkins PN, Wechalekar AD. J Am Heart Assoc 2012;1(2):e000364.

3. Benson MD, Waddington-Cruz M, Berk JL, et al. Inotersen Treatment for Patients with Hereditary Transthyretin Amyloidosis. N Engl J Med 2018;379:22-31.

4. Berk JL, Suhr OB, Obici L, et al. Repurposing diflunisal for familial amyloid polyneuropathy: a randomized clinical trial. JAMA 2013;310:2658-2667.

5. Birnie DH, Nery PB, Ha AC, Beanlands RS. Cardiac Sarcoidosis. J Am Coll Cardiol 2016;68(4):411-21.

6. Birnie DH, Sauer WH, Bogun F, Cooper JM, Culver DA, Duvernoy CS, et al. HRS expert consensus statement on the diagnosis and management of arrhythmias associated with cardiac sarcoidosis. Heart Rhythm 2014;11(7):1305-23.

7. Bossone E, Lyon A, Citro R, et al. Eur J Cardiovasc Imaging 2014;15:366-377.

8. Brambatti M, Matassini MV, Adler ED, Klingel K, Camici PG, Ammirati E. Eosinophilic Myocarditis: Characteristics, Treatment, and Outcomes. J Am Coll Cardiol 2017;70(19):2363-75.

9. Braunwald's Heart Disease 9th ed. Chapter 60.

10. Braunwald's Heart disease 9th ed. Chapter 68.

11. Chang SA, Kim HK, Park EA, Kim YJ, Sohn DW. Images in cardiovascular medicine. Loeffler endocarditis mimicking apical hypertrophic cardiomyopathy. Circulation 2009;120(1):82-5.

12. Cheung CC, Constantine M, Ahmadi A, Shiau C, Chen LYC. Eosinophilic Myocarditis. Am J Med Sci 2017;354:486-92.

13. Falk RH, Quarta CC, Dorbala S. Circ Cardiovasc Imaging 2014;7:552-562.

14. Friedrich MG, Sechtem U, Schulz-Menger J, Holmvang G, Alakija P, Cooper LT, et al. Cardiovascular magnetic resonance in myocarditis: A JACC White Paper. J Am Coll Cardiol 2009;53(17):1475-87.

15. G Merlini, I Lousada, Y Ando, A Dispenzieri, MA Gertz, M Grogan, MS Maurer, V Sanchorawala, A Wechalekar, G Palladini and RL Comenzo. Rationale, application and clinical qualification for NT-proBNP as a surrogate end point in pivotal clinical trials in patients with AL amyloidosis Leukemia 2016;30:1979-1986.

16. Gerbaud E, Montaudon M, Leroux L, et al. Eur Radiol 2008;18:947-954.

17. Gianni M, Dental i F, Grandi AM, et a l. Eur Hear t J 2006;27:1523-1529.

18. Gillmore JD, Damy T, Fontana M, Hutchinson M, Lachmann HJ, Martinez-Naharro A, Quarta CC, Rezk T, Whelan CJ, Gonzalez-Lopez E, Lane T, Gilbertson JA, Rowczenio D, Petrie A, Hawkins PN. A new staging system for cardiac transthyretin amyloidosis. Eur Heart J 2017;44:1-8.

19. Goldstein SA, Evangelista A, Abbara S, et al. J Am Soc Echocar-

diogr 2015;28:119-82.

20. Grogan M, Scott CG, Kyle RA et al. J Am Coll Cardiol 2016; 68:1014-20.

21. Hamirani YS, Diet l CA, Voyles W, et al. Circulat ion 2012; 126:1121-1126.

22. Ishida Y, Yoshinaga K, Miyagawa M, Moroi M, Kondoh C, Kiso K, et al. Recommendations for (18)F-fluorodeoxyglucose posi-tron emission tomography imaging for cardiac sarcoidosis: Japa-nese Society of Nuclear Cardiology recommendations. Ann Nucl Med 2014;28(4):393-403.

23. Jelena-Rima Ghadri, Ilan Shor Wittstein, Abhiram Prasad, et al. International Expert Consensus Document on Takotsubo Syn-drome (Part I): Clinical Characteristics, Diagnostic Criteria, and Pathophysiology Eur Heart J 2018;39(22):2032-2046.

24. Kalra DK, Park J, Hemu M, Goldberg A. Loeffler Endocarditis: A Diagnosis Made with Cardiovascular Magnetic Resonance. J Cardiovasc Imaging 2019;27(1):70-2.

25. Kotanidis CP, Bazmpani MA, Haidich AB, Karvounis C, Anto-niades C, Karamitsos TD. Diagnostic Accuracy of Cardiovascu-lar Magnetic Resonance in Acute Myocarditis: A Systematic Review and Meta-Analysis. JACC Cardiovasc Imaging 2018;11(11):1583-90.

26. Koyama J, Ray-Sequin PA, Falk RH. Circulation 2003;107:2446-2452.

27. Kumar S, Dispenzieri A, Lacy MQ et al., J Clin Oncol 2012; 30(9):989-95.

28. Lagana SM, Parwani AV, Nichols LC. Cardiac sarcoidosis: a pathology-focused review. Archives of pathology & laboratory medicine 2010;134(7):1039-46.

29. Lee SP, Park JB, Kim HK, et al. J Cardiovasc Imaging 2019; 27:1-10.

30. Loren F. Hiratzka, George L. Bakris, Joshua A. Beckman, et al. Circulation 2010;121:e266-e369.

31. Martinez-Naharro A, Treibel TA, Abdel-Gadir A, et al. Magnetic Resonance in Transthyretin Cardiac Amyloidosis. J Am Coll Cardiol 2017;70:466-477.

32. Maurer MS, Schwartz JH, Gundapaneni B, et al. Tafamidis Treatment for Patients with Transthyretin Amyloid Cardiomyop-athy. N Engl J Med 2018;379:1007-1016.

33. Nienaber CA, Clough RE. Management of acute aortic dissec-tion. Lancet 2015;385(9970):800-11.

34. Nienaber CA, von Kodolitsch Y, Nicolas V, et al. N Engl J Med 1993;328:1-9.

35. Oerlemans MIFJ, Rutten KHG, Minnema MC, Raymakers RAP, Asselbergs FW, de Jonge N. Neth Heart J 2019;27(11):525-536.

36. Rahman JE, Helou EF, Gelzer-Bell R, et al. J Am Coll Cardiol 2004;43:410-415.

37. Sohn DW, Park JB, Lee SP, Kim HK, Kim YJ. Viewpoints in the diagnosis and treatment of cardiac sarcoidosis: Proposed modification of current guide lines. Cl in Cardiol 2018;41(10):1386-1394.

38. Solomon SD, Adams D, Kristen A, et al. Effects of Patisiran, an RNA Interference Therapeutic, on Cardiac Parameters in Patients with Hereditary Transthyretin-Mediated Amyloidosis. Circulation 2019;139:431-443.

39. Terasaki F, Azuma A, Anzai T, Ishizaka N, Ishida Y, Isobe M, et al. JCS 2016 Guideline on Diagnosis and Treatment of Cardiac Sarcoidosis- Digest Version. Circ J 2019;83:2329-88.

40. Wittstein IS, Thiemann DR, Lima JA, et al. N Engl J Med 2005;352:539-548.

CHAPTER

V

심낭질환
(Pericardial disease)

1. 급성 심낭염

증례 1. 급성 심낭염(Acute pericarditis)

23세 남자가 1일 전부터 발생한 가슴통증으로 내원하였다. 통증은 칼로 찌르는 듯한 날카로운 양상이었고 숨을 깊게 들이마시거나 기침 시 악화되었다. 1년 전 전신 홍반성 낭창(systemic lupus erythematosus, SLE)을 진단받았으며 스테로이드 복용 중이었다. 혈압 104/65 mmHg, 맥박수 118회/분, 호흡수 22회/분, 체온 37.3℃였다. 백혈구 10,080/mm³, 분절 호중구 비율 85.8%, high sensitive C-reactive peptide 10.69 mg/dL로 증가되었고, complement 중 C3 34 mg/dL, C4 4 mg/dL로 감소되었다. ECG에서는 동성빈맥이 관찰되었으며 내원하여 다시 시행한 흉부 X선에서는 심비대 소견이 관찰되었으며 좌측 흉수가 동반되었다(그림 5-1-1). 경흉부심초음파를 시행하였을 때, 다량의 심낭삼출(pericardial effusion)이 관찰되었으나 심낭압전을 시사하는 소견은 관찰되지 않았다(그림 5-1-2). 흉부 CT에서 다량의 심낭삼출과 함께 심낭의 비후와 조영증강이 관찰되었다(그림 5-1-3). 기저질환인 전신 홍반성 낭창의 급성 악화와 관련된 심낭삼출로 판단되어 고용량 전신 스테로이드 치료를 시작하였으며 경험적 항생제가 함

께 투여되었다. 일주일 후 혈압이 저하되어 심초음파를 시행하였으며, 심낭삼출의 양이 증가하였으며 심낭압전이 발생하여 경피적 심낭삼출 배액술을 시행하였다. 발열이 지속되면서 2일 후 배액이 원활하지 않아 심초음파를 다시 시행하였으며, 섬유소성 변화가 동반된 다량의 심낭 삼출, 심낭의 비후가 관찰되었다(그림 5-1-4). IVC plethora가

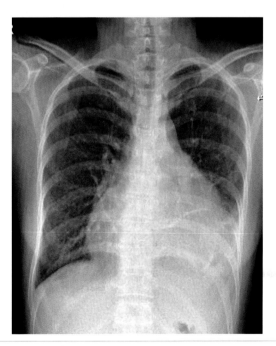

그림 5-1-1. **흉부 X선.** Pericardial effusion의 전형적인 소견인 water bottle appearance가 관찰됨.

159

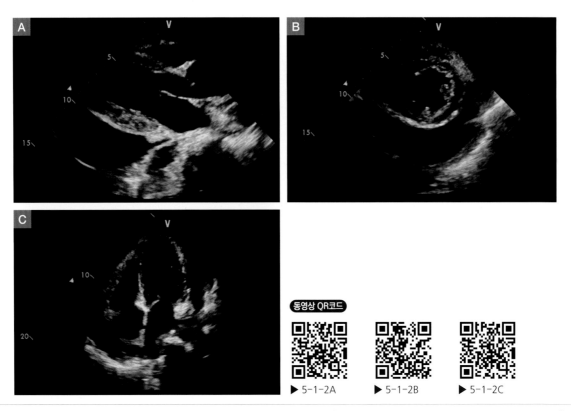

동영상 QR코드

▶ 5-1-2A   ▶ 5-1-2B   ▶ 5-1-2C

그림 5-1-2. 경흉부심초음파. 다량의 pericardial effusion이 관찰되나 cardiac tamponade를 시사하는 소견은 동반되지 않음(A-C). **(동영상)**

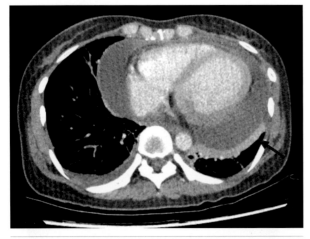

그림 5-1-3. 흉부 CT. 다량의 pericardial effusion이 관찰되며, pericardium의 thickening과 enhancement (➞)가 저명함.

관찰되고 호흡에 따른 승모판 유입 혈류의 변화도 동반되어 삼출−협착성 심낭염(effusive−constrictive pericarditis)으로 진단되었다(그림 5-1-5). 또한 화농성 심낭염이 의심되고 경피적 배액술이 원활하지 않아 수술적 심낭창 조성술(pericardial window operation)과 함께 심낭 조직검사를 시행하였다. 조직검사에서는 괴사와 화농성 변화가 동반된 염증 소견이 관찰되었으며(그림 5-1-6) 균은 동정되지 않았다. 항생제 투여 후 환자는 호전되었다.

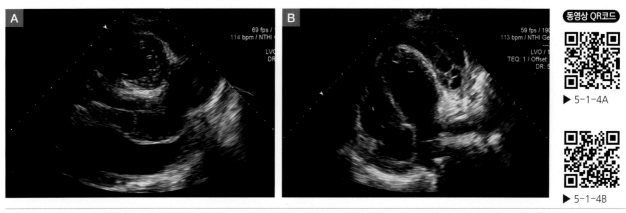

그림 5-1-4. 경흉부심초음파. 다량의 pericardial effusion과 함께 fibrinoid materials이 관찰됨. Pericardium이 두꺼워져 있으며, 심실중격 떨림 현상(septal bouncing)이 두드러짐(A, B). **(동영상)**

> **Keynote**

급성 심낭염은 심낭을 침범하는 질환들 중 가장 흔한 질환이다. 병원 입원 환자의 약 0.2%, 비허혈성 원인에 의한 가슴통증으로 응급실을 내원한 환자의 약 5%를 차지한다. 약 85%가 원인불명(idiopathic)이거나 바이러스에 의해 발생하며 그 외 세균, 진균, 결핵 등의 감염성 원인, 심근경색, 요독증, 암, 손상, 갑상선기능 이상, 결체조직질환 등의 비감염성 원인이 대표적이다. 주로 젊은 연령대에 발생하며 1–2주 전 바이러스 감염에 의해 감기와 유사한 증상이 선행하는 경우가 흔하다. 숨을 깊이 들이마시거나 기침 시, 혹은 누우면 악화되고, 앉거나 몸을 앞으로 기울이면 호전되는 가슴통증이 전형적인 증상이나, 결핵, 종양, 요독증 등 만성적인 질환의 경우 가슴통증이 없는 경우도 흔하다. 진찰소견 중에서는 심낭의 마찰음(friction rub)이 85%의 환자에서 청진될 수 있으며, 앞으로 기울인 자세에서 호기말에 가장 잘 들을 수 있다. 또한 CRP, ESR과 같은 serum biomarker의 상승도 관찰된다.

전반적으로 양호한 예후를 보이나, 1–2%에서 심낭압전, 15%에서 심근의 침범이 동반될 수 있다. 또한 15–30%

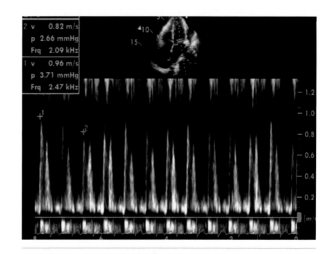

그림 5-1-5. 도플러 심초음파. Exaggerated mitral inflow pattern이 관찰되며, 이는 effusive-constrictive pericarditis를 시사함.

에서 재발할 수 있으며 이 중 6%는 세 번 이상의 재발의 위험이 보고된 바 있다.

ECG에서는 ST 분절 상승이 관찰될 수 있다. 심근경색에 비해서 더 많은 유도에서 ST 분절 상승이 보이고, 상호 하강(reciprocal depression)이 없으며, 오목한(concave) ST 분절 상승 소견이 특징적이다. 그 외 동성빈맥이 흔히 관

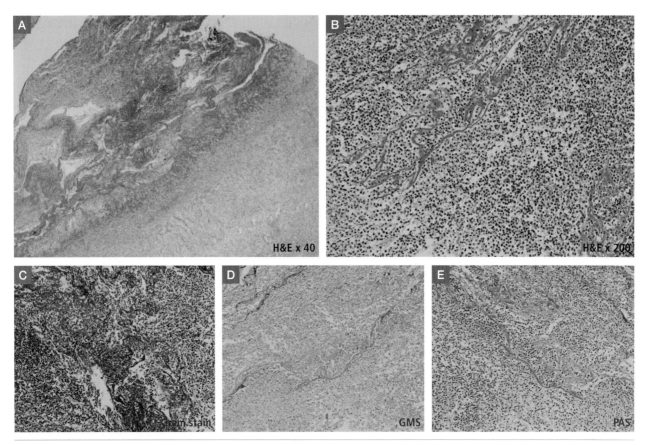

그림 5-1-6. **수술 조직 병리 소견.** 염증세포의 침윤과 함께 necrosis와 purulent change 소견이 관찰됨(A, B). Gram stain에서 동정되는 세균은 없었으며(C), Gomori's Methenamine-Silver (GMS) stain과 periodic acid-Schiff (PAS) stain에서 진균은 관찰되지 않았음(D, E).

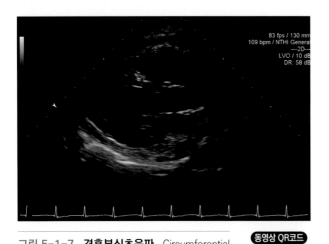

그림 5-1-7. **경흉부심초음파.** Circumferential 0.5 cm depth 전후의 pericardial effusion이 관찰됨. Echo free space 중간에 fibrinoid echogenic density가 일부 관찰되어 acute phase 보다는 subacute phase pericarditis의 가능성이 높음. **(동영상)**

동영상 QR코드

▶ 5-1-7

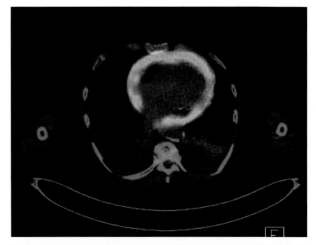

그림 5-1-8. **PET.** 결핵성 심낭염 환자로 심낭에 방사성 동위원소(^{18}F-FDG) 섭취가 증가되어 있음.

찰될 수 있다. 심초음파가 진단에 유용한데, 대부분의 환자들이 호전되기 때문에 심초음파가 첫 번째 그리고 유일하게 필요한 검사기법인 경우가 많다. 특이소견이 없는 경우가 흔하나, 심낭삼출이 관찰될 수 있으며(동영상 5-1-7), 국소벽 운동장애 여부 평가를 통해 동반된 심근질환의 진단에 유용하다. 특히, 심낭삼출이 관찰되는 경우, 혈역학적 평가를 통해 심낭삼출에 대한 심낭 천자(pericardiocentesis) 등 치료 방침의 결정에 중요한 역할을 한다. 또한 교착성 혈역학 소견이 의심되는 환자의 진단에 도움이 된

다. 양전자 방출 단층촬영은 ^{18}F-fluorodeoxyglucose (FDG) 섭취 정도를 측정하여 심낭의 염증에 대한 평가가 가능하다(그림 5-1-8). 심장 CT 및 CMR을 시행하여 심장막의 비후 및 석회화 동반 여부를 평가할 수 있다. 또한 심낭삼출이 일부 부위에 국한된 경우와 심장 주변의 종양이 의심되는 경우에 시행할 수 있으며, 일부 합병증이 동반된 심낭염에서 심낭의 염증에 대한 평가가 필요할 때 유용하다(그림 5-1-9).

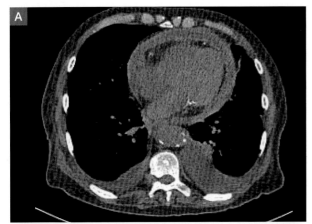

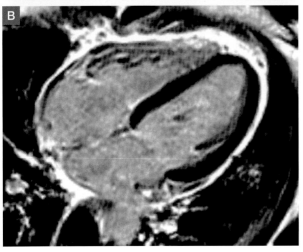

그림 5-1-9. **심장 CT 및 CMR.** 심낭의 비후가 관찰되며(A, B), CMR에서 심낭의 delayed enhancement가 저명함(B).

2. 교착성 심낭염

증례 1. 교착성 심낭염(Constrictive pericarditis)

과거력에서 특이 소견 없었던 49세 남자가 6개월 전부터 점차 심해지는 복부팽만, 하지 부종 및 운동 시 호흡곤란을 호소하였다. 흉부 X선 검사에서 심비대, 좌측 늑막삼출 및 양 폐첨부에 다발성 결절음영들이 관찰되었다(그림 5-2-1).

흉부 CT에서 심장 주변을 둘러 싸면서 심장을 누르고 있는 낭성종괴가 확인되었는데, 이 종괴는 비교적 조영증강이 잘 되고 두꺼워진 심낭막으로 둘러싸여 있었다. 또한, 양 폐첨부에 석회화 결절 및 섬유화로 인한 폐실질 조직의 구조 변성이 동반되어 있었다(그림 5-2-2).

경흉부심초음파에서 좌심실의 수축력이 감소되어 있었고, 양심방은 확장되어 있었다. 심낭막은 에코 음영이 증가되어 있었고, 두꺼워져 있으며, 장측과 벽측 심낭막 사이 공간에 연부 조직 음영이 관찰되었다. 두꺼워진 심낭막으로 둘러싸인 심장은 마치 두꺼운 갑옷을 두른 것처럼, sliding motion을 하지 못하고, 움직임에 큰 제한을 받고 있는 양상이었다. 또한, 심실 중격의 떨림 현상(bouncing

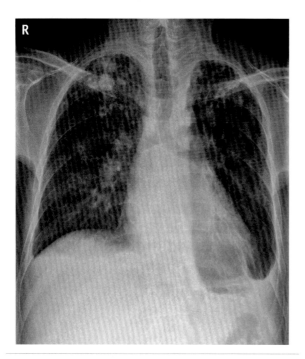

그림 5-2-1. **흉부 X선.** 심비대, 좌측 늑막 삼출 및 양 폐첨부에 다발성 결절음영들이 관찰됨.

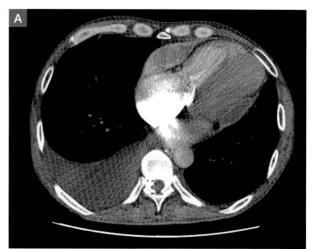

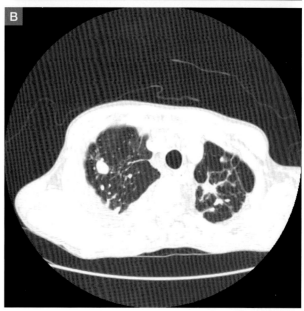

그림 5-2-2. **흉부 CT소견.** 두꺼워진 장측과 벽측 낭막 사이가 연부조직 음영으로 채워져 있으며, 심장을 둘러 싸면서, 심장을 누르고 있음(A), 양 폐첨부에 석회화된 결절 및 섬유화로 인한 폐실질조직의 구조 변성이 관찰됨(B).

motion)이 관찰되었고, 심실 및 심방 내부에 spontaneous echo contrast 소견이 동반되어 있었다(그림 5-2-3).

교착성 심낭염으로 진단하고 심막 제거 수술을 시행하였다. 수술 시, 심장 전체 둘러싸고 있는 두꺼워진 심낭막을 확인하고, 이를 제거하였다(그림 5-2-4).

수술 후, 시행한 경흉부심초음파에서 좌심실의 수축기 능이 호전되었다(그림 5-2-5). 환자도 점차 안정화되어 수술 15일째 퇴원하였고, 추적 관찰 결과 호흡곤란 및 하지 부종이 호전되었다.

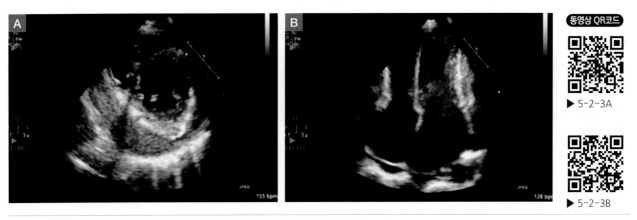

동영상 QR코드

▶ 5-2-3A

▶ 5-2-3B

그림 5-2-3. 경흉부심초음파 소견. 흉골연단축단면도(A) 및 심첨4방도(B)에서 두꺼워진 심낭막 및 심장 주변을 둘러싸고 있는 낭성종괴가 관찰되고, 이로 인해서 심장이 눌리면서 움직임에 제한을 받고 있음. 좌심실의 수축기능이 감소하고, 양심방이 확장되었음. 심실 및 심방 내부에 spontaneous echo contrast가 관찰되고, 심실 중격 떨림과 호흡에 따른 심실 중격의 움직임 변화가 저명함. **(동영상)**

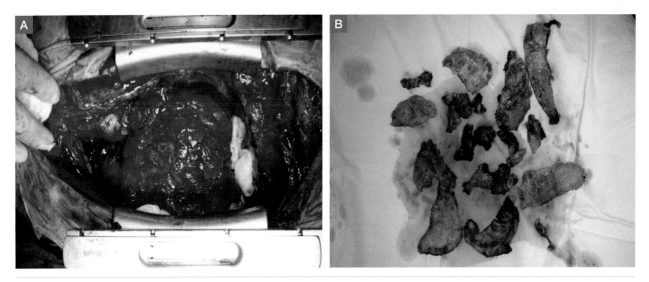

그림 5-2-4. 심막제거 수술. 심장을 둘러 싸고 있는 두꺼워진 심낭막이 관찰되며(A), 이를 제거한 모습(B).

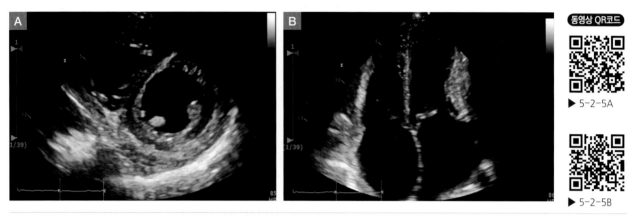

그림 5-2-5. **수술 후 시행한 경흉부심초음파 소견.** 심막 제거술 후, 심실 중격 떨림 현상 소견 남아 있으나, 좌심실의 수축기능 호전이 뚜렷함. **(동영상)**

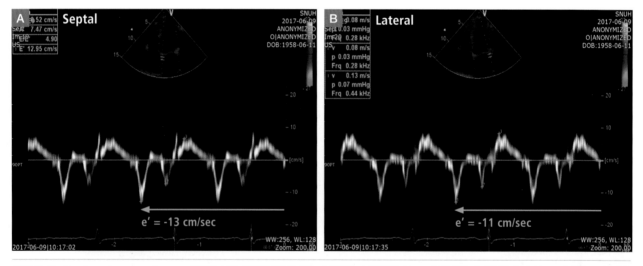

그림 5-2-6. **Annulus paradoxus.** 교착성 심내막염 환자에서 내측 승모판륜 속도(A)가 13 cm/s로 외측 승모판륜 속도 11 cm/s (B) 보다 빠름.

▶ Keynote

교착성 심낭염은 벽측과 장측 심낭막 사이 공간이 섬유화로 채워지면서 서로 밀착되어, 심실의 이완기 확장을 방해함으로서 점차 심부전으로 진행하는 질환이다. 제한성심근증 역시 심실의 이완 기능을 방해하면서 심부전을 유발하는 질환으로, 임상 양상이 교착성 심낭염과 비슷하여 감별이 중요하다. 왜냐하면, 두 질환의 치료 방법이 확연히 다르기 때문인데, 교착성 심낭염의 경우 두꺼워진 심낭을 절제하여 제거함으로서 효과를 볼 수 있다. 교착성 심낭염은 통상적으로 경흉부심초음파를 이용하여 진단하나, 심초음파 소견이 명확치 않거나, 수술 전 검사로서 심낭제거 범위를 결정하기 위해서 추가적으로 본 환자처럼 심장 CT나 CMR 검사를 시행할 수 있다.

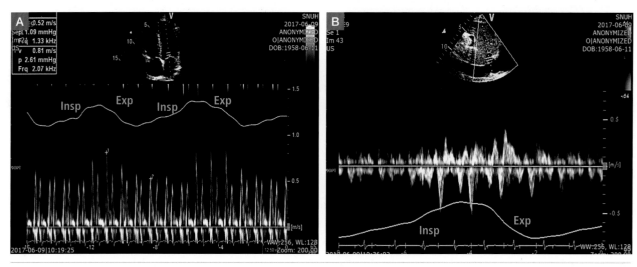

그림 5-2-7. **도플러 심초음파 소견.** 호흡에 따른 승모판(A) 및 간정맥(B) 혈류의 변화가 증폭됨.

경흉부심초음파는 교착성 심낭염 평가에 있어서 가장 기본적이면서도 중요한 검사이다. 경흉부심초음파로 심낭의 두께를 평가하기는 그 진단 정확도가 낮아서, 약 1/3 정도의 교착성 심낭염 환자에서만 두꺼워진 심낭막을 확인할 수 있다. 교착성 심낭염에서는 벽측과 장측 심낭 및 심근이 서로 밀착되어 있는 상태이기 때문에 sliding motion이 관찰되지 않고, 수축기 때 심낭과 심근이 동시에 당겨지면서 tethering이 발생한다. 정상적으로는 외측 승모판륜의 운동 속도가 내측 승모판륜의 운동 속도보다 증가되어 있으나, 교착성 심낭염 환자에서는 두꺼워진 심낭에 둘러싸인 외측 승모판륜의 속도가 내측 승모판륜의 속도보다 저하되는 annulus paradoxus가 약 2/3 환자에서 관찰된다(그림 5-2-6).

이 annulus paradoxus는 제한성 심근병증에는 관찰되지 않기 때문에, 교착성 심낭염과 제한성 심근병증을 감별하는데 매우 유용한 지표이다. 교착성 심낭염의 경우 longitudinal strain이 감소되어 있으나, 제한성 심근병증의 경우에는 circumferential strain도 같이 감소되어 있어

이 또한 감별점으로 진단에 활용할 수 있다. 두껍고 딱딱해진 심낭이 심장 전체의 부피를 제한하기 때문에 흡기시에 팽팽해진 우심실이 심실중격을 밀면서 좌심실이 상대적으로 작아지는 ventricular interdependence 현상도 뚜렷해짐으로 인하여 교착성 심낭염의 경우 호기 시에 승모판 혈류가 25% 이상 증가하게 되고(그림 5-2-7A), 심실 중격의 떨림 현상(septal bouncing)이 관찰된다. 호기 초기에 간정맥 역류 혈류의 증가 또한 교착성 심낭염의 중요한 특징 중 하나이다(그림 5-2-7B). 통상적으로 교착성 심낭염의 경우 심실 이완기능장애로 인하여 심방 및 하대정맥이 확장되어 있다.

심장 CT 및 CMR이 교착성 심낭염을 진단하는데 추가적으로 도움을 줄 수 있다. CT 및 MRI 검사들은 심초음파 검사에 비해서 해상도가 좋아서 심낭막을 주변 조직과 잘 구분해주기 때문에 심낭막의 두께를 평가하는데 유용하다. 교착성 심낭염을 진단하는데 특이적인 소견은 아니지만, 심낭막이 두꺼워져 있을 경우(> 4 mm), 교착성 심낭염 진단 가능성이 높아진다. CT는 특히 심낭막의 석회

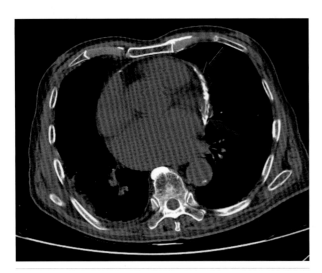

그림 5-2-8. **흉부CT 소견.** 석회화되고 두꺼워진 심낭막이 관찰됨(➡).

3. 심낭압전

화 정도를 평가하는데 매우 유용한데, 교착성 심낭염 환자의 약 25%에서 석회화가 동반되어 있다고 알려져 있다(그림 5-2-8). CMR의 경우 조직 해상도가 좋아서 이를 이용하여 두꺼워진 심낭과 소량의 심낭삼출액을 구별할 수 있으며 심낭의 염증 반응 정도에 대한 정보도 제공해 줄 수 있다. 또한, CMR의 실시간 cine 영상을 이용하여 심실 중격 떨림 현상이나, 흡기시 심실 중격의 좌심실 방향으로 쏠림도 관찰할 수 있다. CT는 흉곽내 조직 유착 정도 평가, 제거해야 할 심낭막의 범위 설정 및 관상동맥 협착의 평가 등 심낭 제거 수술의 술전 검사로 유용하다.

PET은 심낭의 대사활성도를 평가하여 교착성 심낭염의 원인 감별에 도움을 줄 수 있다. 염증성 혹은 암성 질환으로 인한 심낭염의 경우 PET에서 ^{18}F–fluorodeoxyglucose (FDG) 섭취가 증가하게 된다(그림 5-1-8).

과거력에서 특이 소견 없었던 79세 여자가 한 달 전부터 운동 시 호흡곤란을 호소하였다. 혈압이 90/60 mmHg로 낮았고, 심박동수는 분당 106회, 호흡수는 분당 35회였다. 12유도 ECG의 팔다리 유도에서 QRS파의 높이가 < 0.5 mV로 저전압 소견이 관찰되었다(그림 5-3-1). 흉부 X선 검사에서 심장이 구형으로 매우 커져 있는 심비대 소견이 관찰되었다(그림 5-3-2).

경흉부심초음파에서 좌심실의 크기 및 기능은 정상이었고, 심장 전체를 둘러 싸고 있는 다량의 심낭삼출액이 관찰되었다. 심장은 심낭삼출액 안에서 운동성이 증가하여 swinging heart 소견을 보였다. 또한, 많은 양의 심낭삼출에 의해서 수축기에는 우심방이, 이완기에는 우심실이 함몰되는 모습이 관찰되었다(그림 5-3-3).

도플러 검사에서 이완기 승모판 혈류 및 간정맥 혈류의 호흡에 따른 변동 폭의 증가가 뚜렷하였다(그림 5-3-4).

심낭압전으로 진단하고 경피적 심낭 천자를 시도하였다. 심낭 천자시 붉은색의 체액이 흡인되었으며, 200 cc의 심낭삼출액을 배액시키고 도관을 삽입하였다. 심낭삼출액 검사에서 백혈구는 4,670 /mm³(림프구 95%)였으며, adenosine deaminase가 76.8 IU/L로 상승되어 있었다. 세균배양검사와 결핵균 도말 검사 및 암세포 검사는 모두 음성이었다. 심낭삼출 배액 후 환자의 호흡곤란은 호전되었으며, 혈압은 135/70 mmHg, 맥박수 분당 78회, 호흡수 분당 16회로 안정화되었다. 심낭삼출 배액 후 시행한 흉부 CT에서 남아 있는 소량의 심낭삼출액과 함께 두꺼워진

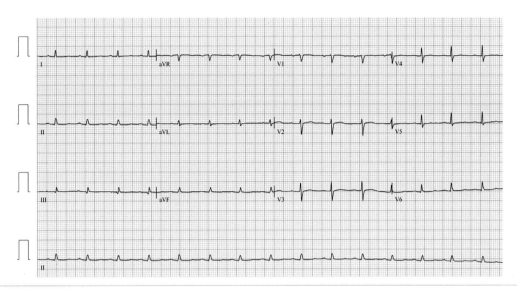

그림 5-3-1. **ECG.** 전 유도에 걸쳐서 저전압 소견이 관찰됨.

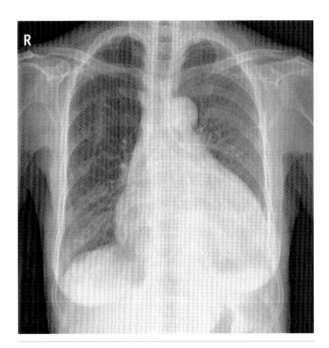

그림 5-3-2. **흉부 X선.** 심한 심비대 소견이 관찰됨.

심낭막을 확인할 수 있었다(그림 5-3-5A). 폐 실질에는 활동성 결핵을 시사하는 소견이 확인되어(그림 5-3-5B), 결핵에 의한 심낭삼출로 진단하고 항결핵제 6개월 요법을 시행하였다.

> **Keynote**

심낭압전은 벽측 심낭과 장측 심낭 사이의 심낭막강 안에 체액이 과도하게 고이면서 심낭막강의 압력이 상승하여 심장을 누르게 되고, 결국 우심실과 좌심실의 혈액 충만이장애를 받아 혈역학적장애가 나타나는 임상 증후군이다. 심낭막강의 체액을 신속하게 제거하지 못하면 치명적일 수 있다. 심낭압전은 호흡곤란, 빈맥, 부종, 경정맥의 확장, 10 mmHg 이상의 기이맥, 저혈압, 심음의 감소, 흉부 X선에서 심비대 및 ECG에서 저전압, 전기적 교대맥 등의 소견으로 의심할 수 있으나, 이와 같은 소견들은 심낭

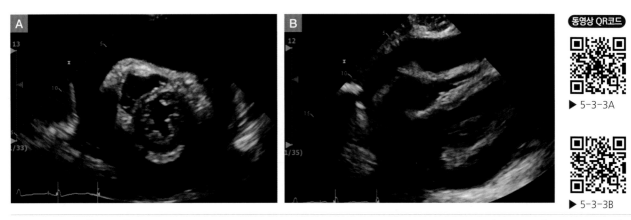

▶ 5-3-3A

▶ 5-3-3B

동영상 QR코드

그림 5-3-3. 경흉부심초음파 소견. 흉골연단축단면도에서 장측 및 벽측 심낭막 사이에 초음파 반향이 없는 공간(= 심낭 삼출)이 관찰되며 심장 전체를 둘러 싸면서, swinging heart 소견을 보임(A). Subcostal view에서 심낭삼출에 의해서 수축기 때 우심방이, 이완기 때 우심실이 눌리는 현상이 관찰됨(B). **(동영상)**

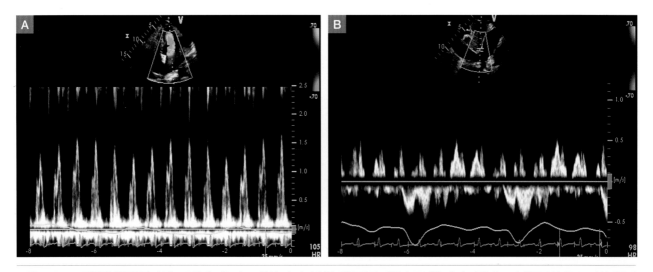

그림 5-3-4. 도플러 심초음파 소견. 호흡에 따른 승모판(A) 및 간정맥(B) 혈류량의 변화가 뚜렷함. 흡기 시에 승모판 혈류량이 줄고, 간정맥에서 심장으로 향하는 혈류량이 증가하는 호흡 변동성이 크게 증가함.

압전에서만 관찰할 수 있는 특이적인 사항은 아니다. 심낭압전의 진단을 위해서는 경흉부심초음파 검사가 필요하다. 그러나 심낭삼출액의 양과 심낭압전 여부는 반드시 비례지는 않으며 심낭삼출액의 양과 더불어 삼출액이 심낭막강에 차오르는 속도도 중요하다. 심낭삼출이 국소적으로 분포하거나, 합병증이 동반된 경우에는 심낭삼출의 양과 위치를 평가하기 위해서 CT나 CMR 검사가 부가적으로 도움이 될 수 있다.

경흉부심초음파는 심낭압전 평가에 있어서 가장 기본적이면서도 중요한 검사이다. 수축기 때 우심방이 눌리는

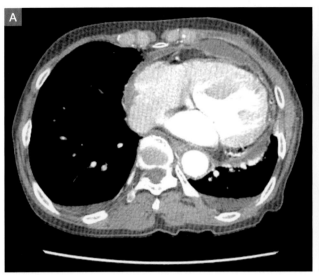 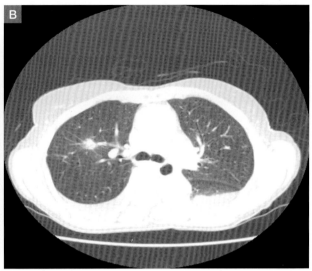

그림 5-3-5. 심낭액 배액 후 시행한 흉부CT 소견. 소량의 심낭삼출액만 남아 있고, 심낭막이 두꺼워져 있음(A). 우측 폐첨부의 폐실질에서 활동성 결핵을 시사하는 간질 음영이 관찰됨(B).

것은 심낭압전의 초기 징후이고, 이완기 때 우심실이 눌리는 현상이 관찰되면 거의 심낭압전이 있을 가능성이 높다. 하지만, 폐동맥 압력이 상승되어 있는 경우에는 우심실의 눌림증이 지연되거나 생기지 않을 수 있다. 심낭삼출액의 양이 많은 경우에는 심장이 심낭삼출액 안에 떠 있는 양상(swinging heart)을 관찰할 수 있으며, 이로 인해서 심전도에서 전기적 교대맥이 관찰되기도 한다. 심낭압전 발생 시에는 호흡에 의한 심장내 혈류 흐름의 변화가 더욱 극대화된다. 즉, 흡기시에 승모판 혈류가 25%이상 감소하고, 삼첨판 혈류는 40%이상 증가하게 되는데, 이를 간헐파도플러를 이용하여 확인할 수 있다. 또한, 심장을 둘러싼 체액이 심장 전체의 부피를 제한하기 때문에 흡기 시에 팽팽해진 우심실이 심실중격을 밀면서 좌심실이 상대적으로 작아지는 ventricular interdependence 현상도 뚜렷해짐을 육안으로 확인할 수 있다. 심낭압전에서 혈액이 우심방으

로 잘 유입이 되지 않기 때문에 하대정맥이 팽대되고 호흡에 따른 변화가 소실된다(IVC plethora). 또한, 호기 시에 간정맥에서 이완기 역혈류가 증가하게 된다.

심초음파상 혈역학적 평가에서 결과가 확실치 않을 때, 심장 CT 및 MRI는 심낭삼출 및 심낭압전의 성상을 평가하는데 추가적인 도움을 준다. 특히, 이들 검사들은 심초음파에 비해서 심낭삼출의 위치 및 양에 대한 좀 더 구체적이고 정확한 정보를 제공해주므로, 심장 수술 후 생긴 국소적 심낭삼출이나 합병증이 동반된 심낭삼출을 평가하는데 유용하다. 또한, 심낭의 비후 및 석회화 등 심낭의 변화를 확인할 수 있고, 대동맥박리나 폐결핵, 종격동 암 등 주변 조직을 평가하여 심낭삼출의 원인에 대한 정보를 얻을 수 있다.

4. 선천성 심낭 결손증

> **증례 1. 무증상 부분 선천성 심낭 결손증**
> **(Asymptomatic partial congenital absence of the pericardium)**

특이 병력 없었던 22세 남자가 군대 신체검사 중 시행한 흉부 X선에서 심비대 소견이 관찰되어 내원하였다. ECG에서는 정상 동율동과 함께 우축편위가 관찰되었으며(그림 5-4-1) 내원하여 다시 시행한 흉부 X선 촬영에서는 심장의 좌측 상단 윤곽이 돌출되어 있었다(그림 5-4-2). 경흉부심초음파를 시행하였을 때, 흉골연장축단면도에서 관찰되는 좌심실의 크기와 수축기능은 정상이었으나, 좌심실 첨부의 과운동성(hypermobility)이 저명하였고 우심실이 커져 있었다(그림 5-4-3). 흉골연단축단면도에서도 좌심실 첨부의 과운동성과 더불어 심실중격 떨림 현상 (septal bouncing)이 관찰되었다(그림 5-4-4). 심첨 4방 단면도에서는 우심실의 확장이 다시 확인되었으며 심장이 진자처럼 흔들리는 양상(pendulum heart)이 관찰되었다(그림 5-4-5). 경흉부심초음파에서는 단락이 의심되는 소견은 관찰되지 않았다. 심장 CT에서 심장이 정상에 비해 좌측으로 돌아가 있었고(levorotation), 대동맥과 폐동맥 사이로 폐실질조직이 끼어들어 있었다(Interposition of lung tissue between the aorta and the main segment of the pulmonary artery). 또한 좌측 심낭이 관찰되지 않았으며, 우심실은 돌출되어 좌측 흉벽에 맞닿아 있었다(그림 5-4-6). CMR에서도 경흉부심초음파 및 심장 CT와 유사한 소견이 관찰되었다(동영상 5-4-7). 환자는 좌측 심낭의 부분 결손증으로 진단되었으며, 호소하는 증상이 없고 동반된 기형이 없어 경과 관찰하기로 하였다.

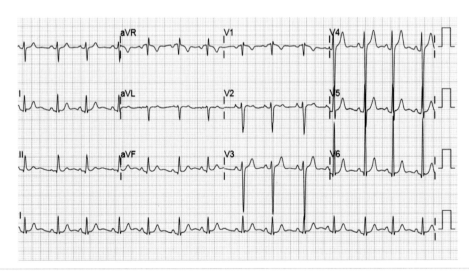

그림 5-4-1. **심전도.** 정상 동율동과 우축편위가 관찰됨.

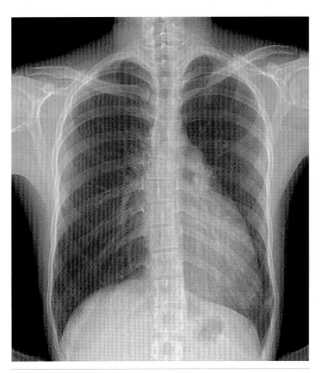

그림 5-4-2. **흉부 X선.** 심비대와 함께 심장 좌측 상부 윤곽의 돌출(bulging contour of the left superior cardiac border) 소견이 관찰됨.

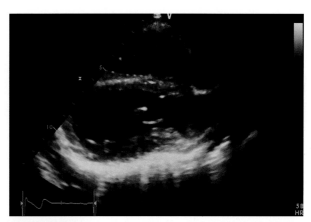

그림 5-4-3. **경흉부심초음파.** 좌심실첨부의 과운동성과 우심실 확장 소견이 관찰됨. **(동영상)**

▶ 5-4-3

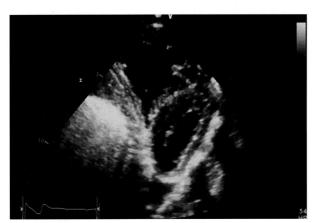

그림 5-4-4. **경흉부심초음파.** 좌심실첨부의 과운동성과 심실중격 떨림 현상(septal bouncing)이 관찰됨. **(동영상)**

▶ 5-4-4

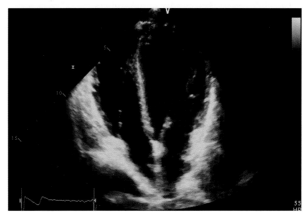

그림 5-4-5. **경흉부심초음파.** 우심실의 확장과 진자처럼 흔들리는 양상(pendulum heart)이 관찰됨. **(동영상)**

▶ 5-4-5

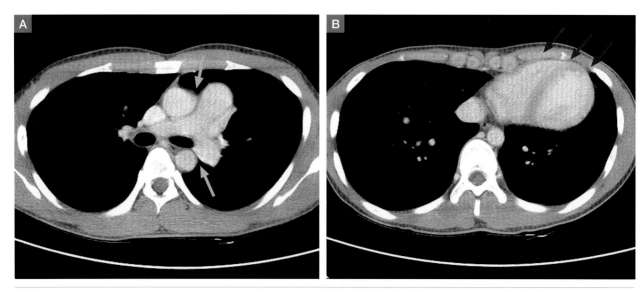

그림 5-4-6. **흉부 CT.** (A) 대동맥과 폐동맥 사이로 폐조직이 삽입된 소견(interposition of lung tissue between the aorta and the main segment of the pulmonary artery)이 관찰됨(➡). (B) 심장이 좌측으로 돌아가 있고 (levorotation), 좌측 심낭이 결손되어 있으며 우심실은 돌출되어 좌측 흉벽에 맞닿아있음 (➡).

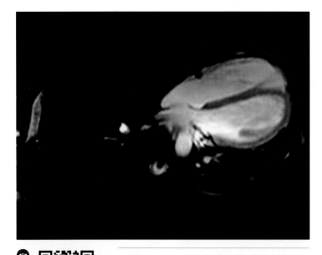

영상 QR코드

▶ 5-4-7

그림 5-4-7. **CMR.** 확장된 우심실과 좌심실 첨부의 과운동성, 좌측심낭의 결손이 관찰됨. **(동영상)**

증례 2. 유증상 부분 선천성 심낭 결손증 (Symptomatic partial congenital absence of the pericardium)

특이 병력 없었던 68세 여자가 가슴통증으로 내원하였다. 흉부 X선에서는 심비대가 관찰되었다(그림 5-4-8). 경흉부심초음파에서는 우심실 첨부의 일부가 바깥쪽으로 돌출된 소견(bulging contour)이 관찰되었다(그림 5-4-9). 심장 CT에서 돌출된 우심실 첨부의 심낭이 결여된 소견이 확인되어(그림 5-4-10), 우측 심낭의 부분 결손증과 이로 인한 우심실 첨부의 이탈(herniation)로 진단되었다.

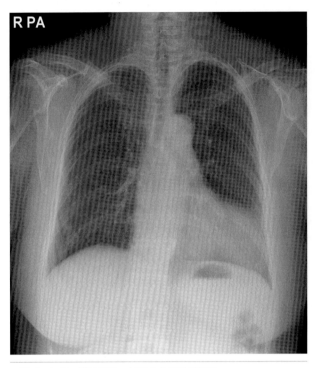

그림 5-4-8. 흉부 X선. 심비대 소견이 관찰됨.

> **Keynote**

선천성 심낭 결손증은 심장을 싸고 있는 fibroserous membrane이 전부 또는 부분적으로 없는 드문 기형이다. Pericardial cavity와 pleural cavity를 구분 짓는 pleuro-pericardial membranes의 발달과정에 문제가 있는 경우 발생하는데, 좌측 공통 심장정맥의 조기 퇴화로 인해 pleuropericardium으로의 혈류가 부족해지는 것이 원인으로 알려져 있다. 심낭의 결손 정도에 따라 완전(complete) 혹은 부분(partial) 결손증으로 구분하며, 부분 결손증이 보다 흔하다. 가장 흔한 형태는 좌측 심낭의 결손으로 약 70%를 차지하며 남성에서 보다 흔하다. 우측 심낭 결손증이 약 17%, 완전 심낭 결손증이 약 9%를 차지하고 있다. 대부분의 환자들은 심낭 결손증만 단독으로 이환되어 있으나, 30%의 경우에는 동반된 심혈관 혹은 폐

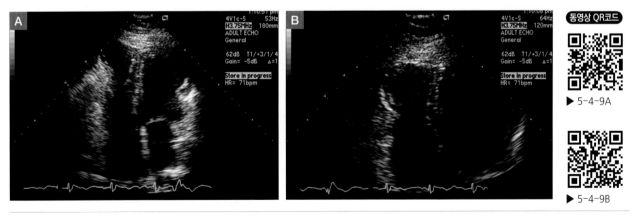

그림 5-4-9. 경흉부심초음파. 우심실 첨부의 일부가 돌출 소견(bulging contour)을 보임. 심첨4방도(A)와 확대영상(B)에서 관찰됨.

동영상 QR코드

▶ 5-4-9A

▶ 5-4-9B

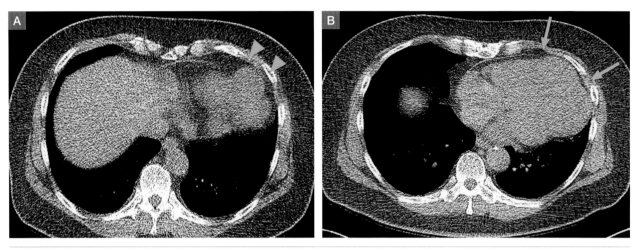

그림 5-4-10. **심장 CT.** (A) 우심실 첨부의 일부가 돌출 소견(bulging contour)을 보임(▶). (B) Pericardial lining의 일부가 결손되어 있음(━▶).

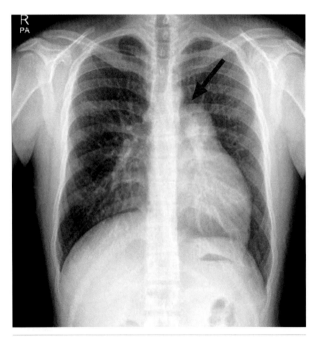

그림 5-4-11. **흉부 X선.** 폐조직이 pericardial cavity에 끼어들면서 대동맥과 폐동맥 사이에 lucent area가 관찰됨(━▶).

이상을 갖고 있다. 또한 VATER syndrome (vertebral defects, anal atresia, tracheoesophageal fistula, and radial and renal dysplasia), Marfan's syndrome, and Pallister-Killian syndrome (tetrasomy 12p) 같은 증후군의 일환일 수도 있어 이러한 질환의 발현인지에 대한 평가가 필요할 수 있다.

선천성 심낭 결손증 환자의 대부분은 무증상이나, 찌르는 양상의 비전형적 가슴통증, 호흡곤란, 어지러움, 심계항진을 비롯한 다양한 증상이 발현할 수 있다. 완전 심낭 결손증 환자들의 예후는 대부분 양호하나, 부분 심낭 결손증의 경우에는 결손된 부위로 심장이 이탈되면서, 건삭이 당겨지고 이로 인한 삼첨판 역류증, 허혈, 심근의 교액(목조름) 및 급사의 위험이 있다. 완전 심낭 결손증 혹은 작은 크기의 부분 심낭 결손증의 경우에는 합병증이 동반되지 않은 한 특별한 조치를 요하지 않는다. 만약 이탈이 발생하거나 발생할 가능성이 높아 보이는 경우에는 심낭 절제술을 통해 결손 부위를 넓히거나 심낭 교정술을 시행할 수 있다. 즉, 부분 심낭 결손증의 치료 적응증은, 환자의 증상, 결손의 크기 및 위치에 의해 결정된다.

흉부 X선에서는 심장 음영의 좌축 편위가 있으면서 기도는 일탈되어 있지 않고 제자리에 있는 소견이 전형적이다. 좌심실의 윤곽이 편평하고 길쭉해 보이는 양상도 특징적이다. 폐조직이 pericardial cavity에 끼어들면서 심장과 횡격막 사이 혹은 대동맥과 폐동맥 사이에 lucent area가 관찰되기도 한다(그림 5-4-11). ECG에서는 우각차단을 동반한 서맥이 대표적인 소견이며, poor R wave progression과 prominent P wave가 관찰될 수 있다. 심초음파를 통해 선천성 심낭 결손증을 의심할 수 있는데, 심초음파를 이용하여 심낭 결손증 환자를 평가하기 위해서는 보다 측면이면서 상방의 심초음파 창에서 검사를 시행해야 한다. 심실 중격의 역행성 혹은 편평한 수축기 운동, 심장의 과운동성(cardiac hypermobility), 수축기에 확장된 우심실이 관찰될 수 있다. 눈물방울 형태(teardrop appearance)의 좌심실, 심첨4방도에서 관찰되는 길쭉한 심방 또한 특징적인 소견으로, 이는 심장이 종격동에 고정되지 않기 때문에 발생한다. 심장 CT 및 CMR을 통해 심낭이 없음을 확진할 수 있다. 또한 완전 결손증과 부분 결손증을 감별하는 것이 임상적으로 중요하며 이를 위해서도 심장 CT 및 CMR의 시행이 필요하다. 심낭의 결손 부위로 심장이 이탈(herniation)되는 소견을 관찰할 수 있으며, 완전 결손의 경우 와위(decubitus) 심장 CT에서 우축편위가 관찰된다.

■ 참 고 문 헌 ■

1. Adler Y, Cha r ron P, Imazio M, et al. Eur Heart J 2015;36 (42):2921-2964.

2. Cosyns B, Plein S, Nihoyanpoulos P, et al. Eur Heart J 2015;16:12-31.

3. Cremer PC, Kumar A, Kontzias A, et al. J Am Coll Cardiol 2016;68(21):2311-2328.

4. Falk RH, Quarta CC, Dorbala S. Circ Cardiovasc Imaging 2014;7:552-562.

5. James OG, Christensen JD, Wong TZ, et al. Radiographics 2011;31(5):1271-86.

6. Kim HJ, Cho YS, Cho GY, et al. J Cardiovasc Ultrasound 2014;22(1):36-39.

7. Kim MJ, Kim HK, Jung JH et al. Heart 2017;103(15):1203-1209.

8. Klein AL, Abbara S, Agler DA, et al. J Am Soc Echocardiogr 2013;26:965-1012.

9. Klein AL, Abbara S, Agler DA, et al. J Am Soc Echocardiogr 2013;26:965-1012.

10. Koyama J, Ray-Sequin PA, Falk RH. Circulation 2003;107:2446-2452.

11. Little WC, Freeman GL. Circulation 2006;113(12):1622-1632.

12. Rahman JE, Helou EF, Gelzer-Bell R, et al. J Am Coll Cardiol 2004;43:410-415.

13. Shah AB, Kronzon I. Eur Heart J Cardiovasc Imaging 2015;16(8):821-827.

14. Talreja DR, Edwards WD, Danielson GK, et al. Circulation 2003;108(15):1852-1857.

15. Verhaert D, Gabriel RS, Johnston D, et al. Circ Cardiovasc Imaging 2010;3:333-343.

CHAPTER VI Cardiac tumor and mass

1. Thrombus

심장내 혈전은 다양한 임상상황에서 관찰되며, 색전증을 유발하여 뇌졸중 등 다양한 질환을 유발할 수 있을 뿐 아니라 심하면 사망에 이를 수 있다. 좌심실 혈전은 흔히 심근경색 후 운동장애를 보이면서 심실류가 형성된 부위, 대표적으로 심첨부에 발생할 수 있다. 좌심방 혈전은 주로 심방 세동 또는 승모판 협착증과 관련하여 발생하며 좌심방이 또는 좌심방 후벽에서 흔히 관찰된다.

1) 좌심실 혈전

좌심실 혈전은 심근경색, 심실류, DCM으로 인해 국소벽 운동장애가 발생한 부위에 호발하고, 유두근, 육주(trabeculation), 가근과 같은 정상구조물, 또는 허상과 감별이 필요하다.

① 심초음파

경흉부심초음파는 심장내 혈전 진단의 일차 검사로 활용되고 있으며 민감도 및 특이도가 각각 92-95%,

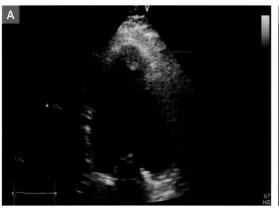
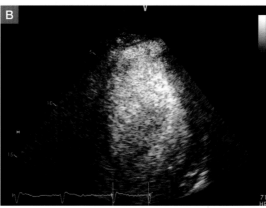

▶ 6-1-1A

▶ 6-1-1B

동영상 QR코드

그림 6-1-1. 좌심실 혈전의 감별진단. 61세 남자가 급성심근경색이 발생하여 LAD에 PCI를 시행하였다. 경흉부심초음파에서 심첨부의 운동저하 및 심실류(aneurysm) 형성 부위에 종양이 의심되는 음영(➜)이 관찰되었다. **(A)** 심근경색 후 심실류가 형성되고 국소벽 운동장애가 지속된 점을 고려하여 심첨부 혈전을 의심하였으나, 경흉부심초음파 영상의 해상도가 불량하여 이를 평가하기에는 제한적이다. **(B)** 정확한 감별을 위해 조영제(SonoVue; 1-2 mL)를 주입하고 경흉부심초음파를 시행한 결과, 심첨부의 혈전으로 의심되던 부위에 조영제가 충분히 채워지면서 혈전이 없음을 확인할 수 있었고, 심첨부의 육주(trabeculation)가 두드러지는 소견을 확인할 수 있었다. **(동영상)**

86-88%로 매우 높다고 알려져 있다. 하지만 일부 환자에서는 영상의 질이 좋지 않아 심초음파만으로 평가가 제한적일 수 있다. 이러한 경우, 조영제를 추가로 활용하여 경흉부심초음파를 시행하면 감별진단에 도움을 받을 수 있다(그림 6-1-1).

② 심장 CT

일반적으로 심장내 혈전을 진단하기 위해 심장 CT를 촬영하지는 않지만, 심장 CT에서 추가적으로 심장내 혈전이 확인되는 경우가 종종 있다. 심장 CT에서 혈전은 충만 결손의 형태로 관찰되며, 조영증강이 되지 않는다는 점에서 다른 종양들과 구별할 수 있다.

③ CMR

심장내 혈전이 의심되지만 감별진단이 필요할 때 CMR이 매우 중요한 역할을 한다. 우선 cine MRI에서 일차적으로 심장내 혈전의 위치를 확인할 수 있는데, 경색으로 인해 운동이 저하된 부위에 혈전이 형성되는 것이 특징적이다(그림 6-1-2). 하지만 혈전의 형성 시기와 기질화(organization) 정도 등에 따라 신호강도가 달라지기 때문에 혈

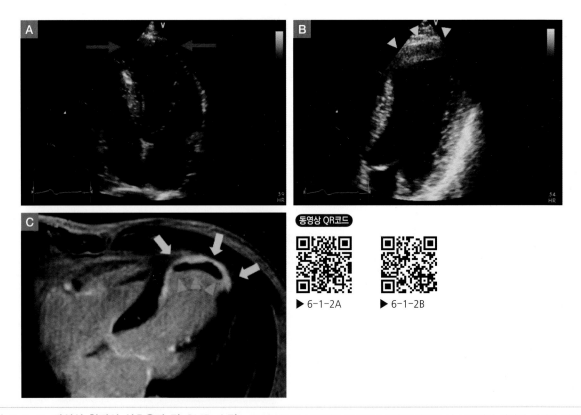

동영상 QR코드

▶ 6-1-2A   ▶ 6-1-2B

그림 6-1-2. 좌심실 혈전의 심초음파 및 CMR 소견. 61세 남자가 뇌경색이 발생하여 입원하였으며 뇌 MRI에서 다발성 색전성 병변이 확인되어 심인성 뇌경색(cardiogenic embolic infarction)으로 판단하였고, 원인감별을 위해 경흉부심초음파 검사를 시행하였다. 환자는 20년 전에 급성심근경색으로 진단받고 혈전용해술을 받은 병력이 있었으며, 경흉부심초음파에서 심첨부의 무수축(akinesia) 소견이 관찰되었다(A, ➡). 심첨부를 다양한 방향에서 살펴 볼 수 있도록 탐촉자의 위치를 조절하자, 심첨부 심실 내에 균질한 음영증가 소견이 관찰되어 심첨부 혈전을 의심할 수 있었다(B, ▶). 심첨부 혈전의 정확한 평가를 위하여 CMR을 시행하였으며, 역전시간을 길게 설정해서 LGE 영상을 획득했을 때 심첨부의 경색부위가 확인되었고(➡), 경색 부위에 연하여 좌심실 내강에 균질한 저음영 소견이 확인되어 심첨부 혈전을 진단할 수 있었다(C, ▶). **(동영상)**

전이 주위심근과 비슷한 신호강도를 보일 수 있어, 조영증강 없이 cine MRI만으로는 혈전을 놓칠 수 있다. 지연조영증강(late gadolinium enhancement, LGE) 영상을 활용하면 심장내 혈전은 전혀 조영증강이 되지 않고 균등하게 저신호강도를 보이기 때문에 보다 정확한 진단이 가능하다. 일반적으로 심근경색의 평가를 위해서 LGE 영상을 획득할 때 심근의 신호를 무효화시키는 역전시간(inversion time, TI)을 선택하는데, 이에 추가로 무혈성조직(avascular tissue)의 신호를 무효화할 수 있도록 역전시간을 600 msec 전후로 길게 설정하여 영상을 획득하면, 주변의 심근은 신호강도가 증가하지만 혈전은 균등하게 저신호강도를 보여 정확한 진단에 유용하다.

2) 좌심방 혈전

좌심방 혈전은 좌심방내의 혈류가 정체되는 상황에 호발하는데, 대표적으로 심방세동, 류마티스성 승모판 협착증에서 흔히 관찰된다.

① 심초음파

좌심방은 흉골연이나 심첨부로부터 상대적으로 먼 곳에 위치하고, 좌심방의 혈전 대부분이 좌심방이에 발생하기 때문에 경흉부심초음파를 활용해서 좌심방 혈전을 진단하는 것은 쉽지 않다. 간혹 일부 환자에서 흉골연 단축면 또는 심첨 2방도에서 좌심방이 혈전을 진단하는 경우도 있지만, 경흉부심초음파의 좌심방 혈전 진단의 민감도는 50% 이하로 알려져 있다. 반면 경식도심초음파는 심장의 후면에 위치한 좌심방 및 좌심방이의 영상화에 훨씬 유리하며, 수술장 소견과 비교하여 경식도심초음파의 좌심방 혈전 진단의 민감도는 95-100%로 알려져 있다. 따라서 현재 경식도심초음파가 좌심방 혈전의 진단을 위한 표준검사로 활용되고 있다.

② 심장 CT

심장 CT에서 좌심방내 저음영(low attenuation) 소견으로 좌심방 혈전을 진단할 수 있다(그림 6-1-3). 경식도심초

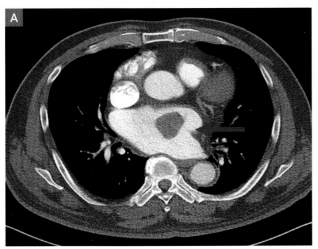
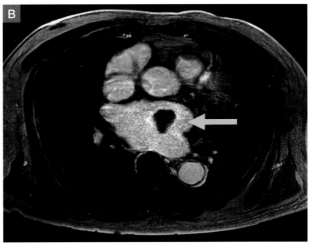

그림 6-1-3. 좌심방 혈전의 CT 및 CMR 소견. 방광암으로 치료받던 70세 남자가 흉부 CT에서 좌심방 내 종양이 발견되었다(A). 흉부 CT의 조영증강영상에서 균질한 저음영의 충만결손 양상을 보였으며(➡), (B) CMR을 촬영하였을 때, T1 역전시간을 길게 설정한 LGE 영상에서 좌심방내 종양이 균등한 저신호강도를 보여(➡) 좌심방 혈전으로 진단하였다.

음파와 비교하여 심장 CT의 진단능을 메타분석에서 확인해보았을 때, 민감도 96%, 특이도 92%로 확인되었다. 하지만 느린 혈류(sluggish flow) 때문에 좌심방 또는 좌심방이로의 조영제 도달이 늦어져도 심장 CT에서 저음영 소견을 보여 혈전으로 오인될 수 있는데, 지연영상을 추가로 획득하면 감별이 용이하다(그림 6-1-4). 메타분석에서 지연영상을 활용하면 민감도 및 특이도가 각각 100%, 99%로 향상됨을 보고하였다.

2. 점액종

점액종은 심장의 원발성 종양 중 가장 흔한 종양으로, 원발성 종양의 약 30-40%를 차지한다. 점액종의 약 75%가 좌심방에서 관찰되고 주로 난원와(fossa ovalis)에 위치하지만, 우심방, 심실내, 또는 승모판막 등에서 발견되는 경우도 있다. 점액종은 크기, 모양, 질감이 다양하며, 매끈한 형태를 띠기도 하지만, 불규칙한 형태에 사상성의 엽(filamentous fronds)을 갖기도 하고, 포도송이 모양을 띨 때도 있다. 조직학적으로 점액종은 점액질이 풍부한 비균

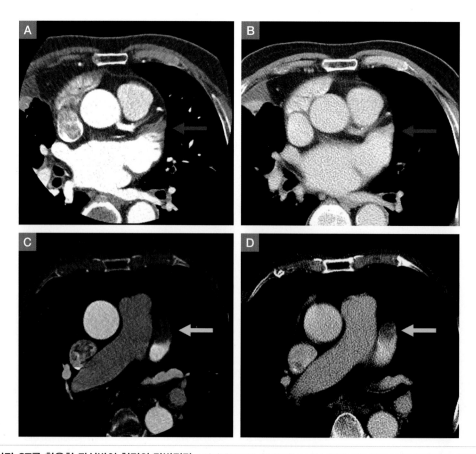

그림 6-1-4. 심장 CT를 활용한 좌심방이 혈전의 감별진단. 심방세동으로 진단받은 64세 남자가 직류전기 동율동전환술을 위해 입원하여 심장 CT를 시행한 결과, 조영증강 영상에서 좌심방이의 충만결손이 확인되었다(A, ➡). 하지만 지연영상에서 해당 부위에 조영제가 채워지는 양상이 확인되어 좌심방이 혈전은 배제할 수 있었고, 성공적으로 동율동전환술을 시행하였다(B). 심부전, 심방세동, 류마티스성 승모판 협착증으로 치료 중인 80세 남자의 심장 CT 소견으로, 조영증강 영상에서 좌심방이 내의 충만결손(➡)이 관찰되었으며, (C) 지연영상에서도 충만결손 소견이 확인되어 좌심방이 혈전으로 진단할 수 있었다(D).

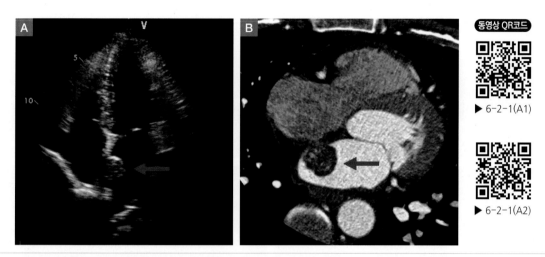

그림 6-2-1. 좌심방 점액종의 심초음파 및 심장 CT 소견. 48세 여자가 건강검진 목적으로 시행한 경흉부심초음파와 심장 CT에서 우연히 좌심방의 점액종이 확인되었다(➡ ; A, B). 심방중격 중앙부에 2.5 x 2 cm 크기의 종양이 관찰되었으며, 심장 CT에서 점액종은 비균질한 저음영 소견을 보였다. **(동영상)**

질 낭성 조직으로 출혈, hemosiderin, 섬유화, 석회화 등을 포함한다.

1) 심초음파

일반적으로 경흉부심초음파 검사가 점액종 진단을 위한 일차 검사로 활용되고 있으며, 경흉부심초음파를 통해 점액종의 위치, 크기, 부착 부위, 유동성 등을 평가한다(그림 6-2-1, 그림 6-2-2, 그림 6-2-3). 좌심방의 심방중격 중앙부에서 기시하는 전형적인 점액종의 경우 심초음파 소견으로 점액종을 진단할 수 있다. 점액종은 종종 혈전과의 감별이 필요한데, 혈전이 주로 좌심방의 후벽에 위치하는 반면, 점액종은 줄기(stalk)가 있고 주로 심방중격에 붙어 있다는 점이 감별점이다(그림 6-2-1). 좌심방 및 우심방 점액종의 경우 색도플러 초음파 검사를 활용해서 승모판 및 삼첨판의 폐쇄나 역류를 유발하는지를 함께 평가해야 한다(그림 6-2-2). 경식도심초음파를 활용하면 경흉부심초음파보다 민감하게 점액종을 진단할 수 있으며, 특히 줄기(stalk)의 유무 등 해부학적 특성을 평가하는데 유리하다(그림 6-2-2, 그림 6-2-3).

2) 심장 CT

점액종을 진단하기 위해 심장 CT를 시행하지는 않지만, 다른 목적으로 시행한 심장 CT에서 종종 점액종이 발견된다. 심장 CT에서 점액종은 점액질 때문에 비균질한 저음영 소견을 보인다(그림 6-2-1, 그림 6-2-2, 그림 6-2-3). 점액종은 일반적으로 크기가 크고, 전형적인 위치와 형태를 가지고 있으며 유동성을 보인다는 것이 혈전과의 감별점이다. 후향적으로 심전도 동기화 영상을 획득한 경우에는 심장 CT를 동영상으로 재구성해서 종양의 유동성을 확인할 수 있다(동영상 6-2-2H, 동영상 6-2-2I). 하지만 CT에서 확인된 음영저하나 석회화 소견은 혈전과의 감별에 도움이 되지 않는다.

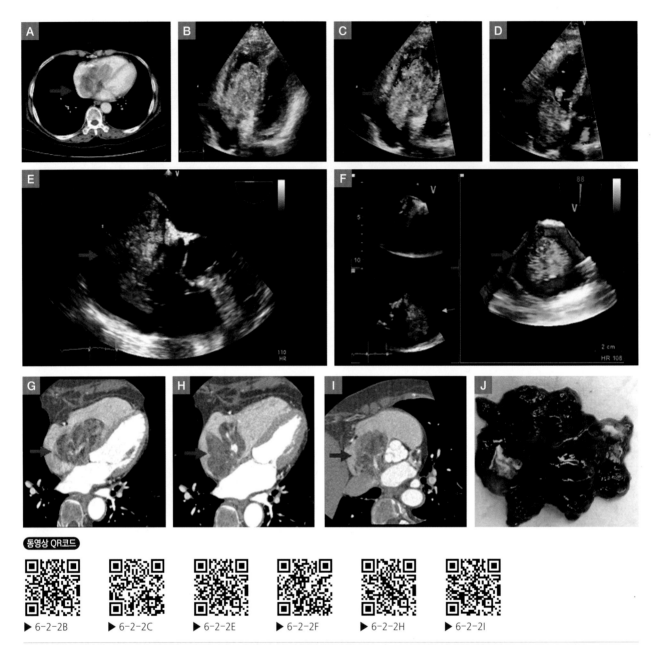

그림 6-2-2. **점액종의 진단 및 평가.** 70세 여자가 2주 전부터 발열 및 오한이 지속되어 복부 CT를 시행하였고, 심장 하부가 함께 영상화되면서 우심방에서 우심실에 걸쳐 있는 거대한 종양이 발견되었다(A). 이어서 시행한 경흉부심초음파에서, 우심방의 7 x 4 cm 크기의 거대한 종양이 삼첨판막을 지나 우심실까지 진동하는 소견이 관찰되었으며, 삼첨판의 기능 및 삼첨판을 통해 유입되는 우심실 혈류의 제한은 없는 상태였다(B, C, D). 경식도심초음파에서도 우심방 종양이 심방중격에 부착된 상태에서 우심실로 탈출했다 돌아오는 진동 양상을 확인하고 점액종의 가능성이 가장 높다고 판단하였다(E, F). 개심 수술 전 관상동맥질환의 평가를 위해 시행한 심장 CT에서 종양 관련 소견을 살펴보면, 심방중격에 부착된 종양이 우심실로 탈출하는 소견을 보였으며(G, H, I), 형태학적으로는 불규칙한 표면을 가지고 있고, 비균질한 저음영소견을 보이는 종양의 내부가 일부 조영증강되는 소견이었다. 수술 검체는 매끈한 피막으로 둘러싸여 있었고, 절개하였을 때 점액질의 물질로 구성되어 있으며, 일부 낭성 구조 및 출혈 소견이 관찰되었다(J). **(동영상)**

3) CMR

심장내 종양을 진단할 때 CMR을 시행하는 주된 목적은 종양의 조직학적 특성을 파악하고, 다른 종양과 감별하기 위해서이다. Cine MRI에서는 심초음파 검사와 마찬가지로 특징적인 점액종의 형태, 위치, 유동성 등을 확인할 수 있다. 점액종은 조직학적으로 비균질한 특성 때문

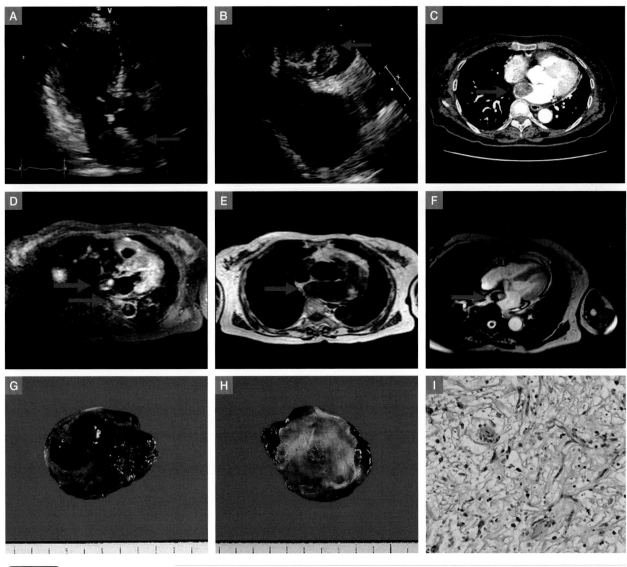

▶ 6-2-3A   ▶ 6-2-3B

그림 6-2-3. 점액종의 CMR 및 수술 소견. 난소암에 대해 수술을 계획하던 79세 여자가 수술전 심혈관계 위험도 평가를 위해 시행한 경흉부심초음파에서 좌심방에 3.5 x 2.5 cm 크기의 종양이 발견되었다(A). 이어서 시행한 경식도심초음파에서 심방중격에 부착된 좌심방 종양이 확인되었으며(B), 이 종양은 심장 CT에서는 비균질 저음영 소견을 보였다(C). CMR에서는 지방신호를 억제한 T1 강조영상(T1 weighted image with fat suppression)에서 심근에 비해 저신호강도(D), T2 강조영상(T2 weighted image)에서 심근에 비해 고신호강도(E)를 보였는데, 두 영상 모두에서 종양 내부의 신호강도가 비균질한 양상이었다(F). 수술로 제거한 종양은 점액질로 구성되어 있었고, 내부에 출혈 및 괴사 소견이 동반된 좌심방 점액종으로 확인되었다(G, H, I). **(동영상).**

에 CMR에서도 비균질한 신호강도를 보이는데, 일반적으로 T1강조영상에서는 심근과 비슷하거나 낮은 신호강도를 보이고, T2강조영상에서는 고신호강도를 보인다(그림 6-2-3). 점액종 내부에 급성 출혈이 동반된 경우 해당 부위는 T1, T2강조영상에서 모두 저신호강도를 보이지만, 오래된 출혈의 경우 T1, T2강조영상 모두에서 고신호강도를 보인다. Hemosiderin은 T1, T2강조영상 모두에서 저신호강도를 보인다. LGE 영상에서 점액종은 대부분 비균질한 조영증강양상을 보인다(그림 6-2-3).

3. Primary malignant cardiac tumors

원발성 심장 종양의 25%가 악성으로 보고되고 있으며, 악성 종양의 95%가 육종(sarcoma)이고, 나머지 5%는 림프종(lymphoma)이다. 육종 중에서는 혈관육종(angiosarcoma)이 가장 흔하고, 이외에도 횡문근육종(rhabdomyosarcoma), 평활근육종(leiomyosarcoma), 섬유육종(fibrosarcoma), 림프관육종(lymphangiosarcoma), 골육종(osteosarcoma) 등이 있다.

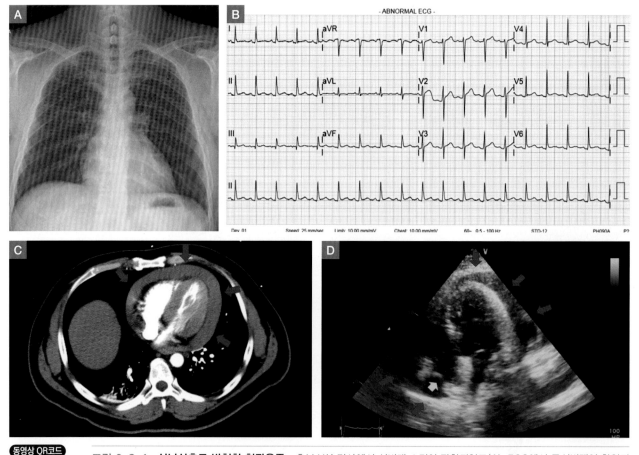

동영상 QR코드

그림 6-3-1. 심낭삼출로 발현한 혈관육종. 흉부 X선 검사에서 심비대 소견이 관찰되었고(A), ECG에서 동성빈맥이 확인되었다(B). 흉부 CT에서 심장을 둘러싸는 심낭삼출(➡)이 관찰되었으며(C), 경흉부심초음파에서 심낭삼출(➡)과 함께 이완기 우심방 함입 소견이 관찰되었다(D, ➡). **(동영상)**

▶ 6-3-1D

1) 혈관육종(Angiosarcoma)

증례 1. 우심방 혈관육종(Right atrial angiosarcoma)

44세 남자가 진통제에도 호전되지 않는 우측 흉통과 호흡곤란을 주소로 응급실에 내원하였다. 내원 당시 39℃의 발열이 있었고, 흉부 X선 검사에서 심비대, 12유도 ECG에서는 동성빈맥이 확인되었다(그림 6-3-1). 흉부 CT 및 경흉부심초음파에서 다량의 심낭삼출액으로 인한 심낭압전 소견이 확인되어 응급 심낭천자술을 시행하였다. 심낭삼출액 검사에서는 protein 3200.8 mg/dL, ADA 39 IU/L (Ref: 5.3-17.8), RBC 2925000/uL, WBC 400/uL (macrophage 21%, neutrophil 29%, lymphocyte 42%, eosinophil 8%)로 확인되었고, 세포원심분리(cytospin) 검사에서 악성세포는 관찰되지 않았다. 고용량의 NSAID 치료를 시작한 후, 흉통 및 심낭삼출 호전되었으며, 1개월 후 시행한 경흉부심초음파에서도 유의한 이상소견은 관찰되지 않았다.

하지만 6개월 후 경흉부심초음파를 시행하였을 때, 우심방 내에 종양 의심 소견이 있어, agitated saline test를 시행한 결과 우심방 내에 위치한 종양을 확인하였다(그림 6-3-2). 추가로 시행한 경식도심초음파에서도 우심방 후벽에 위치한 4.8 × 4.7 cm 크기의 종양이 관찰되었다(그림 6-3-2).

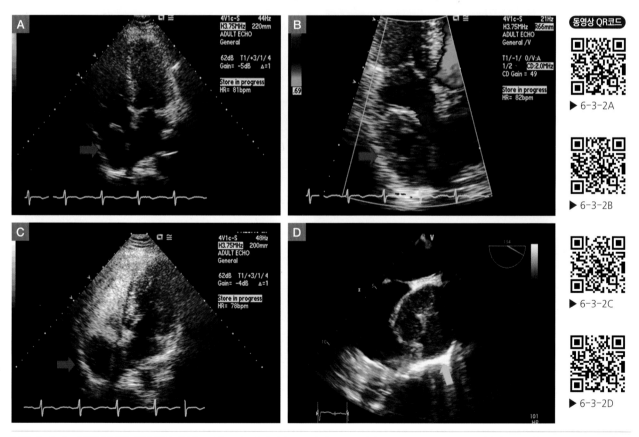

그림 6-3-2. **혈관육종의 심초음파 소견.** 경흉부심초음파에서 우심방의 둥근 모양의 종양이 의심되는 소견으로(A, B, ➡) agitated saline을 주입하여 획득한 영상에서 우심방 내 충만 결손을 확인하여 우심방 후벽에 위치한 종양임을 확인하였다(C). 이어서 시행한 경식도심초음파에서 우심방 후벽에 비균질한 에코양상(echogenicity)를 보이는 종양(➡)이 확인되었다(D). **(동영상)**

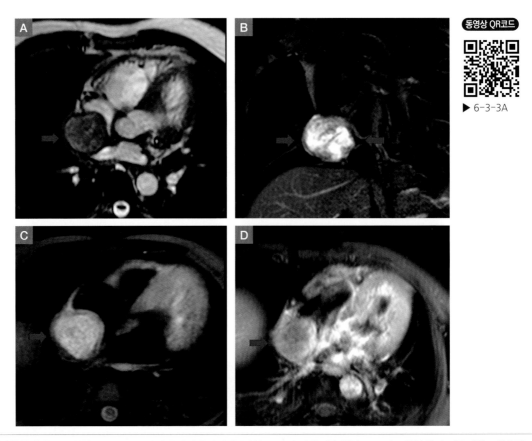

동영상 QR코드

▶ 6-3-3A

그림 6-3-3. 혈관육종의 CMR 소견. Cine MRI에서 우심방의 커다란 종양(→)이 관찰되었다(A). T2 강조 영상에서 비균질한 고신호강도를 나타내고(B) T1 강조 영상에서는 심근과 비슷한 정도의 신호강도와 일부 저신호강도로 관찰되는 부위가 혼재된 양상이었다(C). 조영증강영상에서는 종양의 표면이 주로 조영증강되는 양상으로서, 전형적인 angiosarcoma로 진단되었다(D). **(동영상)**

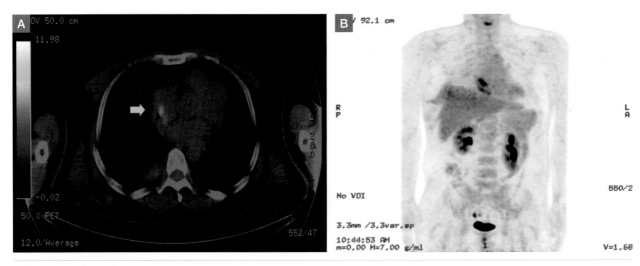

그림 6-3-4. 혈관육종의 FDG PET 소견. 전신 FDG PET에서 우심방 종양의 FDG 섭취 증가 소견이 확인되었다(A, B, →).

CMR을 시행하였을 때, 우심방 후벽에 부착된 5.5 cm 크기의 종양으로서 종양의 주변부가 조영증강을 보이고, T1 강조영상에서는 주변 심근과 비슷한 신호강도와 저신호강도가 혼재된 양상이었고 T2 강조영상에서 신호강도는 비균질하였으나 전체적으로 주변 심근에 비해 신호강도가 현저히 증가한 소견이었다(그림 6-3-3). 전신 PET–CT에서 우심방 내 종양의 섭취 증가 소견이 확인되었고, 이외에 심장 이외에 원격전이를 시사하는 FDG 섭취 증가소견은 없었다(그림 6-3-4). 이에 우심방 종양의 제거 수술을 시행하였고, 병리검사 결과 혈관육종(cardiac angiosarcoma)으로 진단하였다.

증례 2. 폐동맥 혈관육종(Pulmonary artery angiosarcoma)

42세 남자가 등의 통증과 기침, 호흡곤란을 주소로 내원하였다. 경흉부심초음파 검사 결과, 우측 폐동맥이 저에코성 종양으로 인해 폐쇄된 소견이 관찰되었다. 우심실의 확장 또는 우심실 기능저하 소견은 동반되지 않았으며, 우심실유출로 혈류의 acceleration time으로 Mahan's equation에 따라 추정한 폐동맥평균수축기압은 13 mmHg로 정상범위였다(그림 6-3-5).

흉부 CT를 시행하였을 때, 우폐동맥의 폐쇄를 유발하고 있는 종양이 확인되었으며(그림 6-3-6A), 폐동맥 혈전증

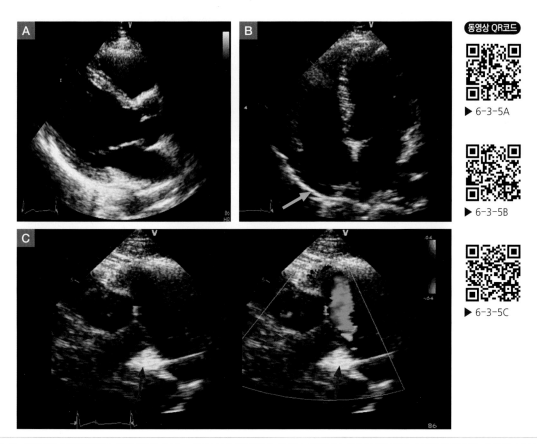

동영상 QR코드

▶ 6-3-5A

▶ 6-3-5B

▶ 6-3-5C

그림 6-3-5. **폐동맥 혈관육종의 심초음파 소견.** 경흉부심초음파에서 우심실 확장이나 우심실 기능저하 소견은 없었으며, 소량의 심낭삼출(⇢)이 관찰되었다(A, B). 흉골연단축단면도에서 우폐동맥에 저에코성 병변이 관찰되었으며(➡), 이로 인해 혈류가 차단된 소견이었다(C). **(동영상)**

과의 감별을 위해 CMR을 시행한 결과, 6.8 × 2.2 cm 크기의 우폐동맥 종양이 T1강조영상에서는 신호강도가 높지 않았으나 T2강조영상에서는 고신호강도를 보였고, 불규칙하게 조영증강되는 소견을 보여 폐동맥 혈전증이 아님을 확인할 수 있었다(그림 6-3-6C, 6-3-6D, 6-3-6E). 이어서 시행한 전신 PET-CT에서는 종양의 FDG의 섭취가 증가한 소견으로 악성 종양을 시사하였다(그림 6-3-6B).

> **Keynote**

혈관육종은 가장 흔한 원발성 악성 심장종양으로, 여성보다는 남성에서 흔히 발생하며, 소아에서는 드물다. 우심방에 호발하며 심막을 흔히 침범하기 때문에, 우심 충만장애로 인한 증상 또는 심낭삼출(pericardial effusion), 심낭압전(cardiac tamponade)으로 나타나는 경우가 많다. 혈성 심낭삼출을 잘 동반하지만, 삼출액에서 악성종양세포가 검출되지 않는 경우가 흔해서 진단이 지연되는 경우

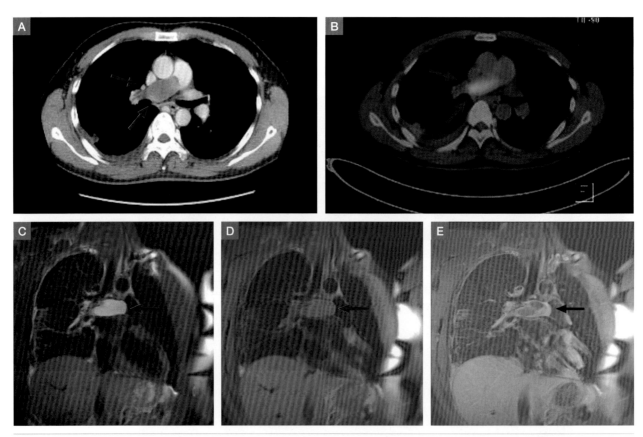

그림 6-3-6. 폐동맥 혈관육종의 흉부 CT, FDG PET, CMR 소견. 흉부 CT에서 우폐동맥의 폐쇄를 유발하는 저음영 종괴(➤)가 관찰되었으며(A), 전신 PET-CT에서는 우폐동맥 종양의 FDG 섭취 증가소견이 확인되었다(B). CMR의 T2 강조영상에서는 우폐동맥 종양이 고신호강도를 보였고(C), T1 강조영상에서는 동신호강도(iso-signal intensity)를 보였으며(D), T1강조 지연조영영상에서는 비균질한 조영증강 소견과 내부의 괴사성 부위가 관찰되어(E), 우폐동맥의 육종을 의심하였다. 수술로 종양을 제거하였으며, 병리검사에서 방추세포(spindle cell) 양상의 암종 및 세포괴사 소견이 관찰되어 혈관육종으로 확진되었다.

가 종종 있다. 조직학적으로 혈관육종은 전체적으로 출혈성 침윤성 종양(hemorrhagic infiltrative mass)의 형태를 띠고 괴사(necrosis)가 흔히 동반된다.

① 심초음파

혈관육종은 주로 우심방에 호발하며, 30-40%의 환자에서 심낭삼출액을 동반하기 때문에 경흉부심초음파를 통해 종양의 위치, 심낭삼출액의 동반 여부 등으로 혈관육종을 의심할 수 있다.

② 심장 CT

심장 CT에서 혈관육종은 우심방의 저음영 종양으로서 불규칙하고 결절이 많은 형태를 띠며, 심막이나 주변조직으로의 미만성 침윤이 동반되기도 한다. 조영증강 영상에서는 비균질한 조영증강소견을 보인다.

③ CMR

CMR에서 혈관육종은 커다란 미만성 종양의 형태를 띠며, 종양조직에 괴사, 출혈이 동반되어 T1, T2 강조영상에서 모두 비균질한 신호강도를 보인다(cauliflower appearance). T1강조영상에서는 심근과 비슷한 신호강도를 보이는 부분과 저신호, 고신호 강도를 보이는 부분이 혼재하고, T2강조영상에서 비균질하게 고신호강도를 보인다. 조영증강영상에서는 비균질하게 조영증강되는 소견을 보이는데 주로 표면이 조영증강되는 양상을 보인다(sunray appearance).

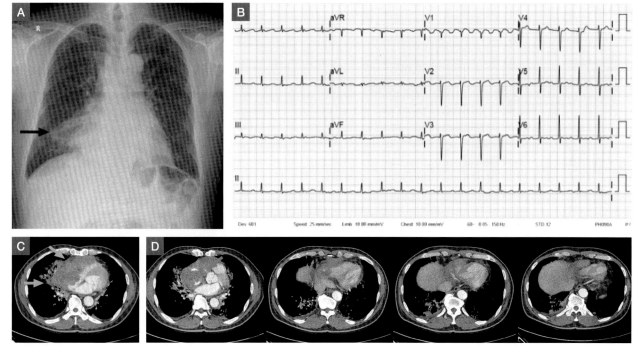

동영상 QR코드

▶ 6-3-7D

그림 6-3-7. 심장 림프종. 흉부 X선 검사에서 우심방의 경계가 정상과 달리 볼록한 윤곽(bulging contour)이 관찰되었고 (A, ➡), ECG에서 심방조동의 2:1 전도가 확인되었다(B). 흉부 CT에서 우심방과 우심실을 광범위하게 침범하는 거대한 종양(➡)이 관찰되었다(C). 심전도-동기화를 시행하지 않았기 때문에 RCA 내부로의 침범여부 평가가 제한적이었지만 RCA가 근위부에서부터 원위부까지 조영증강이 잘되는 소견으로(➡) 혈류가 양호하게 유지됨을 알 수 있다(D). **(동영상)**

증례. 심장 림프종(Cardiac lymphoma)

64세 남자가 1개월 전부터 지속되는 발열 및 오한을 주소로 내원하였다. 흉부 X선 검사에서는 우심방의 경계가 정상과 달리 볼록한 윤곽(bulging contour)를 보이고 있었고, ECG에서는 심방조동(atrial flutter)의 2:1 전도로 인한 빈맥이 관찰되었다(그림 6-3-7). 이어서 시행한 흉부 CT에서 우심방과 우심실, 그리고 상대정맥을 침범하는 거대한 종양이 관찰되었다. 종양은 우측의 방실홈(AV groove)을 침범하고 있었지만 우관상동맥(right coronary artery, RCA) 내부로 침범하지는 않는 소견으로 원위부까지 혈류가 유지되고 있는 양상이었다(그림 6-3-7D).

경흉부심초음파에서는 우심방 내부에 5 × 5 cm 크기의 다엽성 고에코 종양이 관찰되었고, 우심실의 외벽(free wall)에도 종양이 침윤되어 우심실 외벽이 두꺼워진 양상이었다(그림 6-3-8).

전신 FDG PET에서는 우심방과 우심실의 종양에서 FDG 섭취가 현저하게 증가된 소견이었고(SUV 11.6) (그림 6-3-9), 투시영상(fluoroscopy) 및 경흉부심초음파로 실시간 감시하면서 시행한 EMB에서 미만성 B형 대세포 림프종으로 진단되었다.

환자는 R-CHOP regimen의 항암치료를 6회 시행하였으며, 항암치료 후 시행한 경흉부심초음파에서는 우심실의 종양은 소실되었고 우심방 내부의 종양 크기가 5 × 5 cm에서 3 × 1 cm으로 감소한 소견을 보였다(그림 6-3-10).

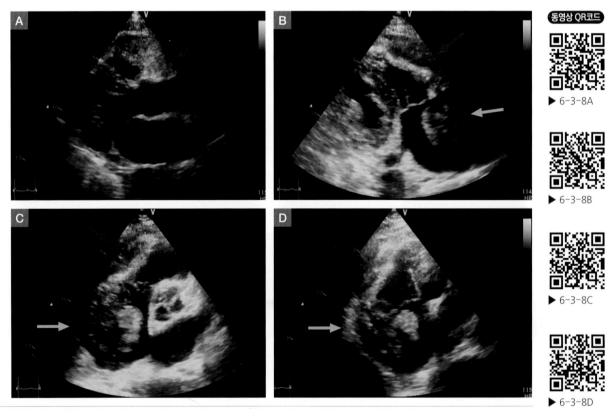

동영상 QR코드

▶ 6-3-8A

▶ 6-3-8B

▶ 6-3-8C

▶ 6-3-8D

그림 6-3-8. 심장 림프종의 심초음파 소견. 경흉부심초음파에서는 우심실의 외벽(free wall)이 두꺼워지고 운동성이 저하되어 있으며(➡), 우심방의 가측 벽에 고정된 고에코성 종양이 관찰되었다(➡). **(동영상)**

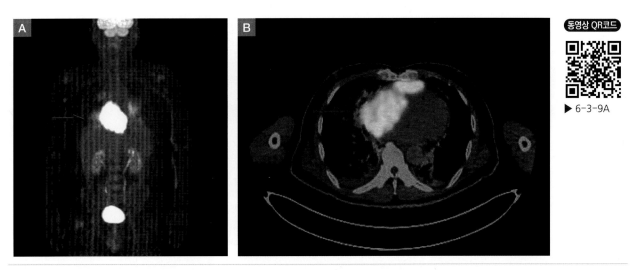

동영상 QR코드

▶ 6-3-9A

그림 6-3-9. **심장 림프종의 FDG PET 소견.** 전신 FDG PET에서는 우심방과 우심실을 침범한 종양의 FDG 섭취가 현저히 증가하여(➡), SUV 11.6으로 측정되었다(A, B). **(동영상)**

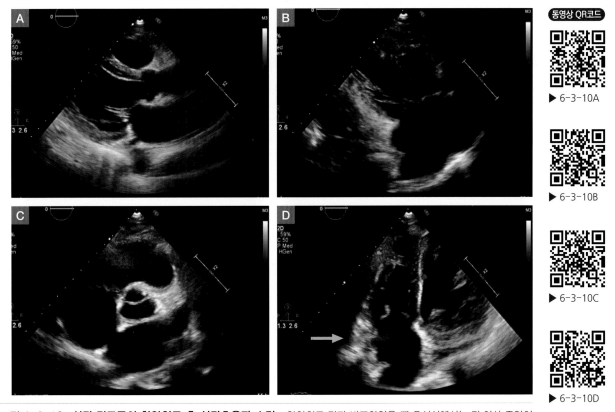

동영상 QR코드

▶ 6-3-10A

▶ 6-3-10B

▶ 6-3-10C

▶ 6-3-10D

그림 6-3-10. **심장 림프종의 항암치료 후 심장초음파 소견.** 항암치료 전과 비교하였을 때 우심실에서는 더 이상 종양이 관찰되지 않으며, 우심방의 종양은 유의하게 크기가 감소하였다(➡). **(동영상)**

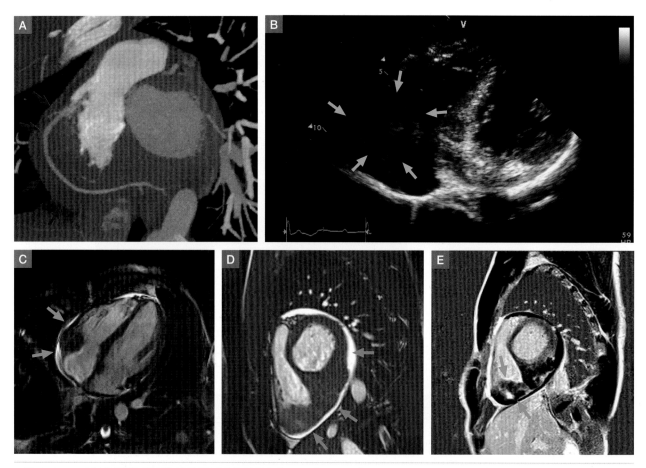

그림 6-3-11. **관상동맥을 둘러싼 심장 림프종의 심초음파, CT, CMR 소견.** 과거 특이병력 없던 26세 남자가 호흡곤란과 흉부 불편감을 주소로 내원하였으며, 완전 방실차단이 확인되었다. 원인감별을 위해 시행한 심장 CT에서 우심방과 우심실 사이의 방실홈(AV groove)을 침범하는 저음영의 종양이 확인되었는데, RCA를 둘러싸는 양상이었으나 동맥을 직접 침범하거나 압박하지는 않아서 RCA의 주행은 유지되는 소견이었다(A, ➡). 경흉부심초음파에서 우심방에서 우심실까지 진입하는 불규칙한 모양의 종양이 확인되었다(B, ➡). CMR에서 우측 심실구와 심장의 하벽을 침범하는 침윤성 종양이 관찰되었으며(C, D, ➡), LGE 영상에서는 종양 내부가 불규칙하게 조영 증강되는 양상을 보였다(E, ➡). EMB에서 심근을 침범한 림프종으로 진단되었다.

> **Keynote**

원발성 심장 림프종은 심장이나 심막에 국한된 림프종으로 주로 B세포 림프종이다. 매우 드문 질환이며, 면역결핍환자에서 주로 발병하지만, 면역이 정상인 사람에서도 발생할 수 있다. 심낭삼출, 심장종양, 부정맥 등 다양한 양상으로 발현하며 영상 검사가 진단에 도움이 되지만 비특이적이다.

① 심초음파

경흉부심초음파는 심장 림프종 진단의 일차 검사로 활용되고 있으며, 주로 우심, 특히 우심방에 관찰되는 심장 종양으로 발견되거나, 또는 심낭삼출이 일차 소견으로 나타난다.

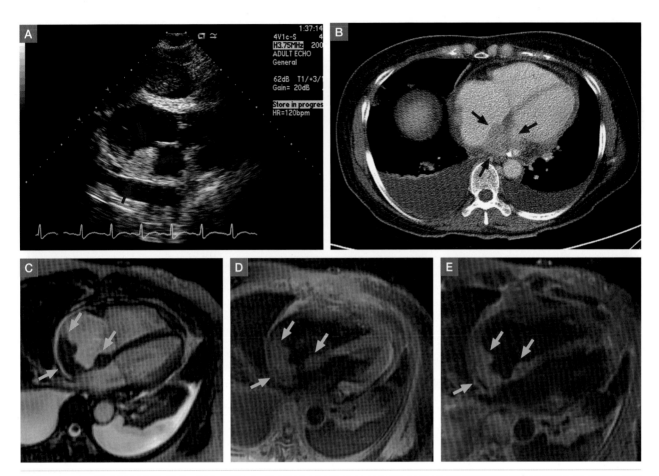

그림 6-3-12. **심장 림프종의 CMR 소견.** 체중감소와 흉부 불편감을 주소로 내원한 54세 여자의 경흉부심초음파 검사에서 심낭삼출과 함께 우심방의 후벽에 위치한 종양이 관찰되었다(A, ➡). 흉부 CT에서 우심방 종괴는 조영증강이 되는 균질한 양상을 보였고(B, ➡), CMR에서도 동일한 위치의 균질한 우심방 종양이 관찰되었다(C, ➡). 우심방 종양은 CMR T1 강조영상에서 저신호강도를 보였고(D), T2 강조영상에서는 심근에 비해 고신호강도 양상을 보였다(E). EMB에서 림프종으로 진단되었다. (Reproduced with permission from Lee SP et al Korean Circ J 2011;41:555-558)

② 심장 CT

심장 CT에서 심장 림프종은 주로 저음영 또는 심근과 비슷한 음영을 보이고, 불규칙하고 다양한 형태의 침윤성 종양의 형태를 보인다(그림 6-3-11, 그림 6-3-12). 조영증강 영상에서 비균질한 조영증강 소견을 보인다.

③ CMR

CMR에서 심장 림프종은 T1강조영상에서는 저신호강도 또는 심근과 비슷한 비슷한 신호강도를 보이고, T2강조영상에서는 심근과 비슷한 신호강도 또는 고신호강도를 보인다(그림 6-3-11, 그림 6-3-12). 조영증강의 정도는 다양하다.

4. Metastatic tumor

심장은 다른 장기에 비해 암의 전이가 상대적으로 적게 발생하는 장기라고 알려져 있지만, 임상에서 심장전이는 드물지 않게 관찰된다. 부검 연구 결과 심장 전이의 빈도는 전체의 0.7%에서 3.5%로 보고되고 있으며, 악성종양이 이미 진단된 환자군에서는 9.1%로 보고되었다. 심장전이를 가장 많이 유발하는 악성질환은 폐암으로 심장전이 환자의 36-39%를 차지한다고 알려져 있다(그림 6-4-1). 그 다음으로 유방암(10-12%)과 혈액종양(10-21%)의 심장전이가 흔히 관찰된다.

심장 전이는 다양한 방식으로 일어난다. 폐나 식도와 같은 주변 장기의 악성 종양이 직접 심장을 침범하기도 하고(direct extension) (그림 6-4-1), 정맥을 통해 심장 안으로 침범하기도 하는데(transvenous extension) (그림 6-4-3) 신세포암이나 간세포암이 하대정맥(inferior vena cava, IVC)을 통해 우심방 내부로 침범하는 경우가 대표적이다(그림 6-4-4). 또한 혈행성 전이(hematogenous spread)를 통해 심근 또는 심내막 전이가 발생하기도 하며(그림 6-4-2), 림프성 전이(lymphatic spread)로 심장막(pericardium) 또는 심외막(epicardium) 전이가 발생하기도 한다. 심장전이가 가장 흔히 관찰되는 부위는 심장막(pericardium)이고 이어서 심외막(epicardium), 심근(myocardium)의 순으로 심장전이가 관찰된다. 심내막(endocardium)이나 심장내 전이는 상대적으로 드물다고 알려져 있다.

1) 심장 영상 검사

악성종양이 있는 환자가 새롭게 심장 관련 증상을 호소하는 경우, 특히 원격 전이(distant metastasis)가 있거나 흉부를 침범한 경우 심장전이의 가능성을 항상 염두에 두고 신체 검진 및 심전도 검사, 흉부 X선 검사 등을 확인해야 한다(그림 6-4-3). 또한 심장전이의 진단에는 영상 검사

들이 매우 중요한 역할을 하기 때문에 이들을 잘 활용해야 한다.

① 심초음파

심장전이가 의심될 때 일차 검사로 경흉부심초음파를 활용하게 된다. 경흉부심초음파로 심낭삼출을 진단하고 심낭압전(cardiac tamponade)의 동반여부를 평가할 수 있으며, 종양이 관찰되는 경우, 종양의 위치, 크기, 유동성 등을 종합적으로 평가할 수 있다. 심장 종양의 경우 혈전, vegetation 등과의 감별을 요하기 때문에 주의가 필요하다. 그리고 심방내 종양이 심실로의 혈류 유입을 막아 심부전을 유발하기도 하고, 심실내 종양이 우심실 또는 좌심실 유출로 폐색을 유발하여 심인성 쇼크를 유발할 수도 있기 때문에, 색도플러 검사를 활용하여 심장내 종양이 혈류에 미치는 영향을 평가하는 것도 중요하다(그림 6-4-3). 이렇게 심초음파 검사는 심장전이의 평가에 있어 매우 유용한 검사이지만 일부 환자에서는 echo window가 좋지 않아 평가가 제한적일 수 있으며, 심장 바깥쪽의 구조물을 평가하기 어려울 때가 많다. 이럴 때는 심장 CT, CMR 검사를 활용할 수 있으며, PET도 심장전이 평가에 중요한 역할을 한다.

② CMR

CMR은 심초음파 검사와 달리 echo window의 제한없이 영상면을 설정하여 영상을 획득할 수 있다. 뿐만 아니라 심장 외부를 함께 영상화 할 수 있어, 주변 장기의 종양이 직접 심장을 침범할 때 이를 평가하기에 유용하다(그림 6-4-1). 또한 CMR을 활용하면 조직의 특성을 파악할 수 있기 때문에 심초음파 검사로는 평가가 제한적인 심근으로의 전이를 평가하는데 도움을 받을 수 있다. 그리고 조영증강 영상을 획득하면 양성종양과 악성종양의 감별에 도움을 받을 수 있는데, 대표적으로 역전시간(inversion

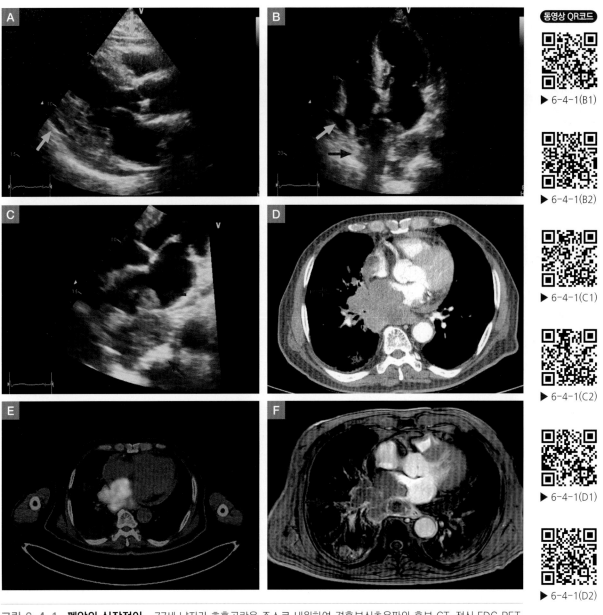

동영상 QR코드

▶ 6-4-1(B1)

▶ 6-4-1(B2)

▶ 6-4-1(C1)

▶ 6-4-1(C2)

▶ 6-4-1(D1)

▶ 6-4-1(D2)

▶ 6-4-1E

▶ 6-4-1F

그림 6-4-1. 폐암의 심장전이. 77세 남자가 호흡곤란을 주소로 내원하여 경흉부심초음파와 흉부 CT, 전신 FDG PET, CMR을 시행하였다. 경흉부심초음파에서 소량의 심낭삼출이 관찰되었고(A, B, ➡), 좌심방의 후벽 외부에서 기시하여 좌심실 내부까지 이어지는 7.3 x 5.8 cm 크기의 고에코성 종양이 확인되었다(B, C, ➡). 흉부 CT에서는 폐 우하엽의 anteroabasal segment 기관지 폐쇄를 유발하는 7.7 cm 크기의 종양이 좌심방과 IVC까지 직접 침범(direct invasion)한 소견이 관찰되었고(D), 전신 FDG-PET 검사에서도 폐 우하엽과 좌심방의 종양에서 maximum SUV 10.6의 FDG 섭취 증가 소견이 관찰되었으며 다수의 림프절 및 폐결절의 FDG 섭취 증가소견이 함께 확인되었다(E). CMR을 시행한 결과, 우측 폐문과 좌심방, IVC까지 침범하는 악성 종양이 확인되었다(F). 기관지내시경을 통한 조직검사에서 소세포폐암으로 진단되었으며, 항암화학요법을 시작하였다. **(동영상)**

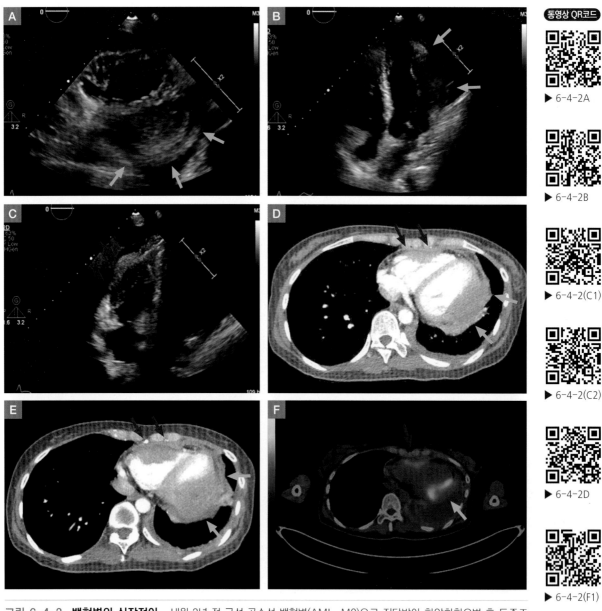

동영상 QR코드

▶ 6-4-2A

▶ 6-4-2B

▶ 6-4-2(C1)

▶ 6-4-2(C2)

▶ 6-4-2D

▶ 6-4-2(F1)

▶ 6-4-2(F2)

그림 6-4-2. **백혈병의 심장전이.** 내원 2년 전 급성 골수성 백혈병(AML, M0)으로 진단받아 항암화학요법 후 동종조혈모세포이식을 받은 뒤 완전관해 상태로 추적 관찰 중이던 37세 여자가 흉통과 호흡곤란을 주소로 내원하였다. 경흉부심초음파에서 좌심실의 후벽에 5.6 x 2.4 cm 크기의 침윤성 종양이 관찰되고(➡), 우심실 외벽(free wall)의 심근 두께가 1.6 cm 으로 증가한 소견으로(➡) 우심실 외벽에도 침윤성 종양이 의심되었다(A, B, C). LVEF 48%, 우심실 분획면적변화(fractional area change, FAC)는 14%로 좌심실과 우심실의 기능부전이 확인되었다. 흉부 CT에서 우심실과 좌심실의 침윤성 조직과 함께 심막의 결절화(nodular thickening) 소견이 관찰되었다(D, E). 전신 FDG-PET 검사를 시행한 결과, 좌심실 후벽 및 우심실 외벽의 FDG 섭취 증가(좌심실 후벽 maximum SUV = 9.3) 양상이 관찰되고, 좌측 흉막, 다수의 종격동 림프절 및 쇄골상림프절(supraclavicular LN), 췌장 및 췌장 주위 림프절의 FDG 섭취 증가소견이 확인되었다(F). 환자는 급성 골수성 백혈병의 재발로 진단되었고, 항암화학요법과 방사선치료를 받았다. **(동영상)**

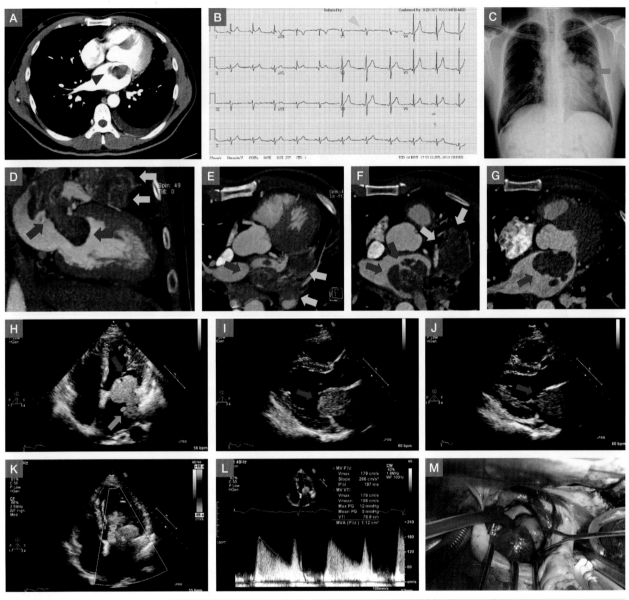

▶ 6-4-3(H1)   ▶ 6-4-3(H2)

▶ 6-4-3I   ▶ 6-4-3K

그림 6-4-3. 간세포암의 심장전이. 만성B형간염 및 간경화로 치료받던 47세 남자가 간세포암 진단되어 간우엽절제술을 시행한 뒤 추적관찰하던 중, alpha-fetoprotein (AFP) 수치가 상승하였고, 이에 시행한 간 CT에서 좌심방 종양이 확인되었다(A, ▶). ECG에서는 정상 동율동과 함께 좌심방의 확대를 시사하는 P-mitrale 소견이 관찰되었고(B, ▶), 흉부 X선 검사에서는 좌측 폐야 중간부위의 종양이 관찰되었다(C, ➡). 좌심방 종양의 평가를 위해 심장 CT를 시행한 결과, 폐 좌상엽(➡)에서 좌측 폐정맥을 따라 좌심방 내부(➡)로 이어지는 저음영 종양이 관찰되었다(D, E, F, G). 경흉부심초음파에서도 좌측 폐정맥을 통해 좌심방 내부로 이어지는 종양의 양상(➡)이 확인되었으며(H), 종양은 균질한 고에코성상을 띄고 있었고 (➡) 심박동에 따라 좌심실을 향해 진자운동 양상의 움직임을 보이고 있었다(I, J). 좌심방 종양으로 인해 승모판막의 유의한 혈류제한이 발생하여 승모판막의 평균압력차가 5 mmHg로 증가하였으며, 좌심방이 확장되어 있었다(K, L). 좌심방의 종양을 수술적 방법으로 제거하였으며, 병리학적 검사 결과 간세포암의 폐 좌상엽 및 좌심방 전이로 진단되었다(M). **(동영상)**

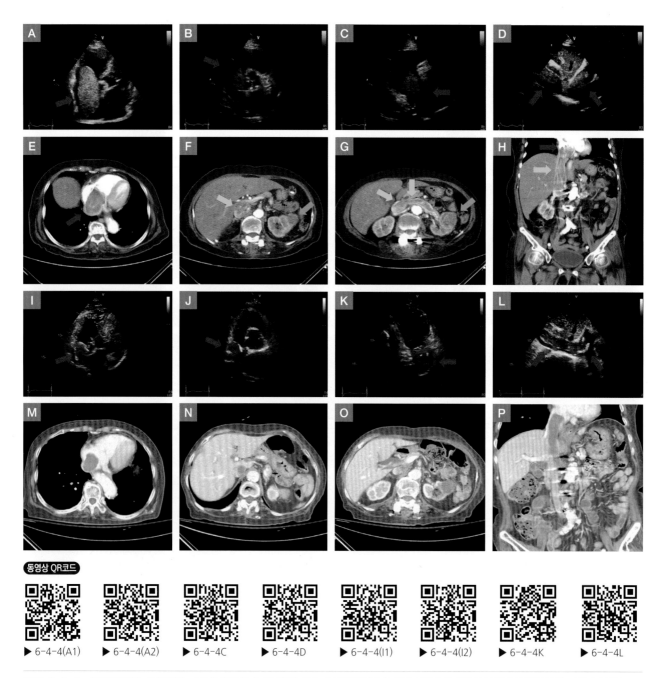

동영상 QR코드

▶ 6-4-4(A1) ▶ 6-4-4(A2) ▶ 6-4-4C ▶ 6-4-4D ▶ 6-4-4(I1) ▶ 6-4-4(I2) ▶ 6-4-4K ▶ 6-4-4L

그림 6-4-4. 신세포암의 심장전이. 78세 여자가 호흡곤란을 주소로 내원하였으며, 경흉부심초음파에서 우심방의 과운동성 고에코 종양(➡️)이 발견되었다(A, B, C). 종양의 크기가 7.8 x 3.4 cm으로 매우 컸고, 종양은 IVC에서 기시하여 우심방으로 진입한 양상이었다(D). 복부 CT에서는 우심방(➡️)과 IVC (➡️)의 종양이 조영증강 영상에서 충만결손 양상으로 관찰되었으며, 좌측 신장에 4.2 cm 크기의 종양이 관찰되었다(E, F, G, H, ➡️). 신장 조직검사에서 신세포암(renal cell carcinoma)으로 진단되었으며, 좌측 신장의 신세포암에 대한 색전술을 시행한 뒤 pazopanib, axitinib 등의 표적 항암제를 투여하며 2년간 추적관찰하였다. 2년 후 시행한 경흉부심초음파에서 우심방의 종양은 표면의 에코 음영이 증가하고 크기는 감소하였으며(4.2 x 2.8 cm), IVC에서 관찰되던 종양의 크기도 감소하였다(I, J, K, L). 복부 CT에서도 마찬가지로 우심방과 IVC의 종양 크기가 유의하게 감소하였으며, 좌측 신장의 신세포암도 크기가 3.4 cm으로 감소하였다(M, N, O, P). **(동영상)**

time, TI)을 길게 해서 LGE 영상을 획득하면 악성 종양과 혈전을 쉽게 감별할 수 있다.

③ 심장 CT

심장 CT는 CMR에 비해 공간해상도가 뛰어나고 CMR과 마찬가지로 심장 외부를 함께 영상화하기 때문에, 주변 장기의 종양이 심장을 직접 침범한 경우 유용하다. 반면 CMR에 비해 조직대조도(tissue contrast)가 낮아 조직의 특성을 파악하는데 활용하기는 어렵다. 심장내 종양은 조영증강 CT에서 충만결손(filling defect) 소견을 보여 진단되며, CT의 해상도가 뛰어나기 때문에 혈관내 종양을 평가할 때 유용하다(그림 6-4-4). 특히 심전도 동기화(ECG-gated) CT를 활용하면 관상동맥이 침범되었는지를 평가할 수 있다.

④ PET

FDG PET은 악성 종양에서 포도당 대사가 증가하는 특성을 활용하여 양성, 악성 종양을 감별할 수 있다. 하지만 다른 장기와 달리 심장전이를 평가할 때는 정상심근의 FDG 섭취까지 억제해야 한다. 이를 위해 18시간 이상의 금식과 고지방, 저탄수화물 식이 등의 준비가 필요하다.

■ 참고문헌 ■

1. 한국심초음파학회. 임상심초음파학 제3판. 대한의학
2. Al-Mamgani A, Baartman L, Baaijens M, de Pree I, Incrocci L, Levendag PC. Cardiac metastases. Int J Clin Oncol 2008;13:369-372.
3. Bogaert, S.Dymarkowski, A.M. Taylor. Clinical Cardiac MRI. Springer. J.
4. Bruce CJ. Cardiac tumours: diagnosis and management. Heart 2011;97:151-160.
5. Bussani R, De-Giorgio F, Abbate A, Silvestri F. Cardiac metastases. J Clin Pathol 2007;60:27-34.
6. Butany J, Leong SW, Carmichael K, Komeda M. A 30-year analysis of cardiac neoplasms at autopsy. Can J Cardiol 2005;21:675-680.
7. Esposito A, De Cobelli F, Ironi G, Marra P, Canu T, Mellone R, Del Maschio A. CMR in the assessment of cardiac masses: primary malignant tumors. JACC Cardiovasc Imaging 2014;7(10):1057-61.
8. JACC Cardiovasc Imaging. 2014;7(10):1057-61. doi: 10.1016/j.jcmg.2014.08.002. CMR in the assessment of cardiac masses:primary malignant tumors. Esposito A, De Cobelli F, Ironi G, Marra P, Canu T, Mellone R, Del Maschio A.
9. JACC Cardiovasc Imaging. 2014;7(10):1057-61. doi: 10.1016/j.jcmg.2014.08.002. CMR in the assessment of cardiac masses:primary malignant tumors. Esposito A, De Cobelli F, Ironi G, Marra P, Canu T, Mellone R, Del Maschio A.
10. Korean Circ J. 2011;41(9):555-8. doi: 10.4070/kcj.2011.41.9.555. Epub 2011 Sep 29.
11. Lee SP, Choi EK, Kim TM, Park EA, Kim HK, Cho HJ, Oh S. Multimodality imaging can help to doubt, diagnose and followup cardiac mass.
12. Reynen K, Kockeritz U, Strasser RH. Metastases to the heart. Ann Oncol 2004;15:375-381.
13. Romero J, Husain SA, Kelesidis I, Sanz J, Medina HM, Garcia MJ. Detection of left atrial appendage thrombus by cardiac computed tomography in patients with atrial fibrillation: a meta-analysis. Circ Cardiovasc Imaging 2013;6(2):185-94.
14. Sparrow PJ, Kurian JB, Jones TR, Sivananthan MU. MR imaging of cardiac tumors. Radiographics 2005;25(5):1255-76.
15. Tae-Hwan Lim. Practical Textbook of Cardiac CT and MRI. Springer
16. Tumors Metastatic to the Heart. Aaron D. Goldberg, Ron Blankstein, and Robert F. Padera. Circulation 2013;128:1790-0794.
17. William F. Armstrong, Thomas Ryan. Feigenbaum's Echocardiography 8th edition. Wolters Kluwer.
18. Yusuf SW, Bathina JD, Qureshi S, Kaynak HE, Banchs J, Trent JC, Ravi V, Daher IN, Swafford J. Cardiac tumors in a tertiary care cancer hospital: clinical features, echocardiographic findings, treatment and outcomes. Heart Int 2012;7:e4.

선천성 심질환
(Congenital Heart Disease)

1. 심실중격결손(Ventricular Septal Defect, VSD)

증례. 대혈관하형 심실중격결손(Subarterial VSD)

56세 남자가 태어날 때 수술이 필요한 선천성 심기형이 있다고 들었으나 치료나 추적관찰 없이 지내던 중, 6개월 전부터 진행한 체중 감소 및 발열을 주소로 연고지 인근 병원을 방문하였다. 심초음파에서 대동맥판막, 폐동맥판

막에 증식물(vegetation)이 관찰되고 혈액 배양검사에서 *Streptococcus bovis* 균주가 동정되어 감염성 심내막염으로 진단받고, 항생제 치료를 시작하였다. 2주 후 체온은 정상화되었고 혈액 배양검사에서 균은 음전되었으며, 심초음파 추적 검사에서 폐동맥판막의 증식물은 더 이상 관찰되지 않았다. 항생제 치료 유지하던 중, 기침, 늑막성 흉통에 동반된 재발열이 확인되어, 이에 대한 추가 평가 및 치료를 위해 본원으로 전원하였다. 내원 시 생체 징후는 혈압 145/67 mmHg, 호흡수 18회/분, 말초 산소 포화도

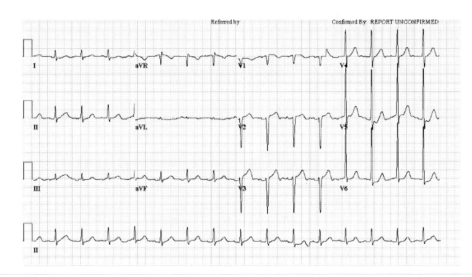

그림 7-1-1. **심전도 소견.** 좌심실비대가 관찰됨.

99%, 체온은 39.1℃였다. 심전도에서 정상 동율동에 좌심실비대가 관찰되었고(그림 7-1-1), 흉부 X선 검사에서 우측

폐 하부 폐렴이 의심되었다(그림 7-1-2).

흉통의 원인 및 폐렴의 범위를 확인하기 위해 흉부 CT를 시행하였다. 소량의 우측 흉수와, 우측 폐 중하엽에 광범위한 폐렴이 관찰되었고(그림 7-1-3A) 흉부 CT에 포함된 상복부 영상 중 비장에 쐐기 모양의 저음영 병변이 보여 비장 경색이 의심되었다(그림 7-1-3B). 이는 감염성 심내막염의 전신 색전증 소견으로 생각되었다.

경흉부심초음파에서 좌심실 이완기말 직경이 확장되어 있고 작은 subarterial VSD를 통한 좌우단락이 관찰되었다. 또한 대동맥판막, 폐동맥판막, 결손된 심실 중격 부위에서 증식물로 의심되는 병변과 함께 중등도 이상의 대동맥판 역류와 폐동맥판 역류가 동반되었다. 이를 종합해 볼 때, VSD를 통해 좌, 우심장 모두에 감염성 심내막염이 발생하였고 그로 인해 비장과 폐에 색전성 경색이 동반된 것으로 보였다(그림 7-1-4).

경식도심초음파를 시행하였고, 경흉부심초음파 결과와 마찬가지로 subarterial VSD를 통한 좌우단락이 관찰되었으며 대동맥판막, 폐동맥판막에 증식물과 그에 동반

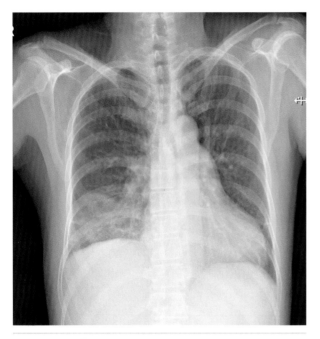

그림 7-1-2. **흉부 X선 검사.** 우측 폐하부 폐렴이 의심됨.

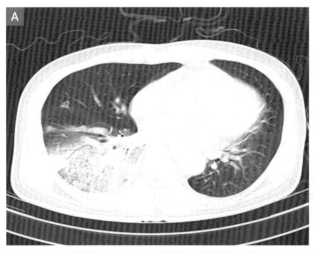
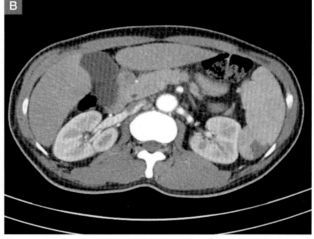

그림 7-1-3. **폐 CT 소견.** 우측 폐에 광범위한 폐렴이 관찰되었고(A), 비장 경색이 의심되어(B), 감염성 심내막염으로 인한 전신 색전증을 시사하는 소견임.

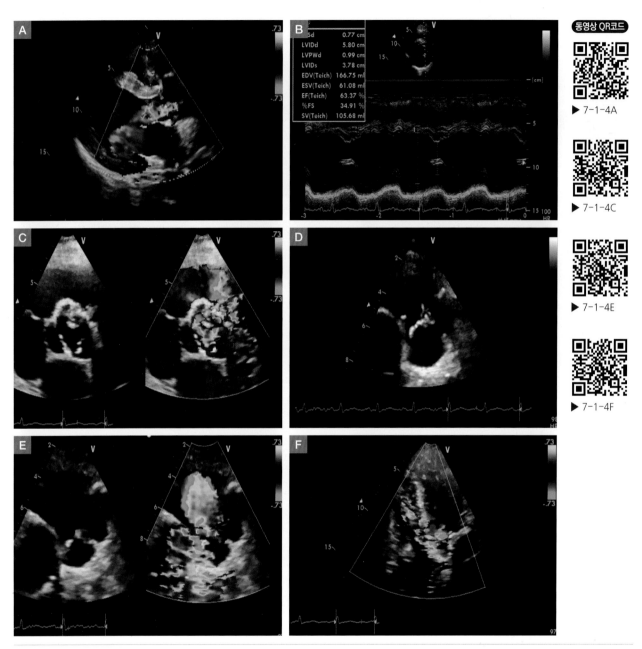

동영상 QR코드

▶ 7-1-4A

▶ 7-1-4C

▶ 7-1-4E

▶ 7-1-4F

그림 7-1-4. **경흉부심초음파 소견.** 경흉부심초음파에서 작은 subarterial VSD를 통한 좌우단락이 관찰되었고, 대동맥판막, 폐동맥판막, 결손 부위에서 증식물이 의심되는 소견이 있어, VSD에 동반된 감염성 심내막염을 확인함. 대동맥판 역류, 폐동맥판 역류가 관찰되었으며, 좌심실의 경도 확장 소견이 동반됨. **(동영상)**

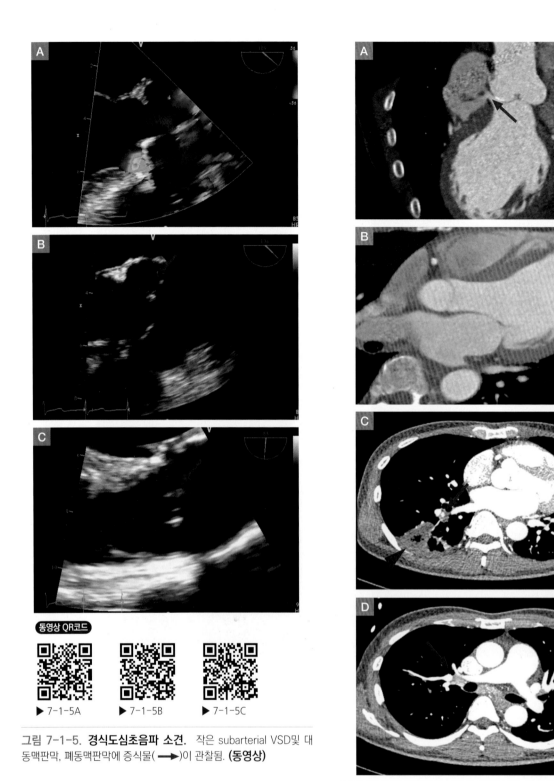

▶ 7-1-5A   ▶ 7-1-5B   ▶ 7-1-5C

그림 7-1-5. **경식도심초음파 소견.** 작은 subarterial VSD및 대동맥판막, 폐동맥판막에 증식물(➡)이 관찰됨. **(동영상)**

그림 7-1-6. **심장 CT 소견.** 판막에 증식물은 확인할 수 없었으며 subarterial VSD(A, ➡)와 좌심실 확장 소견이 관찰됨(A, B). 우측 폐의 다발성 폐분절동맥 색전증(C, ➡)과 그로 인한 폐 침윤(C, ▶), 폐분절동맥류(D, ➡)가 확인됨(C, D).

된 중등도의 대동맥판 역류, 폐동맥판 역류가 확인되었다. 그러나 단락부위의 증식물은 관찰되지 않았고 난원공 개존증(patent foramen ovale, PFO)과 같은 좌우단락이 있을 만한 또 다른 선천성 이상은 동반되지 않았다(그림 7-1-5).

VSD에 동반된 전신 색전증의 증거가 있으며 충분한 항생제 치료에도 증식물이 남아있어, 이에 대한 수술적 교정이 필요하다고 판단하였다. 수술 전 평가를 위해 심장 CT를 시행하였고, 4.8 mm 가량의 subarterial VSD와 확장된 좌심실이 관찰되었다. 관상동맥에 유의한 협착은 동반되지 않았다. 우폐하엽에 폐분절동맥 색전증(7-1-6C, 화살표)이 동반된 폐 침윤(7-1-6C, 화살표머리), 일부에서 폐분절동맥류가 확인되었다(그림 7-1-6).

대동맥판막, 폐동맥판막 치환술 및 패치를 이용한 VSD 폐쇄술을 시행하였다. 수술 3일 후 시행한 경흉부심초음파에서 심장 내 잔존 좌우단락은 관찰되지 않았고, 좌심실 이완기말 직경은 정상화되었으며, 삽입한 대동맥 인공판막, 폐동맥 인공판막은 유의한 paravalvular leakage 없이 잘 기능하였다(그림 7-1-7).

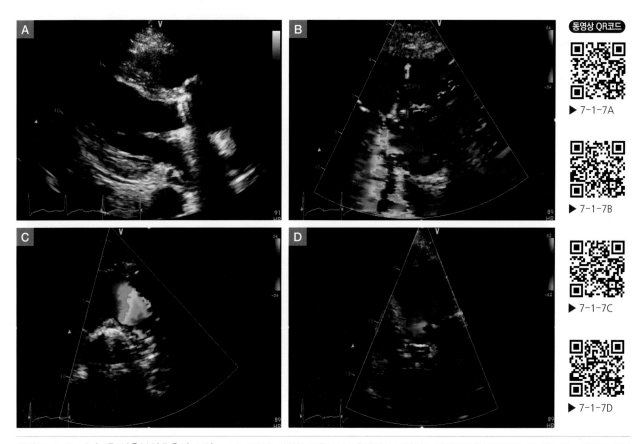

동영상 QR코드

▶ 7-1-7A

▶ 7-1-7B

▶ 7-1-7C

▶ 7-1-7D

그림 7-1-7. **수술 후 경흉부심초음파 소견.** 수술 3일 후 시행한 경흉부심초음파에서 남아있는 좌우단락은 없었으며, 잘 기능하는 대동맥 인공판막, 폐동맥 인공판막을 확인함. **(동영상)**

VSD는 선천성 심질환의 약 1/5~1/4을 차지하는, 비교적 흔한 단순 선천성 심기형이다. VSD는 여러 기준으로 분류할 수 있으나, 해부학적 위치, 이로 인한 합병증의 발생 빈도 등을 고려한 분류를 가장 흔하게 이용한다. 막성 중격과 대동맥판막/폐동맥판막과의 해부학적인 위치 관계에 따라 막주위형(perimembranous), 대혈관하형(subarterial), 근성부형(muscular) 세 가지로 나눌 수 있다(그림 7-1-8).

1) 막주위형(Perimembranous type)

막성 중격 혹은 그 주위 중격의 결손으로 전체 VSD의 약 80%를 차지하는, 가장 흔한 VSD이다. 크기가 작은 경우에는 저절로 폐쇄되고 심실중격류만 흔적으로 남는 경우도 있다(그림 7-1-9A).

2) 대혈관하형(Subarterial or supracristal type)

대혈관의 판막 아래에 위치하는 결손으로 동양인에게 흔하고, 대동맥판 탈출증과 대동맥판 역류 또는 이엽성 대동맥판이 잘 동반된다(그림 7-1-9B). 따라서 전통적으로 대혈관하형의 VSD는 결손 또는 단락의 크기와는 무관하게 수술을 고려할 수 있다.

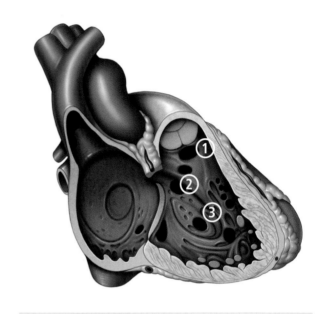

그림 7-1-8. VSD의 해부학적 위치에 따른 모식도. ① 대혈관하 결손증 ② 막주위형 결손증 ③ 근성부 결손증

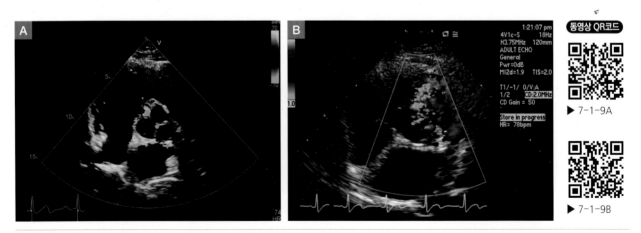

그림 7-1-9. 경흉부심초음파에서 VSD의 type 구별. 막주위형 결손(A)은 흉골연단축단면도에서 대동맥판막의 11시 방향으로 결손이 관찰되는 것이 특징이며, 대혈관하형 결손(B)은 흉골연단축단면도에서 대동맥판막의 12시 방향으로 결손이 있으면서 단락의 방향도 12-2시 방향으로 관찰되는 경우가 많음. **(동영상)**

3) 근성부형(Muscular type)

선천성 근성부 결손은 대개 학동기 전까지 자연 폐쇄되는 경우가 많아 성인에서는 보기 힘들다. 심근경색 후에 생기는 후천성 근성부 VSD는 성인에서 때때로 볼 수 있다.

해부학적 위치에 따른 분류 외에, VSD의 혈역학적 상태에 따라서 제한성(restrictive) 또는 비제한성(non-restrictive)으로도 나뉜다. 이는 주로 결손의 크기와 폐동맥 저항, 좌우심실의 압력차에 따라 구분되는데, 좌우심실의 압력차가 없을 정도로 결손의 크기가 크면 비제한성이라고 하고, 이보다 작을 경우 제한성이라고 한다. 가령, Eisenmenger 증후군의 경우가 대표적인 비제한성 VSD라고 할 수 있을 것이다. 주지할 것은 해부학적 분류와는 달리 VSD의 혈역학적 분류는 바뀔 수 있다는 점이다.

2. 심방중격결손(Atrial Septal Defect, ASD)

> **증례 1. 지속성 좌측 상대정맥이 동반된 정맥동 심방중격결손(ASD, sinus venosus type with persistent left superior vena cava)**

27세 남자가 검진 중 확인된 경도 심비대를 주소로 내원하였다. 청진 시 S2의 고정분열(S2 splitting), 좌측 흉골연에서 구혈성 심잡음이 들렸고, 심전도에서 우각차단이 관찰되었으며(그림 7-2-1), 흉부 X선 검사에서 경도의 심비대가 보였다(그림 7-2-2).

심잡음 및 심비대의 원인을 확인하기 위해 경흉부심초음파를 시행하였다. 흉골연장축단면도(parasternal long axis view) 및 심첨4방도(apical 4-chamber view)에서 우심방, 우심실의 확장 및 중증의 삼첨판 역류가 관찰되어 좌우단락에 의한 우측 심장의 용적 과부하가 의심되었으

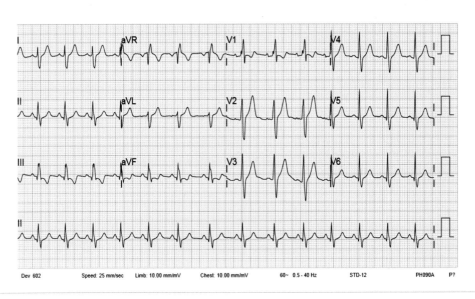

그림 7-2-1. **심전도 소견.** 우축편위 및 우각차단이 관찰됨.

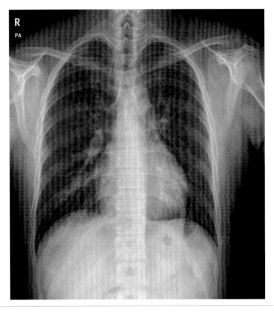

그림 7-2-2. 흉부 X선 검사. 경도의 심비대가 관찰됨.

나 전형적인 흉골연단축단면도(parasternal short axis view)에서 단락혈류는 확인되지 않아, 경흉부심초음파에서 관찰되지 않는 좌우단락이 있을 것으로 생각되었다. 또한, 흉골연장축단면도에서 관상정맥동(coronary sinus)의 확장(27×17 mm)이 보여 지속성 좌측 상대정맥(persistent left superior vena cava, PLSVC)의 가능성을 시사하였고 (그림 7-2-3A), 이에 agitated saline 검사를 시행하였다. 좌측 전완부 정맥(left antecubital vein)을 통해 agitated saline을 주사했을 때, 미세기포가 관상정맥동에서 먼저 관찰된 후 우심방에서 관찰되어 좌측에 존재하는 상대정맥을 확인하였다(그림 7-2-3D).

경식도심초음파를 시행하였고, 상대정맥에서 우심방으

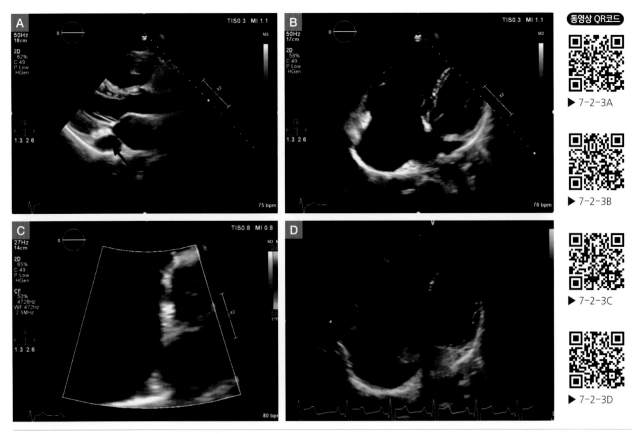

그림 7-2-3. 경흉부심초음파 소견. 우심방, 우심실, 관상정맥동(A, ➡)이 확장되어 있어, 지속성 좌측 상대정맥이 의심됨(A-C). Agitated saline 검사에서 좌측 전완부 정맥으로 미세기포를 주사했을 때, 관상정맥동 → 우심방 순으로 관찰되어 지속성 좌측 상대정맥이 있음을 확진함(D). **(동영상)**

로 이어지는 부위에 17 mm 가량의 ASD, sinus venosus type이 관찰되었고 이를 통한 좌우단락을 확인하였다(그림 7-2-4). 폐정맥은 모두 좌심방으로 환류하는 정상 소견이었다.

심장 CT로 구조를 평가했을 때, 좌, 우측에 상대정맥이 관찰되는 지속성 좌측 상대정맥이 있으며(그림 7-2-5A, 화살표머리), 15 mm 이상의 ASD, sinus venosus type을 통한 좌우단락을 시사하는 조영제의 흐름을 확인하였다(그림 7-2-5B, 화살표).

증례 2. 관상정맥동 심방중격결손(ASD, coronary sinus type)

기저병력이 없는 58세 남자가 2주 전부터 시작된 부종을 주소로 내원하였다. 1달 사이 체중이 6 kg 증가하였고 2주 전부터 전신 부종이 진행하면서 NYHA Fc II 단계의 호흡곤란이 동반되었다. 신체검진 시 불규칙한 심음이 들렸고, 하지에 함요부종이 관찰되었다. 심전도는 심방세동에 동반된 급속 심실 반응이었고(그림 7-2-6), 흉부 X선 검사

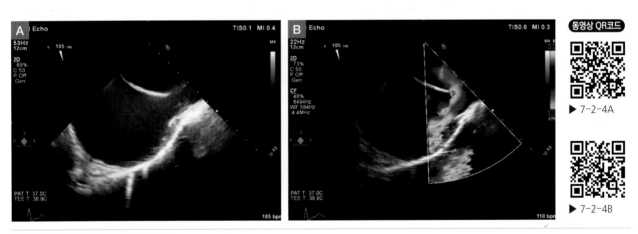

▶ 7-2-4A

▶ 7-2-4B

그림 7-2-4. 경식도심초음파 소견. ASD, sinus venosus type 및 좌우단락이 관찰됨. **(동영상)**

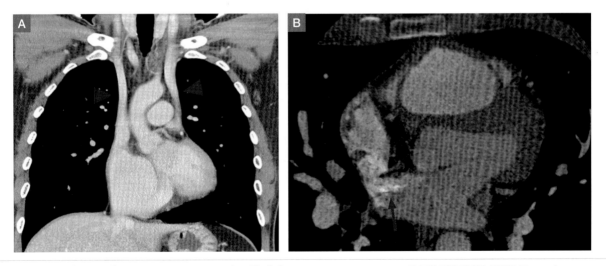

그림 7-2-5. 심장 CT 소견. 좌, 우 상대정맥이 모두 있으며(A, ▶), ASD, sinus venosus type을 통한 좌우단락을 확인함(B, ➡).

에서 심비대에 동반된 폐부종, 소량의 양측 흉수가 관찰되어 심부전이 의심되었다(그림 7-2-7).

경흉부심초음파에서 좌심실의 크기 및 국소벽 운동은 정상이었으나, 좌심실구혈률이 35%로 수축기능은 저하되어 있었다. 흉골연장축단면도에서 관상정맥동과 좌심방 사이 벽의 결손으로 보이는 소견이 있어, ASD, coronary sinus type이 의심되었다. 또한 우심방, 우심실 확장 및 중등도의 삼첨판 역류가 있어, 좌우단락에 의한 우측 심장에 용적 과부하가 있을 것으로 예측되었다. 늑골하 장축단면도(subcostal long axis view)에서 관상정맥동 환류 중 일부가 좌심방으로 연결되고, 그 부위에서 ASD를 통한 좌우단락혈류가 관찰되어 ASD, coronary sinus type을 진단하였다(그림 7-2-8A-F). 좌측 전완부 정맥을 통해 agitated saline을 주사했을 때, 미세기포는 우심방에서만 관찰되었고 관상정맥동을 채우지 않아 지속성 좌측 상대정맥은 존재하지 않는 것을 확인하였다(그림 7-2-8G).

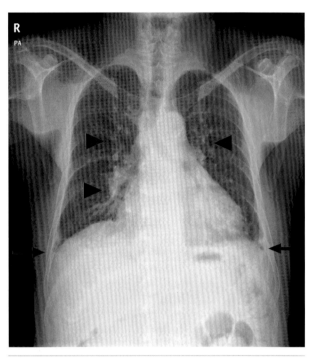

그림 7-2-7. 흉부 X선 검사 소견. 심비대에 동반된 폐부종(▶) 및 양측 흉수(➞)가 확인됨.

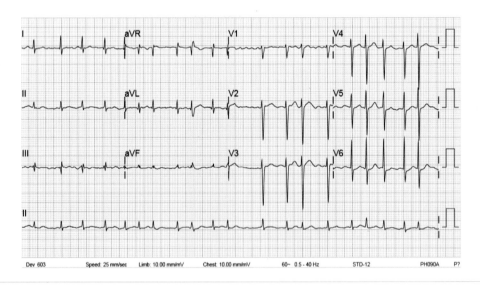

그림 7-2-6. 심전도 소견. 심방세동에 동반된 급속 심실 반응이 관찰됨.

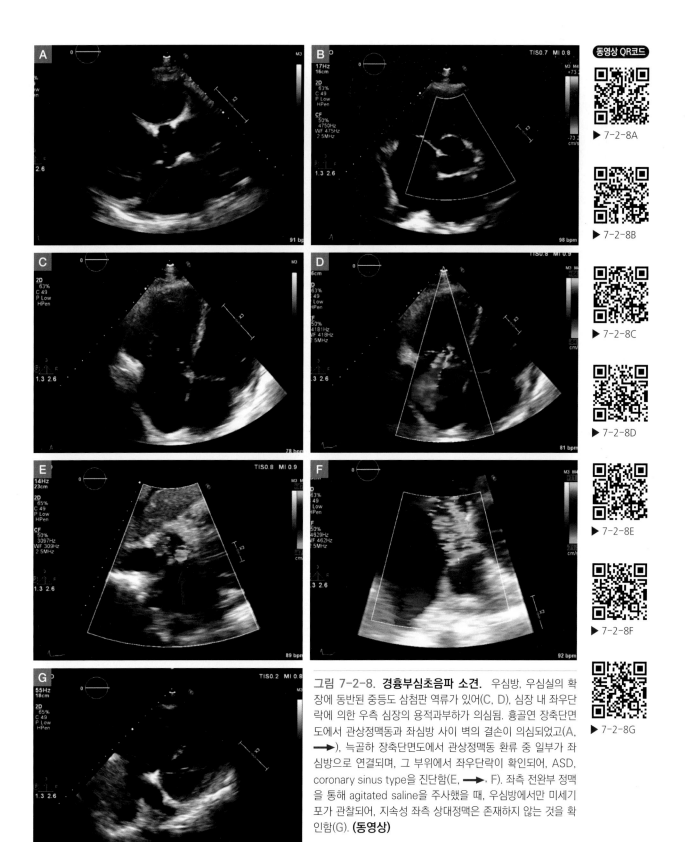

동영상 QR코드

▶ 7-2-8A

▶ 7-2-8B

▶ 7-2-8C

▶ 7-2-8D

▶ 7-2-8E

▶ 7-2-8F

▶ 7-2-8G

그림 7-2-8. 경흉부심초음파 소견. 우심방, 우심실의 확장에 동반된 중등도 삼첨판 역류가 있어(C, D), 심장 내 좌우단락에 의한 우측 심장의 용적과부하가 의심됨. 흉골연 장축단면도에서 관상정맥동과 좌심방 사이 벽의 결손이 의심되었고(A, ➡), 늑골하 장축단면도에서 관상정맥동 환류 중 일부가 좌심방으로 연결되며, 그 부위에서 좌우단락이 확인되어, ASD, coronary sinus type을 진단함(E, ➡, F). 좌측 전완부 정맥을 통해 agitated saline을 주사했을 때, 우심방에서만 미세기포가 관찰되어, 지속성 좌측 상대정맥은 존재하지 않는 것을 확인함(G). **(동영상)**

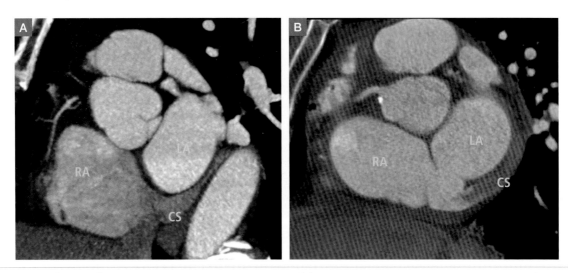

그림 7-2-9. 심장 CT 소견. 양심방의 조영 증강 차이가 뚜렷한 정상심장(A)과 비교했을 때, 관상정맥동, 우심방, 좌심방이 동일한 조영 증강을 보이며 일부 관상정맥동 환류가 좌심방으로 연결되고 환류 부위에 양심방 중격의 결손이 관찰되어, ASD, coronary sinus type을 진단함(B). RA, right atrium; LA, left atrium; CS, coronary sinus

심장 CT로 구조를 평가했을 때 관상정맥동 환류의 일부가 좌심방으로 연결되며 환류 부위에 양심방 사이의 결손이 관찰되는 ASD, coronary sinus type을 확인하였고 우심방, 우심실, 폐동맥의 확장이 동반되었다. 또한, 우심방, 우심실, 폐동맥내 동일한 조영 증강 소견은 각 중격 사이의 결손을 시사하였다(그림 7-2-9).

> **Keynote**

ASD는 우심방과 좌심방 사이에 있는 심방 중격의 결손으로 좌우단락이 발생하는 심기형으로 주로 우측 심장의 용적 과부하를 일으키는 질환이다. ASD는 이엽성 대동맥판막 다음으로 가장 흔한 선천성 심기형으로 전체 선천성 심질환의 약 20%를 차지한다. VSD와 유사하게 해부학적 위치에 따라, ① 이차공 ASD (secundum atrial septal defect), ② 일차공 ASD (primum atrial septal defect) ③ 정맥동 ASD (sinus venosus defect), ④ 관상정맥동 ASD (coronary sinus defect) 네 가지로 분류할 수 있으며(그림 7-2-10, 11), VSD와 마찬가지로 혈역학적 상태에 따라 제한성(restrictive) 또는 비제한성(non-restrictive)으로도 나뉜다. 역시 주지할 것은 해부학적 분류와는 달리 ASD의 혈역학적 분류는 바뀔 수 있다는 점이다. 증상의 발현은 매우 다양하여 결손이 크거나 이와 연관된 다른 선천성 심질환의 동반 등에 따라 소아기에서부터 증상이 나타날 수 있으나, 성인이 되어서도 증상이 나타나지 않고 검진시 우연히 심잡음이 청진되거나 흉부 촬영에서 심비대의 소견으로 발견되기도 한다.

1) 일차공 ASD (ASD, primum type)

좌우단락의 양이나 이로 인한 임상양상은 이차공 ASD와 같지만, 발생학적으로는 좌심실과 우심방을 구분짓는 방실중격(atrioventricular septum)의 결손에 의하여 생긴다는 차이가 있다. 이는 위의 모식도에서 결손과 단락의

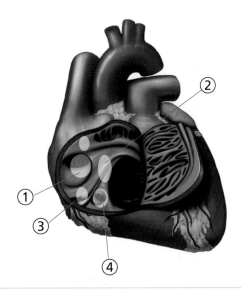

그림 7-2-10. **다양한 ASD의 해부학적 위치.** ① ASD, secundum type ② ASD, primum type ③ ASD, sinus venosus type ④ ASD, coronary sinus type.

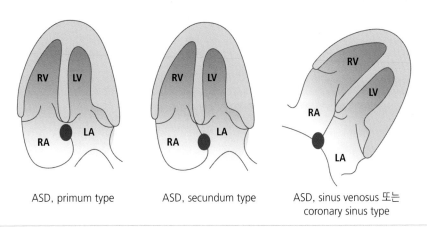

ASD, primum type   ASD, secundum type   ASD, sinus venosus 또는 coronary sinus type

그림 7-2-11. **ASD의 종류에 따른 심초음파에서 좌우단락이 주로 보이는 위치의 모식도.**

위치로도 구분이 된다(그림 7-2-10, 11). 이러한 발생학적 이유로 인하여 일차공 ASD는 방실중격결손증(atrioventricular septal defect)으로도 불린다. 이 경우 방실판막, 즉, 승모판 갈림증과 같은 이상이 동반되어 있는 경우가 많다 (그림 7-2-12).

2) 이차공 ASD (ASD, secundum type)

발생시 난원공판(fossa ovalis)이 불충분하게 자라거나 일차공 중격이 과도하게 흡수되면서 생기며, 최근에는 경피적 결손 폐쇄술을 통해 치료하는 경우가 많다. 참고로 이차공 ASD 이외 다른 종류의 ASD는 경피적 폐쇄술이 어렵다.

3) 정맥동 ASD (ASD, sinus venosus type)

대부분 심방중격의 위쪽인 상대정맥의 유입부에 위치하나, 때로는 하대정맥의 연결 부위에서도 관찰되며 우상폐정맥의 환류이상과도 흔히 동반된다. 따라서 ASD, sinus venosus type이 있는 환자에서는 ASD 외에도 경식도심초음파, 심장 CT 또는 MRI, agitated saline 검사 등을 이용하여 폐정맥 환류 이상 소견이 동반된 것이 아닌지를 꼼꼼하게 잘 살펴야 한다.

4) 관상정맥동 ASD (ASD, coronary sinus type)

심장정맥동과 좌심방 사이 중격에 결손이 위치하는 아주 드문 형태로서, 지속성 좌측 상대정맥(PLSVC)과 동반될 가능성이 많다. 따라서 관상정맥동이 통상적인 크기보다 커져 있는 경우의 원인으로 꼭 생각해야 하는 선천성 심질환 중의 하나이다(그림 7-2-13).

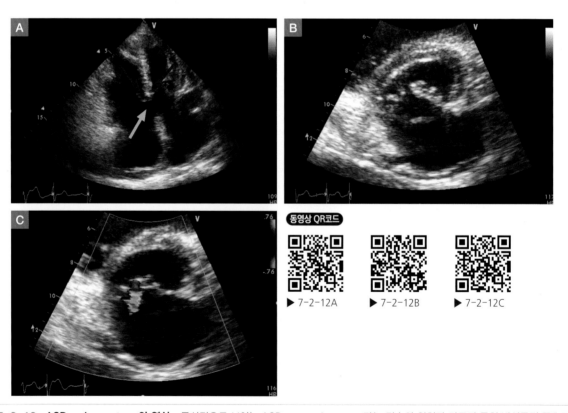

동영상 QR코드

▶ 7-2-12A   ▶ 7-2-12B   ▶ 7-2-12C

그림 7-2-12. ASD, primum type의 영상. 통상적으로 보이는 ASD, secundum type과는 결손의 위치가 다르며 특히 방실중격 쪽으로 결손이 있음(A, ➡). 이와 함께 정상적으로 심첨부 쪽으로 더 위치해야 할 삼첨판막이 승모판막과 비슷한 부위에 부착되어 있음(A, ➡). 승모판의 갈림증이 보이며 이를 통하여 승모판 역류 소견이 확인됨(B,C). **(동영상)**

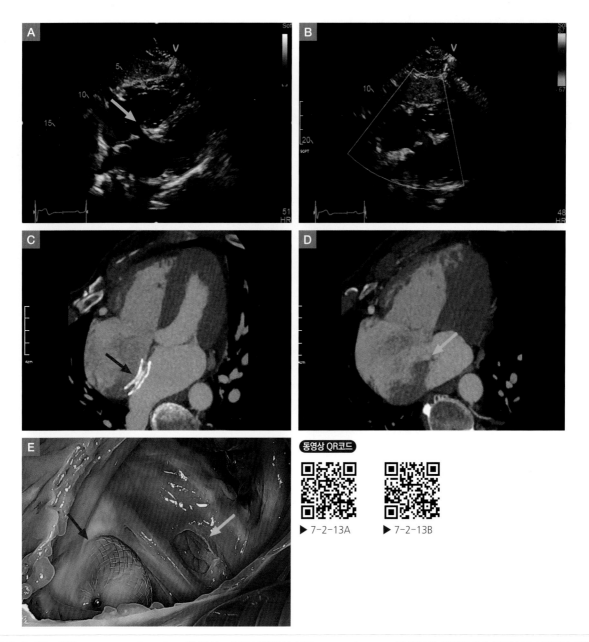

그림 7-2-13. **ASD, coronary sinus type의 영상.** 외부 병원에서 ASD, secundum type에 대하여 경피적 결손 폐쇄술을 시행받고 전원된 환자로, 경피적 폐쇄술에 이용된 기구가 보이나(A, ➡) 더 아랫쪽에 또 하나의 ASD가 관찰됨(A, ➡). CT에서도 경흉부심초음파 소견과 같음 (C,D). 수술 시 ASD, secundum type은 경피적 폐쇄술로 잘 폐쇄되어 있으나(E, ➡) 좌심방-관상정맥동-우심방으로 연결된 ASD, coronary sinus type이 발견됨(E, ➡). **(동영상)**

3. 동맥관개존증(Patent Ductus Arteriosus, PDA)

증례. 경피적 폐쇄술을 시행한 동맥관개존증 (PDA, occluded by percutaneous closure)

기저병력이 없던 51세 여자가 검진 시 우연히 발견된 위장관간질종양(gastrointestinal stromal tumor) 절제를 위해 수술 전 평가를 실시하였다. 심전도에서 좌심실 비대가 보였고(그림 7-3-1), 흉부 X선 검사에서는 심비대가 있었다 (그림 7-3-2).

원인 평가를 위해 경흉부심초음파를 시행하였고 좌심실구혈률은 61%로 좌심실의 수축 기능은 정상이었으나 좌심실의 이완기말/수축기말 직경이 각각 66/41 mm로 확장되어 있었다. 흉골연단축단면도 대동맥판막 레벨에서 주폐동맥의 분지부위로부터 폐동맥 판막 방향으로 보여, 대동맥과 폐동맥 사이의 좌우단락인 PDA가 의심되었다 (그림 7-3-3).

이에 결손의 구조 및 크기에 대해 정확하게 평가하기 위해 대동맥 CTA를 시행하였고, 늘어난 하행대동맥과 주폐동맥 사이에서 5.4 mm 크기로 측정되는 PDA를 확인하

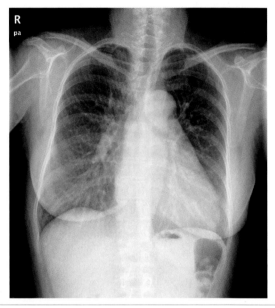

그림 7-3-2. **흉부 X선 검사 소견.** 심비대가 의심됨.

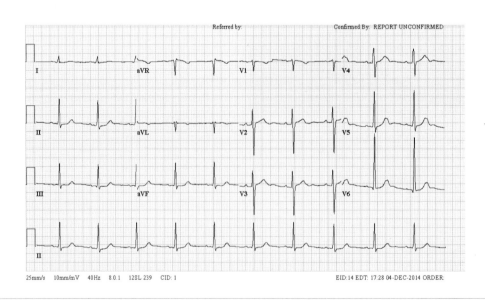

그림 7-3-1. **심전도 소견.** 좌심실 비대가 관찰됨.

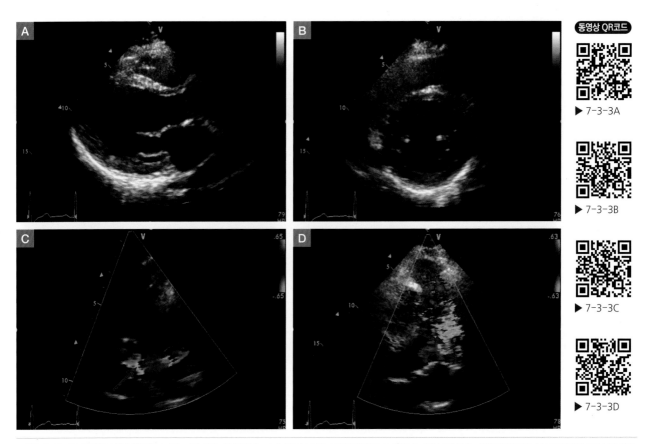

그림 7-3-3. 경흉부심초음파 소견. 좌심실 이완기말, 수축기말 직경, 주폐동맥의 크기가 늘어나 있으며, 하행대동맥에서 주폐동맥 하부 방향으로 좌우단락혈류(C, ➡) 가 (C, D, ➡) PDA를 진단함. **(동영상)**

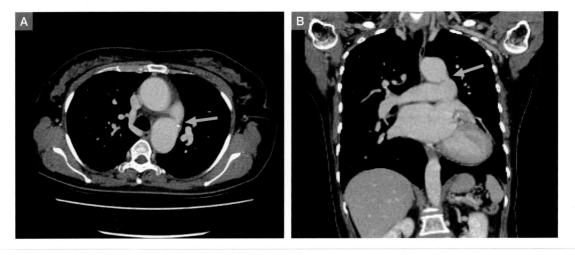

그림 7-3-4. 대동맥 CTA 소견. 대동맥, 주폐동맥의 확장과 하행대동맥과 폐동맥 사이에 5.4 mm 크기의 단락(➡) 이 보여 PDA를 확인함.

였다(그림 7-3-4, 화살표).

이에 Amplatzer 기구를 이용한 경피적 PDA 폐쇄술을 시행하여 성공적으로 좌우단락을 차단하였다(그림 7-3-5).

시술 1달 후 추적관찰을 위해 시행한 경흉부심초음파에서 좌심실의 이완기말/수축기말 직경이 각각 51/35 mm로 정상화되었고, 대동맥과 폐동맥 사이에 잔존하는 단락

혈류는 관찰되지 않았다(그림 7-3-6).

 Keynote

동맥관(ductus arteriosus)은 대동맥궁 분지가 끝나는

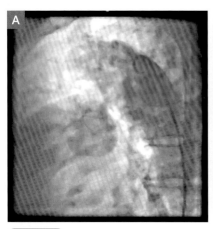 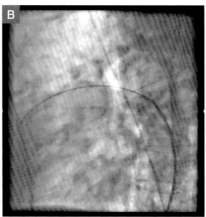 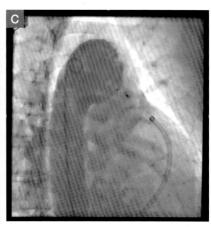

동영상 QR코드

▶ 7-3-5A   ▶ 7-3-5B   ▶ 7-3-5C

그림 7-3-5. 대동맥 혈관조영술 소견. PDA의 위치 및 크기를 확인하고(A, B), 그에 맞는 기구로 경피적 카테터 PDA 폐쇄술을 시행하여 더 이상 단락이 관찰되지 않음을 보였음(C). **(동영상)**

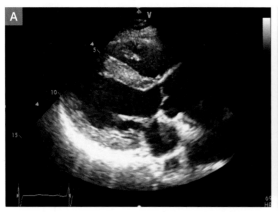 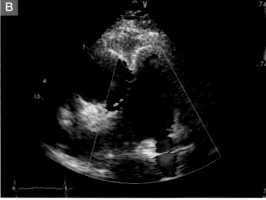

동영상 QR코드

▶ 7-3-6A

▶ 7-3-6B

그림 7-3-6. PDA 폐쇄술 시행 후 경흉부심초음파 소견. PDA 폐쇄 1달 후 좌심실 크기는 정상화되었고, 단락은 더 이상 관찰되지 않음. **(동영상)**

부위의 대동맥과 폐동맥을 연결하는 혈관으로, 태아기에 폐가 발달되지 않은 상황에서 우심과 좌심 순환을 연결하는 중요한 혈관이다. 태어난 직후 동맥관은 자연적으로 폐쇄되는데, 폐쇄되지 않고 지속적으로 열려 있는 경우 좌우 단락 형태의 PDA가 관찰된다. 전체 선천성 심질환의 약 10-15% 정도로 관찰되는 비교적 흔한 선천성 심질환 중 하나이다.

일반적으로 성인에서 PDA의 진단은 심초음파의 2D-영상에서 단락을 직접 눈으로 확인하는 것보다는 주로 흉골연 단축단면도에서 색 도플러로 하행대동맥과 폐동맥 분지 부위의 단락혈류를 관찰하는 것으로 이루어진다. 그러나 경흉부심초음파만으로는 동맥관의 크기를 정확히 알 수 없기에 경식도심초음파 또는 심장 CT를 시행하면 크기를 좀 더 정확히 알 수 있고 경피적 폐쇄술에 도움을 받을 수 있다(그림 7-3-7).

단락의 양이 많아 향후 심부전 혹은 Eisenmenger 증후군으로 진행할 가능성이 있는 PDA는 반드시 폐쇄해야 하며, 최근 많이 시행하는 경피적 폐쇄술의 성공률은 매우 높다. 한편 미숙아에서 PDA가 있는 경우에는 폐혈류의 증가로 인한 기관지폐형성 이상 그리고 전신혈류의 감소로 인한 신부전, 괴사성 장염 등의 합병증 가능성으로 인하여 약물로 치료하려는 노력이 있어 왔는데 특히 ibuprofen, indomethacin 등이 효과적임이 밝혀졌다.

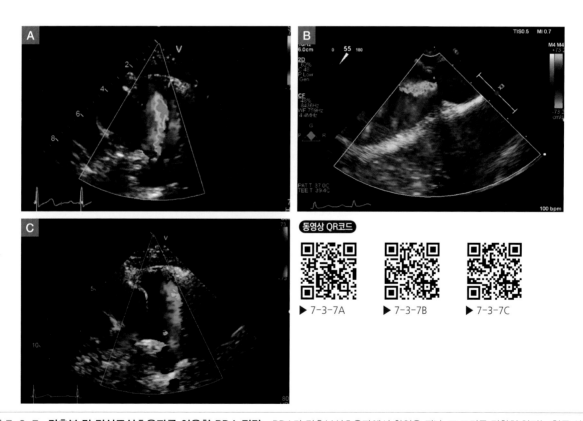

동영상 QR코드

▶ 7-3-7A   ▶ 7-3-7B   ▶ 7-3-7C

그림 7-3-7. 경흉부 및 경식도심초음파를 이용한 PDA 진단. PDA가 경흉부심초음파에서 확인은 되나, 그 크기를 정확히 알기는 힘든 상태임 (A). 본 증례에서는 경식도심초음파를 시행하여 PDA의 정확한 크기를 측정할 수 있었음(B). 경피적 폐쇄술 후, 경흉부심초음파 추적에서 잔존하는 좌우단락이 없는 모습을 확인함(C). **(동영상)**

4. 심실중격결손이 동반된 폐동맥폐쇄 (Pulmonary Atresia with VSD)

증례. Rastelli 수술을 받은 VSD가 동반된 폐동맥폐쇄

21세 여자가 지속되는 호흡곤란을 주소로 내원하였다. CATCH 22 증후군 환자로, 출생 이후 폐동맥폐쇄(pulmonary atresia), VSD, 여러 개의 측부동맥(major aorto–pulmonary collateral arteries)에 대하여 변형 Blalock–Taussig 단락술(modified Blalock–Taussig shunt)을 시행 받았고, 10년 후 추가적으로 측부동맥의 단일화술(unifocalization) + 우폐동맥 혈관성형술 + 우심실–폐동맥간 도관이식술(RV–PA valved conduit interposition)(Rastelli operation)을 받고 소아과에서 추적 관찰 중이었다. 최근 호흡곤란이 지속되어 이에 대한 평가를 하였다.

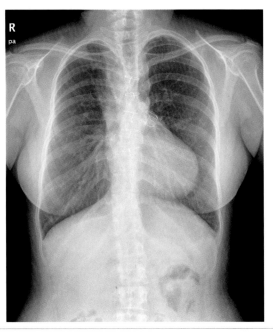

그림 7-4-2. **흉부 X선 검사 소견.** 수술 후 상태로, 우심실 확장 소견이 보임.

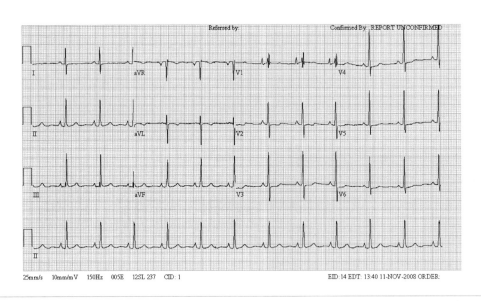

그림 7-4-1. **심전도 소견.** 우심방 확장이 관찰됨.

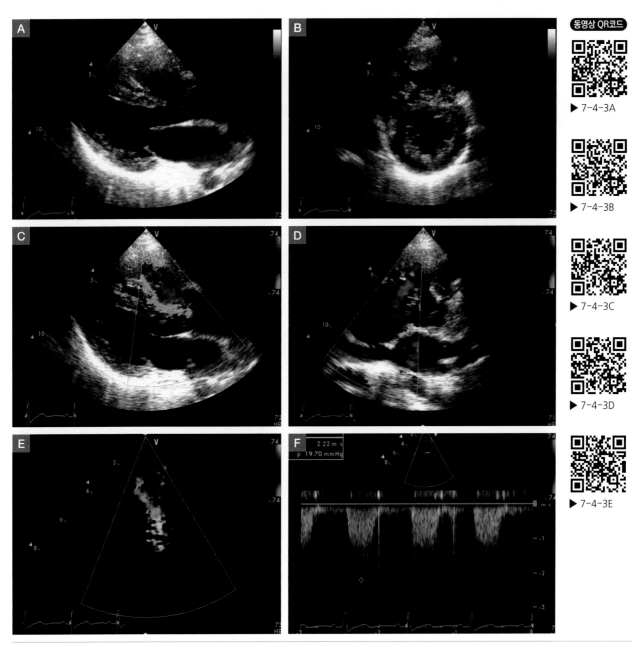

동영상 QR코드

▶ 7-4-3A

▶ 7-4-3B

▶ 7-4-3C

▶ 7-4-3D

▶ 7-4-3E

그림 7-4-3. **경흉부심초음파 소견.** VSD 및 overriding aorta, 우심실로 향하는 대동맥판 역류, 우심실 비대 소견이 관찰되며, 우심실-폐동맥을 연결하는 conduit 위치에 가속혈류(E, F)가 확인되어 conduit stenosis가 의심됨. **(동영상)**

심전도에서 우심방 확장 외에 유의한 이상 소견은 없었으며(그림 7-4-1), 흉부 X선 검사에서도 심첨부가 들려 있는 소견으로, 우심실 확장이 의심되었다(그림 7-4-2).

경흉부심초음파에서 좌심실 이완기말 직경은 36 mm, 좌심실구혈률은 50%였으며 우심실 비후 및 확장소견이 있었으나, 우심실 수축 기능은 유지되고 있었다. 2 cm 가량의 VSD가 있으며 그를 통한 좌우단락혈류가 확인되었다. Overriding aorta에 두꺼워진 대동맥판막을 통한 중등도의 대동맥판 역류가 관찰되었으며 jet의 방향이 주로 우심실을 향하고 있었다. 우심실에서 폐동맥을 연결한 conduit 쪽으로 가속혈류가 관찰되며 이를 통해 평가한 Vmax 2.3 m/s, 최대 압력 차이는 20 mmHg으로 경도의 conduit 협착이 의심되었다(그림 7-4-3).

흉부 CT를 시행하여 폐혈관 구조 및 conduit 상태를 추가적으로 평가하였다. 큰 VSD에 동반된 상행대동맥 확장이 관찰되었고, 여러 개의 측부동맥들이 발달했으며, 우폐동맥은 좌폐동맥과 교통을 통해 좌폐야에 혈류 공급을 하는 것을 확인하였다(그림 7-3-4A-D). Conduit 협착은 있지만(그림 7-3-4E-F, 화살표머리), 직하방 좌폐동맥 기시부의 심한 협착이 동반된 상태(그림 7-3-4E-F, 화살표)로, 이후 특별한 교정 없이 호흡곤란 증상이 완화되어 외래에서 경과 관찰 중이다.

▶ Keynote

팔로네징후(Tetralogy of Fallot, TOF)는 가장 흔한 청색증형 심기형으로써 전체 선천성 심질환의 약 5%의 빈도를 차지한다. TOF는 발생시 누두부심실중격(infundibular septum)이 전방으로 전위되어 생기는 것이 특징이며 이를 위시하여 다음과 같은 네 가지의 특징이 있다.

① 전방으로 전위된 VSD (anterior malalignment type VSD)
② 우심실 유출로의 발달 부전으로 인한 폐동맥판 협착 또는 심한 경우에는 폐동맥폐쇄
③ 폐동맥판 협착/폐동맥폐쇄로 인해 생긴 우심실 비후
④ Overriding aorta(전방으로 밀린 심실중격으로 인해 대동맥이 심실중격 가운데에 걸쳐서 기시되는 형태)

그러나 대동맥이 우심실 쪽으로 50% 이상 넘어가면 대동맥이 우심실 쪽에서 기시한다고 간주하여 양대혈관 우심실기시(double outlet right ventricle)라고 한다.

TOF의 주된 임상적 특징은 폐동맥판 협착 또는 폐동맥폐쇄 때문이며, 그 정도에 따라 환자의 청색증 정도와 증상, 치료의 방법 등이 결정된다. 즉, 폐동맥 판막과 폐동맥이 잘 발달되어 있고 협착이 심하지 않으면 청색증도 심하지 않고, 이 경우 처음부터 완전 해부학적 교정을 기대할 수 있으나, 발달 부전이 동반된 영아 또는 소아의 경우에는 Blalock-Taussig 단락과 같은 일시적 단락술을 먼저 시행하여, 폐동맥이 발달되기를 기다린 후 교정을 하는 staged operation을 할 수도 있다. 또는 폐동맥폐쇄는 심하지만 폐동맥이 비교적 잘 발달되어 있는 경우에는 폐동맥 판막을 우회하는 Rastelli 수술도 가능하다.

따라서 TOF를 평가할 때는 우심실, 폐동맥 판막과 폐동맥에 대한 평가가 그 어떤 것보다 중요하다. 또한 완전 교정수술을 받은 성인은 좁은 폐동맥과 그 판막을 성형하거나 다른 조직을 덧대어 판막 상부에서 누두부까지 확장하는 수술을 많기에, 수술 후 다음의 사항들을 면밀하게 관찰하는 것이 필요하다.

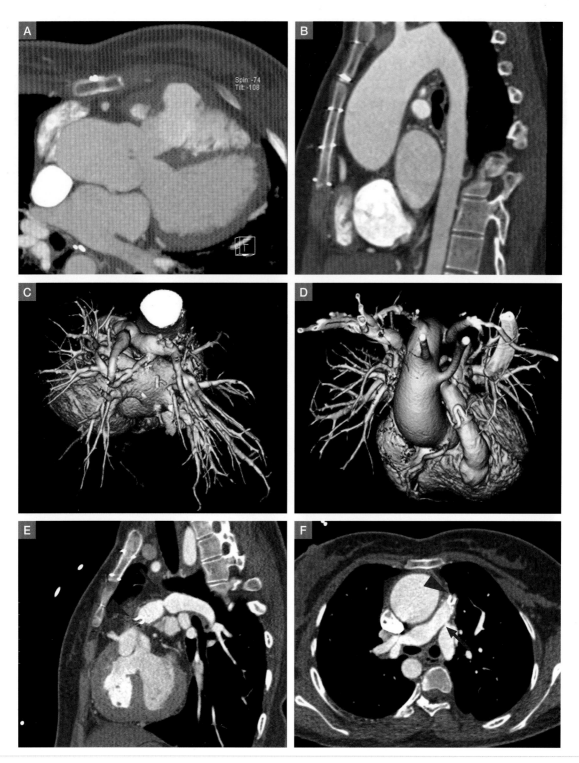

그림 7-4-4. 흉부 CT 소견. 크기가 큰 VSD(A) 및 상행대동맥 확장(B) 소견, conduit(E, F, ▶) 아래 좌폐동맥 기시부의 심한 협착(E, F, ➡)이 관찰됨.

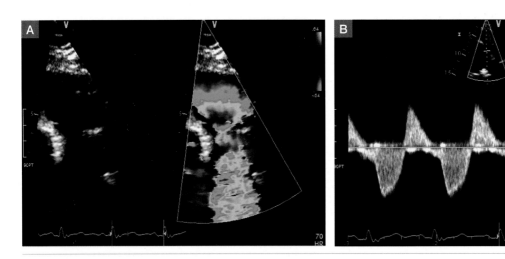

그림 7-4-5. **TOF 환자의 교정 후 경흉부심초음파 소견.** 중등도의 폐동맥판 협착(A)과 함께 중증 역류(B)가 있는 TOF로 수술을 받은 병력이 있는 환자임.

① 폐동맥판 역류

② 잔류 VSD

③ 잔류 우심실 유출로 협착 및 분지 폐동맥판 협착 (그림 7-4-5)

이와 함께 우심실 쪽에서도 다음의 사항들에 대한 수술 후 면밀한 관찰이 요구된다.

① 남은 폐동맥 협착 정도에 따른 우심실 비후

② 폐동맥판 역류 정도에 따른 우심장의 기능

③ 삼첨판 역류 정도

이 중, 특히 장기 예후를 결정하는 인자는 수술 후 발생한 심한 폐동맥판 역류이다.

폐동맥판 협착 또는 역류는 이미 수술을 하여 완전 교정된 TOF 환자들에서 재수술의 가장 흔한 이유이다. 적절한 시기에 폐동맥판 수술을 할 경우, 우심실은 물론 좌심실의 기능이 호전되며 호흡곤란을 비롯한 증상도 호전되나, 이와 같은 효과는 술전 심기능 및 구조에 많은 영향을 받는다. 이에 따라 미국, 캐나다, 유럽의 가이드라인들은 대개 중증의 폐동맥판 역류 또는 협착이 ① 호흡곤란이나 운동능 저하와 같은 증상이 동반되거나 ② 우심실 기능의 저하 ③ 지속적 심방/심실성 부정맥 또는 중등도 이상의 삼첨판 역류가 동반되어 있을 때 수술을 권고하고 있다.

5. Ebstein 기형(Ebstein anomaly)

증례. Ebstein 기형

45년 전 신체 검진 시 Ebstein 기형으로 진단받고 특별한 증상 없이 지내던 62세 남자가 일주일 전부터 시작된 운동 시 호흡곤란과 두근거림을 주소로 내원하였다. 청진 시 흉골 좌하연에서 불규칙한 심음에 동반된 2단계 수축기 심잡음이 들렸다. 심전도에서 우각차단이 동반된 심방세동이 관찰되었고(그림 7-5-1), 흉부 X선 검사에서 상자형태의 심장 윤곽을 보이며 심비대가 관찰되었다(그림 7-5-2).

심장의 구조 및 기능에 대한 평가를 위해 심초음파를 시행하였다. 삼첨판 중격엽(tricuspid valve septal leaflet)의 근위 부착부위(proximal attachment)가 심첨부 쪽으로

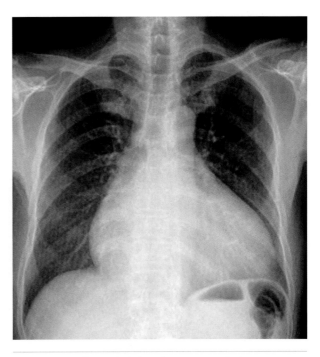

그림 7-5-2. **흉부 X선 검사 소견.** 심비대가 관찰됨.

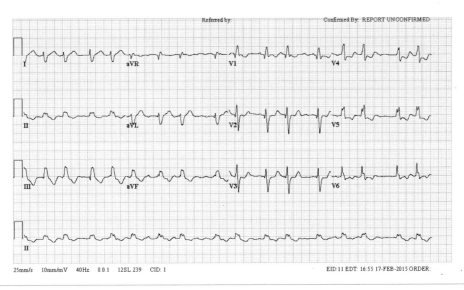

그림 7-5-1. **심전도 소견.** 심방세동 및 우각차단이 관찰됨.

5.4 cm 가량 하향전위(inferior/apical displacement)된 상태가 관찰되어 Ebstein 기형을 확진하였다. 삼첨판 역류가 관찰되었으며 도플러 검사에서 rapid deceleration pattern을 보여 중증의 삼첨판 역류임을 확인하였다. 이에 동반하

여 거대한 우심방 및 심방화된 우심실(atrialized right ventricle)이 보였다. 그 외에 심초음파에서 확인된 다른 심기형의 증거는 없었다(그림 7-5-3).

수술적 교정이 필요하여 수술 전 심장 및 혈관 평가를

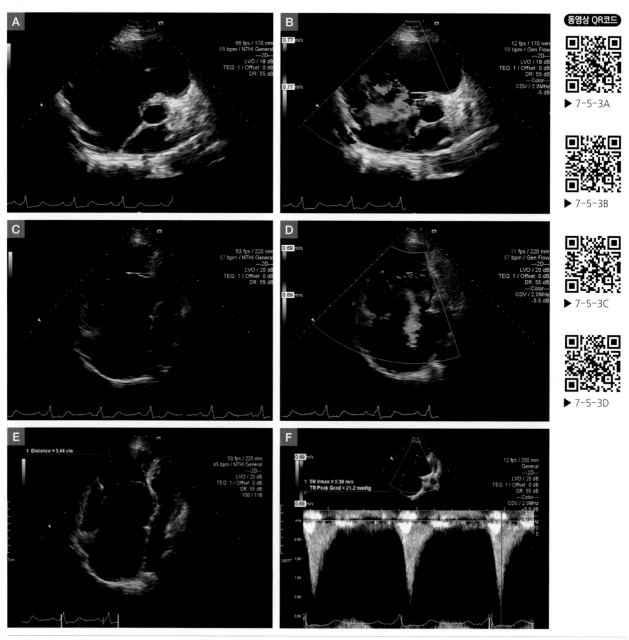

그림 7-5-3. 심초음파 소견. 삼첨판 중격엽이 심첨부 방향으로 하향전위(E, ━)되어 있으며 그로 인한 중증의 삼첨판 역류(F), 우심방 확장, 심방화된 우심실이 관찰되어, Ebstein 기형을 확진함. **(동영상)**

위해 대동맥 CT를 시행하였고, 심초음파와 마찬가지로 삼첨판 중격엽의 하향전위에 동반된 심방화된 우심실과 심한 우심방의 확장 소견이 관찰되었다. 대동맥, 폐동맥, 우심실 유출로의 동반 기형은 관찰되지 않았다(그림 7-5-4).

우측 심장의 크기 및 기능에 대한 정확한 평가를 위해 수술 전 심장 MRI (cardiac MR, CMR)를 시행하였다. 삼첨판 중격엽의 하향전위로 인해 후엽의 경도 당김(mild tethering)이 관찰되었고, 동반된 중증의 삼첨판 역류, 심

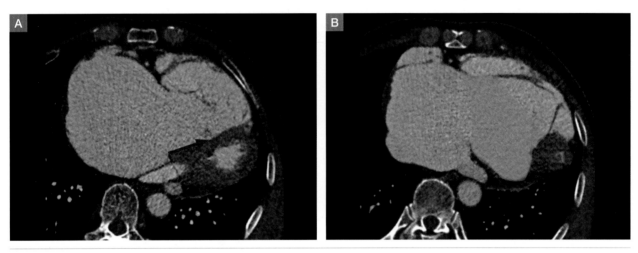

그림 7-5-4. **대동맥 CT 소견.** 삼첨판 중격엽의 하향전위(A, ➡)로 인한 심방화된 우심실(B, 🔖), 우심방의 확장이 확인됨.

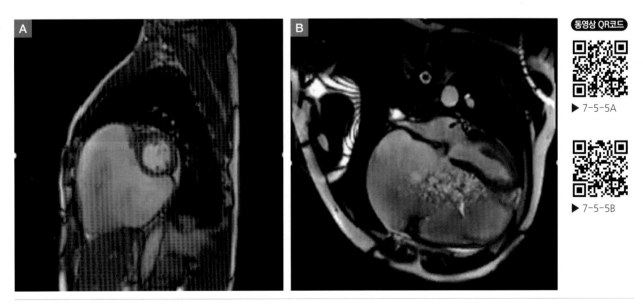

동영상 QR코드

▶ 7-5-5A

▶ 7-5-5B

그림 7-5-5. **CMR 소견.** 삼첨판 중격엽의 하향전위에 따른 심하게 확장된 우심방이 관찰되었으며 일부 우심실이 심방화가 되었지만, MRI로 측정한 우심실의 기능은 정상이었음. **(동영상)**

방화된 우심실, 확장된 우심방이 확인되었다. 우심방 유출로 폐쇄는 관찰되지 않았다. CMR로 평가한 일회 박출량 (RV stroke volume)은 94.6 mL/m²이었고, 우심실구혈률은 56.1%이었다 (그림 7-5-5).

환자는 Ebstein 기형에 대해 Cone reconstruction, 삼첨판륜 성형술(tricuspid annuloplasty), 수술 중 우연히 발견된 PFO에 대한 폐쇄, 심방세동에 대한 Maze 수술을 받았다.

▶ Keynote

Ebstein 기형은 발생빈도가 0.5% 정도로 비교적 드문 선천성 심질환이다. 삼첨판의 기형 정도와 삼첨판 역류의 정도, 그리고 ASD와 같은 동반된 기형에 따라 수술적 치료 여부 등이 결정된다. 기형이 심하지 않은 경우에는 특별한 치료 없이도 증상 없이 정상 생활이 가능하기도 하다. Ebstein 기형은 다음과 같은 형태학적 특징을 보인다.

1) 삼첨판의 중격엽과 후엽(posterior leaflet)이 삼첨판륜에 정상적으로 부착되어 있지 않고 우심실의 심첨부 쪽으로 전위됨.

2) 삼첨판의 전엽(anterior leaflet)은 삼첨판륜에 정상적으로 부착되어 있으나 크기가 더 커지고 대체로 심실벽에 유착된 모습을 보임.

3) Ebstein 기형의 우측 심장은 원래의 우심방(right atrium proper)과 우심실의 유입로(right ventricle inlet) 그리고 우심실의 육주(trabeculation)와 유출로(right ventricle outlet)로 이루어짐. Ebstein 기형

에서는 특히 우심실 유입로의 벽두께가 얇으면서 기능적으로는 우심방의 역할을 하는, 이른바 심방화된 우심실이 특징임. 삼첨판의 중격엽과 후엽의 전위 정도가 커질수록 제대로 기능을 하는 우심실 크기는 작아짐.

4) 삼첨판 중격엽의 전위로 인하여 중격 또는 심방의 섬유대(septal or atrioventricular fibrous body)에 연속성이 없어져서 부전도(accessory pathway) 등이 생길 가능성이 높아짐.

Ebstein 기형의 형태학적 특징은 주로 삼첨판막에 집중되어 있으나 그 발생은 우심실의 심근 발생 장애로 인하여 우심실과 삼첨판막 발달에 동시에 영향을 주는 것으로 이해되어야 한다. 특히, 심장의 발생시 원시 우심실 심근에서 층이 갈라지면서 삼첨판막이 발생하는데 그 과정에서 장애가 생기는 것이 Ebstein 기형이다.

Ebstein 기형의 진단에서 가장 흔하게 사용되는 방법은 경흉부심초음파인데 승모판의 전엽과 삼첨판의 중격엽이 심실중격에 부착되는 부위의 거리가 단위 체표면적당 8 mm를 넘으면 진단할 수 있다. Ebstein 기형은 결국 삼첨판막의 기형 정도와 동반된 심기형에 따라 우측 심장의 크기와 기능 그리고 예후가 결정된다. Carpentier는 심방화된 우심실의 크기와 우심실의 수축기능, 삼첨판 전엽의 움직임과 전엽의 심실벽 유착 정도를 평가하여 A형부터 D형까지로 나누었다(그림 7-5-6). A형은 잘 움직이는 삼첨판 전엽에 심방화된 우심실이 작고 수축기능이 좋으며, B형은 잘 움직이는 삼첨판 전엽에 심방화된 우심실이 커서 수축기능이 감소한 형태이고, C형은 삼첨판 전엽이 유착

으로 인해 제한적인 움직임을 보이며, D형은 삼첨판이 심내막에 완전 유착되어 심방화된 우심실이 대부분인 형태로, 각각에 따라 수술 방법을 세분화하였다.

Ebstein 기형은 VSD나 ASD를 비롯한 다양한 선천성 심질환이 동반되는 경우가 많아서, 수술을 고려할 때 동반된 심기형을 평가하는 것이 완전 교정에 있어서 매우 중요하다. 특히 ASD는 좌우단락으로 인하여 우심실, 우심방이 커지는 대표적인 질환인데 Ebstein 기형은 질환 그 자체로 인하여 우심실, 우심방의 확장이 있기에 ASD의 동반 여부를 놓칠 수 있다(그림 7-5-7).

Ebstein 기형에서 CMR은 심방화된 우심실의 크기 및 기능을 보다 정확히 평가할 수 있다는 장점이 있어서 최근에 많이 사용되고 있다. 통상적으로 CMR에서 사용하고 있는 steady-state free precession cine 영상을 사용하면 각 심방과 심실의 용적과 기능을 측정할 수 있을 뿐만 아니라 심방화된 심실의 영역과 기능도 좀 더 정확히 평가할 수 있다는 점에서 유용하다. 또한, 삼첨판막의 부착 부위를 좀 더 정확히 알 수 있다는 장점도 있다.

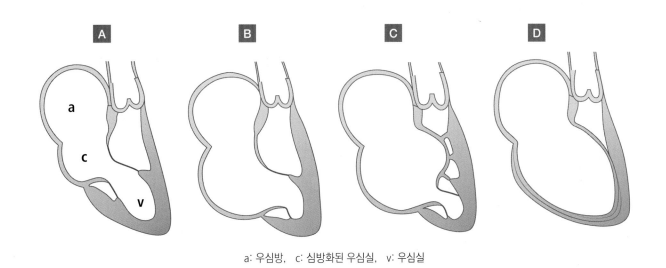

a: 우심방,   c: 심방화된 우심실,   v: 우심실

그림 7-5-6. Ebstein 기형의 Carpentier 분류법.

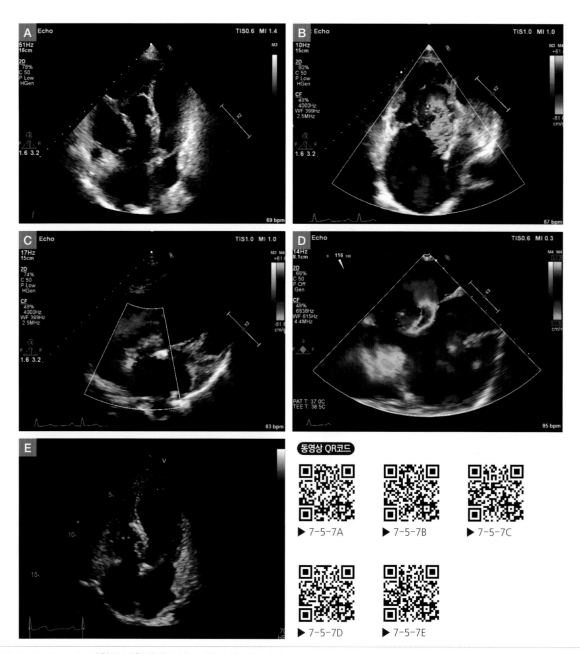

그림 7-5-7. Ebstein 기형의 전형적인 소견. 경흉부심초음파에서 Carpentier type C의 Ebstein 기형과 함께 ASD, secundum type이 있었던 환자임(A-C). Ebstein 기형에 ASD, secundum type이 동반되는 것을 경식도심초음파로도 확인함(D). Ebstein 기형과 ASD를 완전 수술적 교정한 이후로 확장되었던 우심실과 우심방의 크기가 현저히 감소함(E). **(동영상)**

6. 폐정맥 환류 이상(Anomalous Pulmonary Venous Return, APVR)

증례. 전폐정맥환류이상(Total anomalous pulmonary venous return, TAPVR)

특별한 기저병력이 없던 37세 남자가 2달 전부터 서서히 진행하는 호흡곤란 및 복부 팽만감을 주소로 내원하였다. 내원 당시 생체징후는 혈압 110/70 mmHg, 맥박수 113회였으며, 신체 검진에서 경정맥 확장, 3단계 이상의 하지의 함요부종이 관찰되었고, 복부 촉진 시 4지폭 가량의 간 비대 및 복수가 확인되었다. 동맥혈 산소포화도는 89.1%로 감소되어 있었다. 심전도에서 동성빈맥과 우심실비대가 관찰되었고(그림 7-6-1), 흉부 X선 검사에서 눈사람 모양의 심비대 및 폐울혈이 관찰되었다(그림 7-6-2).

심초음파에서 우심실과 우심방 확장, 수축기능 저하(좌심실구혈률 34%) 및 다량의 심낭삼출이 관찰되었다. 삼첨

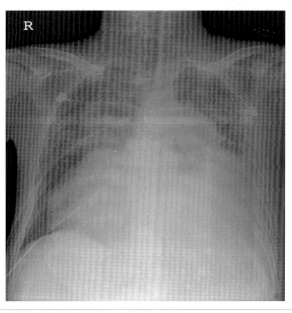

그림 7-6-2. 흉부 X선 검사 소견. 눈사람 형태 혹은 8자 형태(figure of 8)의 심비대에 동반된 폐 울혈이 관찰됨.

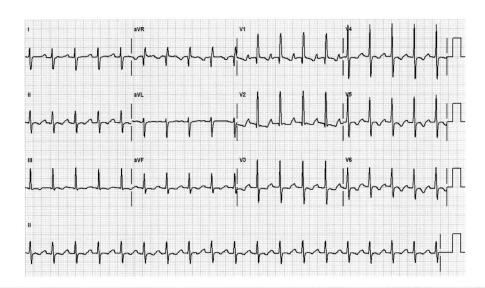

그림 7-6-1. 심전도 소견. 동성빈맥 및 우심실비대가 의심됨.

판 역류의 최대속도는 3.5 m/sec로 중등도 이상의 폐고혈압을 시사하고 있었다. 폐정맥에서 상대정맥으로 유입되는 비정상 혈류가 관찰되며, 다량의 산소가 함유된 이 혈류가 ASD, secundum type을 통해 우좌단락을 형성하여 좌심방으로 유입되는 것을 확인하였다. 이에 ASD, secundum type이 동반된 TAPVR을 진단하였다(그림 7-6-3).

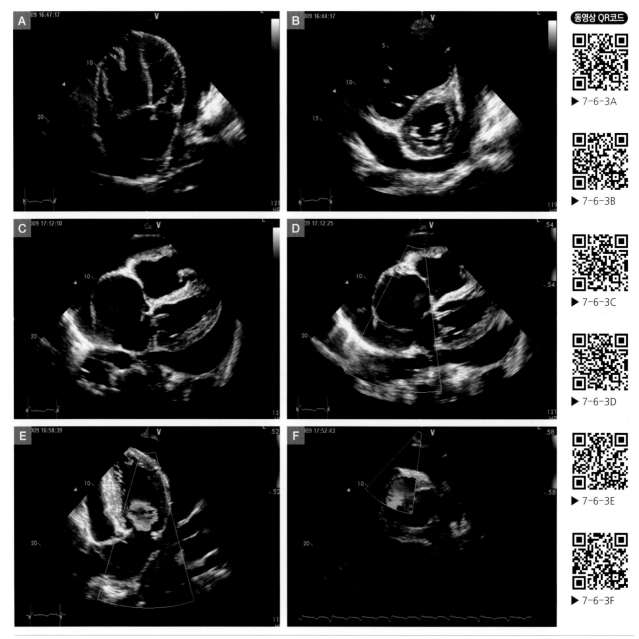

▶ 7-6-3A

▶ 7-6-3B

▶ 7-6-3C

▶ 7-6-3D

▶ 7-6-3E

▶ 7-6-3F

그림 7-6-3. 심초음파 소견. 우심장의 확장 및 양심실 수축기능의 저하가 있으며 다량의 심낭삼출이 관찰됨. 폐정맥이 좌심방이 아닌 상대정맥으로 유입되는 비정상혈류(E, ➡)가 관찰되며, 이는 ASD를 통해 우좌단락을 형성하며 좌심방으로 유입됨. ASD가 동반된 TAPVR이 진단됨. Reproduced with permission from Shin DH et al. Circulation 2011;123(21):e612-3) **(동영상)**

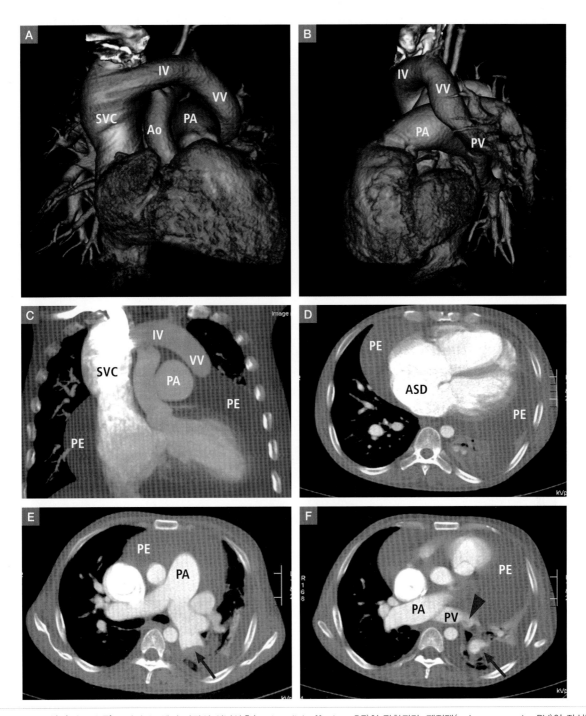

그림 7-6-4. 심장 CT 소견. 심장 CT에서 다량의 심낭삼출(pericardial effusion, PE)이 관찰되며, 폐정맥(pulmonary vein, PV)이 좌심방으로 직접 유입되지 않고, 수직정맥(vertical vein, VV)과 무명정맥(innominate vein, IV)을 통해 상대정맥(superior vena cava, SVC)으로 유입되는 TAPVR이 확인됨(A-C). 비정상 혈류로 인해 상대정맥 및 우측 심장의 확장이 동반됨. 이 비정상 혈류는 ASD, secundum type을 통해 좌심방으로 연결됨(D). 추가적으로 폐동맥(pulmonary artery, PA) 색전이 확인됨(E, F, ➡, ▶). Reproduced with permission from Shin DH et al. Circulation 2011;123(21):e612-3)

심장 및 주변 혈관의 구조를 확인하기 위해 심장 CT를 시행하였고 심초음파와 마찬가지로 다량의 심낭삼출이 있으며 폐정맥 혈류가 수직정맥(vertical vein)과 무명정맥(innominate vein)을 통해 상대정맥 위쪽으로 유입되는 이상 구조를 확인하여 ASD가 동반된 상심장형(supracardiac type) TAPVR을 진단하였다. 추가로 좌폐동맥에 폐색전증이 동반되었다(그림 7-6-4)

선천성 심기형 교정을 하기 전에 심도자술을 시행하여 폐동맥과 심장 내부의 압력 및 동/정맥혈의 산소포화도를 확인하였다. 우심방 평균 압력은 12.5 mmHg, 좌심방은 12.4 mmHg 였고, 우심실 압력은 63/13 mmHg, 좌심실

은 126/71 mmHg이었다. 폐동맥 수축기압력은 65 mmHg, 평균압력은 47 mmHg로 폐고혈압이 확인되었다. 상대정맥 산소포화도는 93.2%, 우심방은 94.0%로 산소가 다량 함유된 혈액의 유입으로 상승된 소견이었다(그림 7-6-5).

수직정맥을 결찰하고 폐정맥을 좌심방으로 이전하는 TAPVR 교정술과 ASD 폐쇄술을 시행하고, 좌폐동맥 색전에 대해 폐동맥 혈전내막제거술(pulmonary thrombo-endarterectomy)을 병행하였다.

❯ Keynote

APVR은 정상적으로 모든 폐정맥이 좌심방과 연결되어야 하는 것과는 달리, 폐정맥들의 전부(TAPVR) 또는 일부(partial anomalous pulmonary venous return, PAPVR)가 우심방 또는 대정맥과 비정상적으로 연결된 선천성 심기형이며 전체 선천성 심질환 중에서 약 1% 정도의 비율인 것으로 알려져 있다.

TAPVR은 다른 우좌단락이 없으면 순환이 유지되지 않고 청색증이 흔히 동반되므로, 영아기에 발견된다. 그러나 PAPVR은 다른 우좌단락이 없는 한, 증상이 없으므로 우연히 성인에서 발견되기도 하며 단순 ASD와 거의 비슷한 혈역학적 현상을 보인다. 즉, 폐순환을 거친 동맥혈이 좌심방으로 들어가지 못하고 폐정맥으로 돌아와서 우심방, 무명정맥, 상대정맥, 하대정맥 등으로 잘못 연결되어, "동맥혈"이 다시 폐혈류로 돌아가므로 폐혈류가 증가한다. 따라서 질환의 중등도 정도는 잘못 연결된 폐정맥의 수와 동반 기형의 여부에 따라 결정된다. TAPVR은 대부분 외과적 응급 상황이며 발견 즉시 수술이 권장된다.

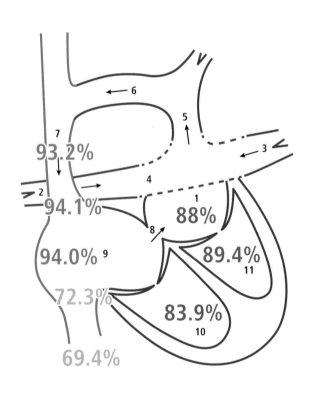

그림 7-6-5. **심도자술 소견.** 증가된 우심방, 우심실, 폐동맥의 압력이 확인되었고, 상대정맥 및 우심방의 산소포화도는 산소 함유량이 많은 폐정맥 혈류의 유입으로 상승되어 있음.

APVR은 폐정맥이 연결되는 위치에 따라 분류하기도 하며 심장 상부에 있는 상대정맥, 무명정맥으로 연결되는 경우, 우심방 또는 관상 정맥동으로 바로 연결되는 경우가 흔하다. 반면, 간정맥이나 하대정맥 등 횡격막보다 낮은

부위로 연결되는 형태는 드물게 발견된다.

PAPVR은 다른 선천성 심기형과 동반되는 경우가 많은데, 특히 ASD, sinus venosus type과 흔히 병발한다. 따라서, ASD, sinus venosus type이 발견된 경우에는 PAPVR

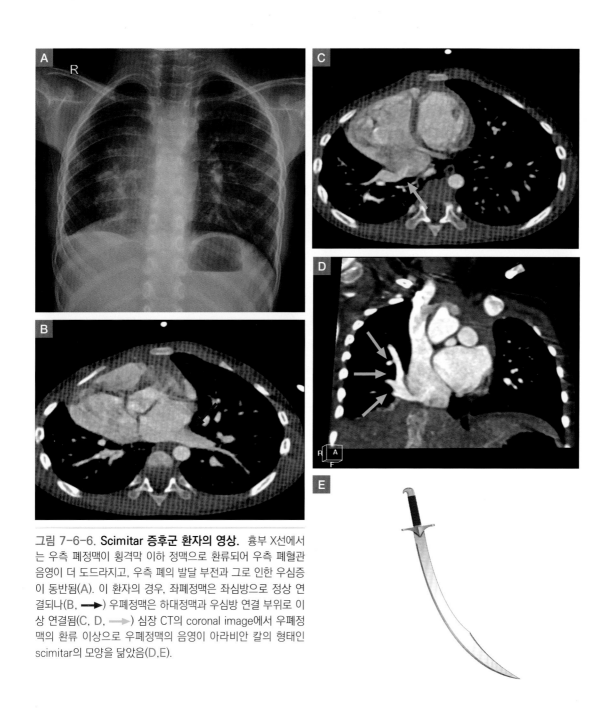

그림 7-6-6. Scimitar 증후군 환자의 영상. 흉부 X선에서는 우측 폐정맥이 횡격막 이하 정맥으로 환류되어 우측 폐혈관 음영이 더 도드라지고, 우측 폐의 발달 부전과 그로 인한 우심증이 동반됨(A). 이 환자의 경우, 좌폐정맥은 좌심방으로 정상 연결되나(B, ➡) 우폐정맥은 하대정맥과 우심방 연결 부위로 이상 연결됨(C, D, ➡) 심장 CT의 coronal image에서 우폐정맥의 환류 이상으로 우폐정맥의 음영이 아라비안 칼의 형태인 scimitar의 모양을 닮았음(D,E).

이 같이 있는지 여부를 경식도심초음파, 심장 CT 또는 MRI를 통해서 꼭 확인해야 하며 이는 수술 전 검사에서 특히 중요하겠다. 대부분의 PAPVR은 우폐정맥, 특히 우상폐정맥의 우심방 또는 상대정맥으로의 환류 이상 형태이다. 그러나 일부에서 우폐정맥의 전체 또는 상당부분이 횡격막 아래쪽 혈관으로 연결되는 PAPVR 형태가 있는데 우폐정맥의 이상 주행이 꼭 아라비안 칼(scimitar)의 형태로 보인다고 하여 이를 scimitar 증후군이라고 하며, 특징적인 흉부 X선, 심장 CT coronal image 사진을 확인할 수 있다(그림 7-6-6). 우폐정맥의 환류 이상으로 인하여 우측 폐의 발달 부전과 이차적인 우심증(dextrocardia)이 관찰되고 일부에서는 우하폐엽의 혈액 공급이 체순환에 의하여 이루어지는 기형이다.

7. 수정 대혈관 전위(Congenitally Corrected Transposition of the Great Arteries, cc-TGA)

증례. 수정 대혈관 전위(cc-TGA)

45세 여자가 외부 병원에서 시행한 심전도 이상으로 순환기내과 외래에 내원하였다. 10년 전 실신의 병력이 있으나 내원 시에는 특별한 증상이 없는 상태였다. 내원 후 시행한 심전도에서는 서맥에 동반된 2:1 방실차단, 전방유도와 하부유도에서 Q파가 관찰되었다(그림 7-7-1). 그 외에 기본 신체 검진 및 흉부 X선 검사는 정상이었다(그림 7-7-2).

전도 이상을 유발할 만한 구조 심질환 여부를 확인하기 위해 심초음파를 시행하였다(그림 7-7-3). 심장은 정위(situs solitus)였으며 좌심방-형태학적 우심실-대동맥, 우심방-

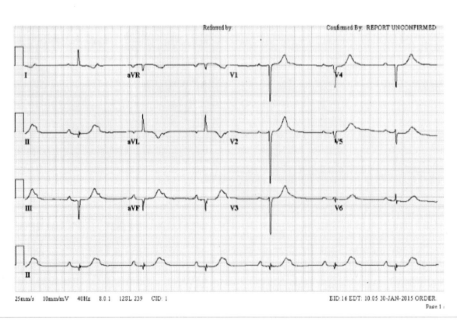

그림 7-7-1. **심전도 소견.** 2:1 방실차단이 동반된 서맥에 전방유도, 하부유도에서 Q파가 관찰됨.

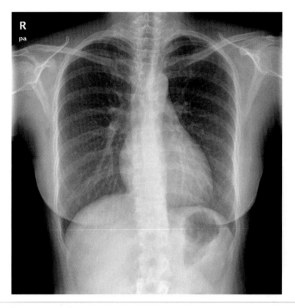

형태학적 좌심실–폐동맥으로 이어져 심방–심실의 연결, 심실–대혈관의 연결이 양쪽 모두 바뀌어진 discordance 로, cc–TGA가 의심되었다. 동반된 심장 내 단락은 관찰되지 않았고 체순환을 담당하는 우심실 수축 기능은 정상이었다(우심실구혈률 53%). 경도의 삼첨판 역류가 있지만 판막의 구조이상은 동반되지 않았다.

심장 CT로 심장 및 주변 대혈관의 해부학적 구조를 평가하였고 심초음파와 마찬가지로 심방–심실의 연결, 심실–대혈관의 연결이 모두 바뀐 cc–TGA가 확진되었으며 다른 심기형의 동반은 없었다(그림 7-7-4). 현재 특별한 증상 없이 외래에서 경과 관찰 중이다.

그림 7-7-2. 흉부 X선 검사 소견. 정상임.

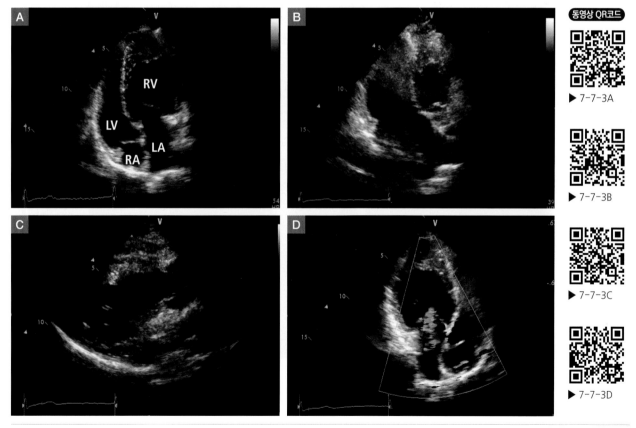

그림 7-7-3. 심초음파 소견. 우심방–형태학적 좌심실–폐동맥(A, B), 좌심방–형태학적 우심실–대동맥(A, C)으로 연결되어 심방–심실 연결, 심실–대혈관 연결이 양쪽 모두 바뀐 discordance가 확인되어 cc–TGA를 시사함. 우심실 수축 기능은 정상이며, 그 외 동반된 심기형은 없었음(D). 좌심실에서 기시하는 혈관이 분지하는 형태를 보여서 폐동맥임을 알 수 있음(B). **(동영상)**

동영상 QR코드

▶ 7-7-3A

▶ 7-7-3B

▶ 7-7-3C

▶ 7-7-3D

▶ Keynote

cc-TGA를 정확히 이해하기 위해서는 심방–심실 연결, 심실–대혈관 연결의 concordance/discordance를 이해하고 심방, 심실, 대혈관의 좌, 우 여부를 판별할 수 있어야 한다. 다음은 심방, 심실, 대혈관의 좌,우를 판별하는 기준들이며 이는 실제로 이러한 구조물이 좌측 또는 우측에 있는 것과는 무관하게 정한다.

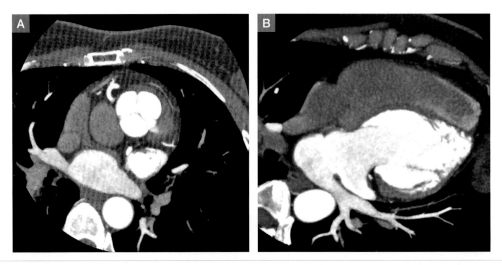

그림 7-7-4. 심장 CT 소견. 우심방–형태학적 좌심실–폐동맥, 좌심방–형태학적 우심실–대동맥으로 연결된 cc-TGA가 확인되었고, 동반된 다른 심기형은 관찰되지 않음.

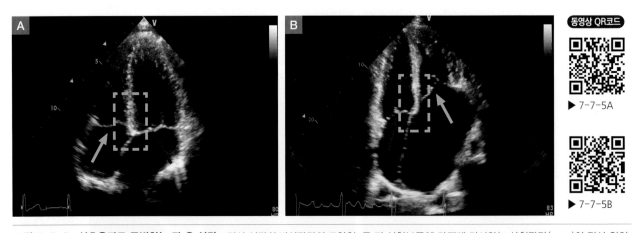

그림 7-7-5. 심초음파로 구별하는 좌,우 심장. 정상 심장의 방실판막의 모양임. 좀 더 심첨부쪽에 가깝게 기시하는 삼첨판막(➡)이 정상 위치에서 기시함(A). cc-TGA의 방실 판막은 삼첨판막이 좌측(➡)에 승모판막이 우측(➡)에 있어 좌우가 뒤바뀌어 기시함. 즉, 양 판막이 심실 중격에서 기시하는 위치를 보면, 삼첨판과 승모판의 좌우가 바뀐 것을 알 수 있음(⌐ ¬)(B). **(동영상)**

동영상 QR코드

▶ 7-7-5A

▶ 7-7-5B

(심방) 대정맥이 연결되는 심방은 우심방이다. 그리고 좌심방이(left atrial appendage)는 귀처럼 생긴 sac 형태이고 비교적 가는 입구를 통하여 좌심방에 연결된 것에 비해, 우심방이(right atrial appendage)는 넓고 삼각형 모양이면서 비교적 넓은 입구로 우심방과 연결되어 있다.

(심실) 우심실은 육주가 비교적 잘 발달되어 있으면서 moderator band가 특징적이다. 방실판막은 심실을 따라가는 구조라 우심실에 붙어 있는 방실판막은 그 형태에 관계없이 삼첨판이 되고 좌심실에 붙어 있는 판막은 승모판이다. 특히 삼첨판막은 승모판막에 비하여 더 심첨부쪽에서 기시한다(그림 7-7-5).

(대혈관) 심실에서 기시하여 두 개로 분지하는 대혈관을 폐동맥으로 지칭하고(그림 7-7-3B) 나머지 대혈관을 대동맥으로 정한다.

따라서 정상 심장은 우심방 ➜ 우심실 ➜ 폐동맥, 좌심방 ➜ 좌심실 ➜ 대동맥으로 연결되는 형태의 concordant 연결이다. 그러나 cc-TGA에서는 심방-심실 연결과 심실-대혈관 연결이 서로 discordant 연결로 좌심방 ➜ 우심실 ➜ 대동맥, 우심방 ➜ 좌심실 ➜ 폐동맥으로 연결되는 구조를 가진 선천성 심질환이다. 전체 선천성 심질환의 약 0.5% 정도이며 cc-TGA의 약 90% 이상에서는 다른 선천성 심질환이 동반되어 있는 것으로 알려져 있다. cc-TGA에서 관상동맥은 형태학적인 심실을 따라간다. 즉, 형태학적 좌심실(좌심실의 구조를 가지고 있으면서 우심방, 폐동맥과 연결되는 심실)에서는 LCA가 기시하므로 관상동맥

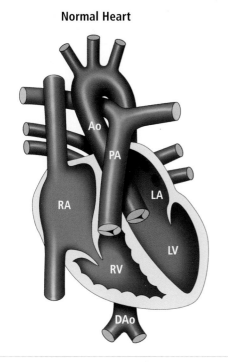
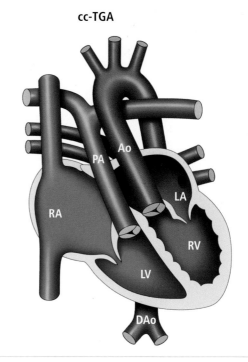

그림 7-7-6. 정상 심방-심실-대혈관 연결과 cc-TGA의 연결의 모식도. cc-TGA에서는 대혈관이 평행하게 주행하는 것이 특징적임. RA : 우심방, RV : 우심실, PA : 폐동맥, Ao : 대동맥, LA : 좌심방, LV : 좌심실, DAo : 하행대동맥

의 주행도 좌우가 바뀌어 있다. 또한 좌측, 후방에 있어야 할 상행대동맥과 우측, 전방에 있어야 할 폐동맥은 서로 평행선상으로 주행하게 된다(그림 7-7-6).

cc-TGA의 발생학적 원인은 태아 상태에서 심장 발생 시 정상적으로 심장 tube가 우측 loop를 형성하는 것 (D-loop)과는 반대로 좌측 loop (L-loop)를 형성하기 때

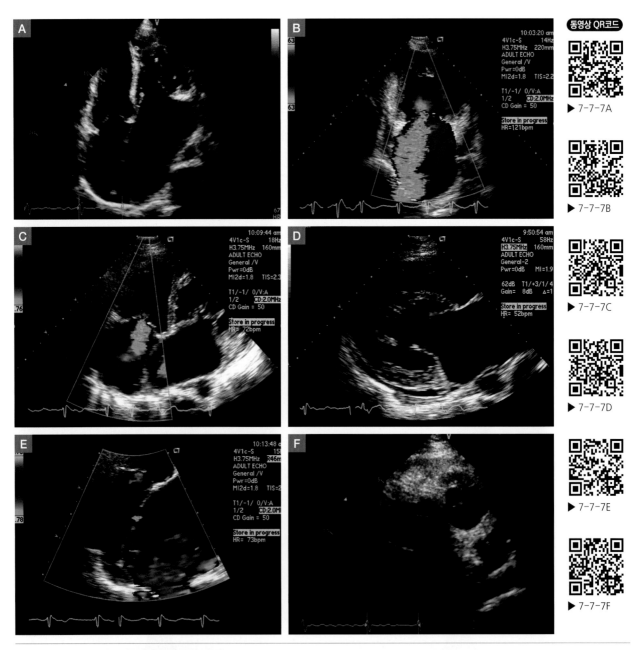

그림 7-7-7. cc-TGA 환자의 심초음파 영상. 두근거림이 지속되면서 진행하는 호흡곤란, 복부 팽만감을 주소로 내원한 환자의 영상 검사임. 심초음파에서 우심방-형태학적 좌심실-폐동맥, 좌심방-형태학적 우심실-대동맥으로 심방-심실 관계, 심실-대혈관 관계가 모두 바뀐 cc-TGA가 관찰됨(A, D). 좌측에 위치한 삼첨판막은 엽간의 교합 불균형(poor coaptation)으로 인해 중등도 이상의 삼첨판 역류를 동반하고(B), 우측에는 경도 이상의 승모판 역류와 그로 인한 폐동맥 고혈압(C) 이 확인됨. 동반된 작은 PFO(E)가 확인되었고, 대혈관의 주행도 뒤바뀌어 대동맥과 폐동맥이 나란히 주행하게 됨(F). **(동영상)**

문으로 알려져 있다. cc-TGA의 임상상은 형태학적 우심실, 즉, 좌심실의 기능을 담당하는 심실의 기능과 같이 존재하는 선천성 심질환의 여부 및 정도에 달려 있다. 형태학적 우심실은 실제로 좌심실의 기능을 담당해야 하므로 대동맥의 높은 압력을 견디면서 혈액을 보내야 하는데 이러한 형태학적 우심실은 압력보다는 용적에 잘 견디도록 되어 있어서 구혈률이 떨어지고, 심근으로의 혈액 공급 또한 RCA을 통하여 충분히 받지 못할 수 있다. 동반되는 VSD, 방실판막(즉, 삼첨판막 또는 승모판막)의 기능 장애와 전도장애 등은 모두 좌심실의 기능을 담당하는 형태학적 우심실 기능에 더 영향을 줄 수 있다.

cc-TGA의 발생시 심방 중격의 축과 심실 중격의 축이 어긋나 있기 때문에 심장의 전도로 또한 비정상적이며 증례에서와 같이 방실결절, 히스속 및 그 가지 등에서 다양한 형태의 전도장애가 나타날 수 있다. 또한 정상적인 심실의 전기적 활성화는 좌 → 우의 방향으로 진행하므로 우측 흉부유도에서는 R파가 먼저 보여야 하나, cc-TGA에서 형태학적인 좌심실이 우측에 있으므로 우측 흉부유도인 V1, 2에서 거꾸로 Q파가 먼저 보인다.

심초음파를 비롯한 각종 영상 검사는 상기의 이상 소견을 확인하기 위한 과정이다. 특히 주의 깊게 보아야 하는 것은 좌심실의 기능을 하는 형태학적 우심실의 기능과, 동반된 선천성 심질환 여부, 방실판막의 기능 등이다(그림 7-7-7).

8. 선천성 관상동맥 기형

> **증례. 폐동맥에서 기시된 좌측 관상동맥(Anomalous origin of left coronary artery from pulmonary artery, ALCAPA)**

5-6년 전부터 간헐적인 흉통이 있었던 24세 남자로 교통사고로 발생한 대퇴골 골절에 대해 수술을 고려하던 중, 수술 전 검사 이상으로 순환기내과에 의뢰되었다. 심전도에서 양심실 비대 및 경미한 전도장애 소견이 관찰되었고(그림 7-8-1), 흉부 X선 검사는 정상이었다(그림 7-8-2).

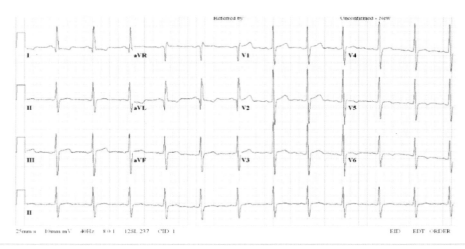

그림 7-8-1. 심전도 소견. 양심실 비대 및 경미한 전도장애 소견이 관찰됨.

외부에서 시행한 CAG에서 대동맥에서 좌관상동맥(left coronary artery, LCA)으로 기시하는 입구가 확인되지 않았으며(그림 7-8-3A), 비후되고 심하게 구불거리는 RCA가 심장 좌측까지 혈류를 공급하고 있었다(그림 7-8-3B). 이에

원래의 위치가 아닌 다른 부위에서 기시하는 LCA가 있을 것이라고 추정하였다.

심초음파에서 좌심실은 경도로 늘어나 있었으며(좌심실 이완기말 직경 56 mm), 경도 승모판 역류가 동반되었다. 흉골연단축단면도에서 폐동맥쪽을 보면, 바깥에서 주폐동맥쪽으로 들어오는 비정상 혈류가 의심되었고 이는 LCA의 연결일 것으로 추정되었다. 또한 좌심실 전벽(anterior wall)의 무운동증(akinesia)과 심첨부의 저운동증(hypokinesia)이 관찰되어 좌전하행지(left anterior descending coronary artery, LAD) 영역에 허혈이 있을 것으로 생각되었다(그림 7-8-4).

혈관의 구조를 명확하게 확인하기 위해 심장 CT를 시행하였다. LCA는 주폐동맥과 연결되어 있으며 오히려 LCA에서 주폐동맥으로 역방향 혈류가 생겨 주폐동맥의 확장(34.2 mm)을 유발하는 것이 확인되어, 폐동맥에서 기시된 좌측 관상동맥(anomalous left coronary artery from pulmonary artery, ALCAPA)을 확진하였다. RCA는 전반적으로 심한 굴곡이 동반되어 늘어난 상태였다. 관상동맥

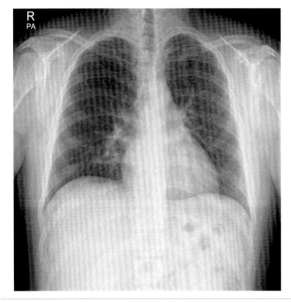

그림 7-8-2. **흉부 X선 검사 소견.** 정상.

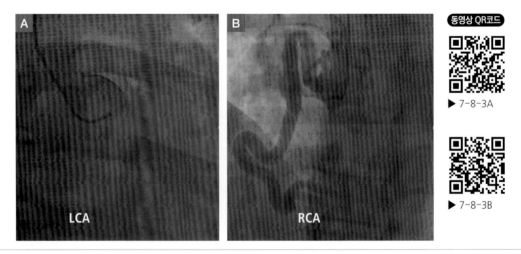

▶ 7-8-3A

▶ 7-8-3B

그림 7-8-3. **CAG 소견.** 대동맥에서 LCA로 기시하는 부위는 관찰되지 않았으며(A), 비후되고 심하게 구불대는 RCA가 심장 좌측까지 혈류 공급하는 것이 관찰됨(B). **(동영상)**

에 죽상경화로 인한 내경 협착은 동반되지 않았으나, 좌심실 기저부부터 중간부까지 전중격벽(anteroseptal wall)과 전벽의 얇아진 심근(severe myocardial thinning)이 관찰

되어 LAD의 상대적인 허혈에 따른 심근 경색이 있다고 평가하였다(그림 7-8-5).

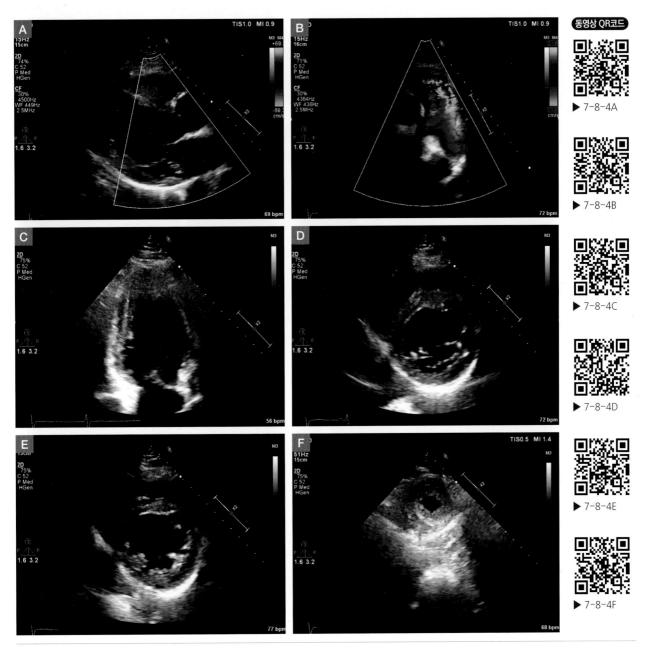

그림 7-8-4. 심초음파 소견. 경미한 좌심실, 좌심방 크기 확장이 보였으며, 주폐동맥으로 들어오는 비정상 혈류가 의심되었음(B). 좌심실 전벽의 무운동증, 심첨부의 저운동증이 동반되어 있어 LAD의 허혈이 있을 것으로 추정됨. **(동영상)**

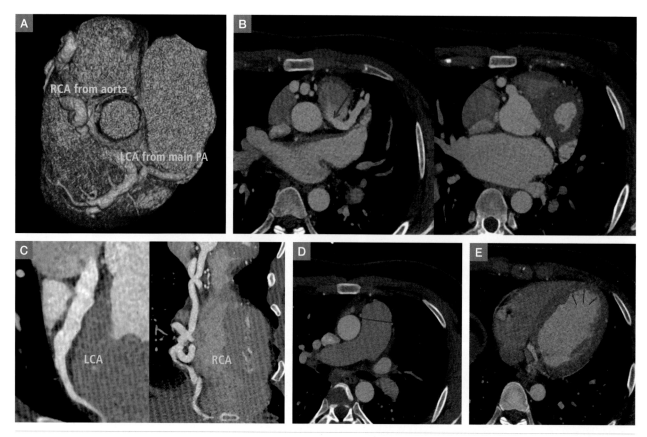

그림 7-8-5. **심장 CT 소견.** 대동맥에서 정상적으로 연결되는 RCA (B, 우단 그림 ➡)와 다르게, 주폐동맥과 연결된 LCA를 확인하였고(A-C, B 좌단 그림 ➡), LCA에서 폐동맥으로 역방향 혈류가 흐르며 주폐동맥의 확장을 야기함(D, ➡). 동반되어 LAD의 허혈에 따른 얇아진 심첨부의 심근이 확인됨(E, ➡).

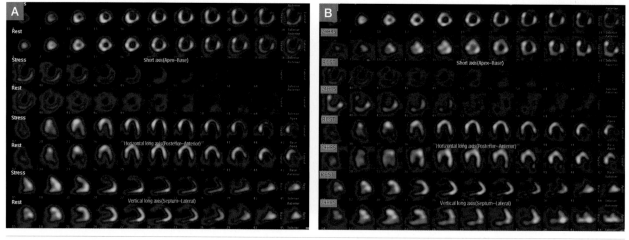

그림 7-8-6. **심근 SPECT 소견.** 심첨부 전벽에서 부하기의 관류 저하가 휴식기에 부분적으로 회복되는 소견이 관찰되었으며(A), 24시간 지연 영상에서 전측벽 혈류의 추가 호전이 확인되어, 일부 생존심근이 남아있을 것으로 판단됨(B).

심근생존능(viability)을 확인하기 위해 심근 SPECT를 시행하였고 기저부부터 중간부까지 전벽, 전측벽(antero-lateral wall)에서 부하기, 휴식기 모두에서 지속되는 비가역적 심근 관류 저하(fixed perfusion defect)를 보인 반면 심첨부, 특히 전벽에서 휴식기 심근 관류가 부분적으로 회복되었고 24시간 지연 영상에서 전벽의 관류 저하가 회복되는 가역적 심근 관류 저하(reversible perfusion defect)를 확인하였다(그림 7-8-6). 따라서, 일부 심근의 생존능이 있을 것이라고 생각하여 적극적인 혈관 기형의 교정이 필요하다고 판단하였다.

이에 폐동맥과 연결된 LCA를 제거하고 내흉동맥(internal thoracic artery)과 복재정맥 이식편(saphenous vein graft)을 이용하여 상행대동맥과 좌측의 관상동맥들을 연결하는 관상동맥우회로이식술(coronary artery bypass

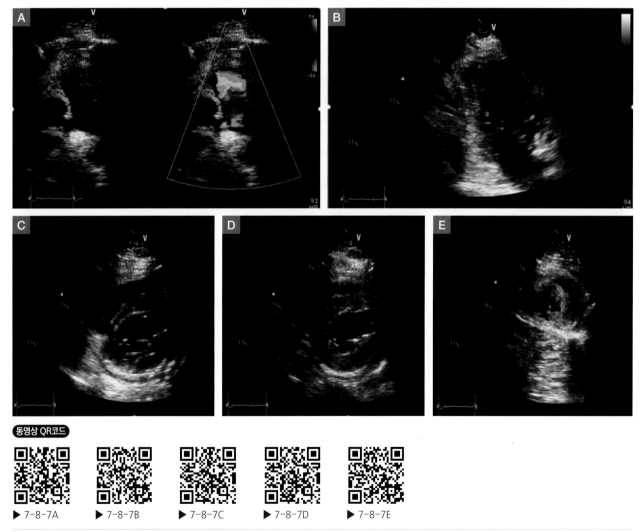

▶ 7-8-7A   ▶ 7-8-7B   ▶ 7-8-7C   ▶ 7-8-7D   ▶ 7-8-7E

그림 7-8-7. **관상동맥 우회로이식술 후 심초음파 소견.** 수술 1주 후 시행한 심초음파에서 수술 전 관찰되었던 심첨부 저운동증은 회복되었으며(B-E), 폐동맥으로 연결되는 비정상 관상동맥 혈류는 관찰되지 않음(A). **(동영상)**

graft surgery, CABG)을 시행하였다.

수술 일주일 후 추적 관찰한 심초음파에서는 수술 전 심장 SPECT에서 생존심근이 있다고 확인되었던 심첨부의 저운동증은 모두 회복되어 좌심실 전벽의 무운동증만 남았고 비정상 관상동맥 혈류는 관찰되지 않았다(그림 7-8-7).

> **Keynote**

선천성 관상동맥 기형은 약 1%의 발생빈도를 보이며 그 분류에 있어서 가장 중요한 것은 이와 동반한 선천성 심질환이 있는지의 여부이다. 동반된 선천성 심질환이 없는 경우에는 다음과 같이 분류할 수 있다.

1) 대동맥에서 관상동맥이 이상 기시하는 경우
2) 관상동맥의 근위부가 이상 주행하는 경우
3) 관상동맥이 이상 연결을 보이는 경우, 대표적인 예가

관상동맥 동정맥루(coronary arteriovenous fistula)
4) 관상동맥이 폐동맥에서 기시하는 경우(ALCAPA)

선천성 관상동맥 기형은 최근 건강검진 등에서 심장 CT를 많이 시행하면서 발견이 증가하고 있다. 대동맥으로부터 관상동맥이 이상 기시하는 경우는 관상동맥의 기시 위치에 따라, ① 대동맥-동관 접합부(sino-tubular junction) 상부에 있는 경우, ② 후방 관상동맥동(non-coronary sinus)으로부터 기시하는 경우, ③ 대동맥 판막의 엽 사이 연결부(commissure)에서 기시하는 경우로 정의된다. 아직까지 선천성 관상동맥이 이상 기시의 예후에 대한 것은 잘 알려져 있지는 않으나, 정상에 비해 대체적으로 관상동맥의 죽상경화증이 더 빨리 진행한다고 보고된다.

한편, 관상동맥의 이상 기시보다 임상적으로 더 중요한 것은 관상동맥의 이상 주행이다(그림 7-8-8). 이상 주행은 그 경로에 따라 ① 대혈관 사이 주행(interarterial), ② 심실중격 사이 주행(septal), ③ 전방 주행(anterior) 그리고 ④ 대혈관 후방 주행(retroaortic) 등이 있는데, 이 중에서

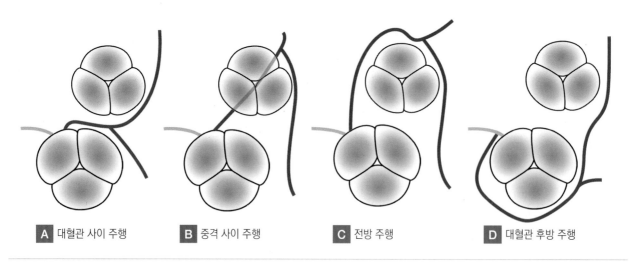

| A 대혈관 사이 주행 | B 중격 사이 주행 | C 전방 주행 | D 대혈관 후방 주행 |

그림 7-8-8. **관상동맥 이상 주행의 type.** 관상동맥의 이상 주행은 위와 같이 나누어볼 수 있음. 특히 이 중에서 LCA가 우심실유출로와 대동맥 근위부 사이로 주행하는 변이(A)가 급사의 위험이 가장 높은 것으로 알려져 있음.

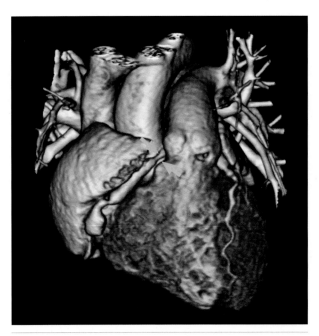

그림 7-8-9. 관상동맥 이상 기시의 한 예. RCA가 대동맥과 폐동맥 사이에서 이상 기시하여(➡) 대혈관 사이 주행을 보이는 가와사키병 환자의 CT 소견임.

급사는 주로 대혈관 사이 주행일 때 많이 생긴다. 급사는 대개 급격한 운동 시 또는 그 직후에 발생하며, 심한 운동 시 대동맥 근위부가 혈류량의 증가를 보조하기 위해 늘어나면서 관상동맥이 우심실유출로와 대동맥 근위부 사이에 눌리면서 생기는 것으로 설명하고 있다. 특히 심근의 혈류 상당부분을 담당하고 있는 LCA 또는 단일 관상동맥이 대혈관 사이로 주행할 때가 급사의 위험이 특히 높다 (그림 7-8-9).

관상동맥의 이상 기시 및 주행과 가장 많이 관련된 선천성 심질환으로는 TOF와 cc-TGA 등일 것이다. 관상동맥은 심실을 따라가는 concordant 양상을 보이므로, cc-TGA의 경우에는 관상동맥의 기시가 뒤바뀌어져 있거나 후방 관상동맥동에서 기시하는 경우도 있다. 임상적으로 이것이 중요한 이유는 수술적 교정을 할 경우, 대개 대혈관 전위술과 동시에 관상동맥의 전위술도 필요할 수 있기 때문이다.

관상동맥 동정맥루는 주로 우측 심장에서 많이 생기며 동정맥루를 통한 혈류량이 많거나 크기가 크지 않은 이상 대개는 무증상이다. 그러나 연령이 증가함에 따라 이로 인한 합병증이 증가한다. 관상동맥 동정맥루의 합병증은 다음과 같다.

1) 심장에 전부하를 증가시킴으로써 심실 비후 및 심부전 유발
2) 혈류량 증가에 따른 관상동맥의 확장과 이로 인한 심근허혈과 협심증 발생
3) 유두근 부전으로 인한 심장 판막의 합병증 및 감염성 심내막염의 발생빈도 상승
4) 드물게 동정맥루의 파열로 인한 혈심낭 등

따라서 동정맥루의 크기가 상당하고 특히 혈역학적인 부담이 있다고 판단될 경우에는 수술적 또는 경피적 동정맥루 폐쇄술을 고려하는 것이 좋다. 크기가 작고 증상이 없는 동정맥루는 경과 관찰만으로 충분하다.

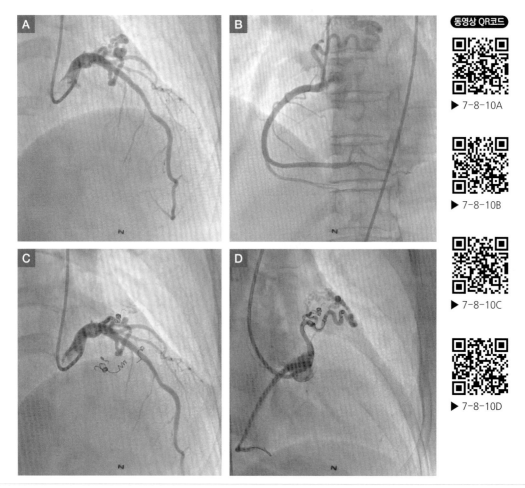

동영상 QR코드

▶ 7-8-10A

▶ 7-8-10B

▶ 7-8-10C

▶ 7-8-10D

그림 7-8-10. 관상동맥 동정맥루의 한 예. 흉통으로 내원한 환자가 CAG에서 LAD 및 RCA 각각의 원추분지(conus branch)가 주폐동맥과 연결되어 있는 것이 확인되어 관상동맥 동정맥루로 진단됨(A, B). 이에 증상 개선을 위해 코일을 이용한 도관색전술을 통해 누공을 막는 치료를 시행함(C,D). **(동영상)**

■ 참고문헌 ■

1. Abdel Razek AAK, Al-Marsafawy H, Elmansy M, et al. Computed Tomography Angiography and Magnetic Resonance Angiography of Congenital Anomalies of Pulmonary Veins. J Comput Assist Tomogr 2019;43:399-405.

2. Anilkumar M. Patent Ductus Arteriosus. Cardiol Clin 2013;31:417-30.

3. Click RL, Holmes DR Jr, Vlietstra RE et al. Anomalous coronary arteries: location, degree of atherosclerosis and effect on survival - a report from the Coronary Artery Surgery Study. J Am Coll Cardiol 1989;13:531-7.

4. Ferraz-Cavalcanti PE, Sa MP, Santos CA et al. Pulmonary valve replacement after operative repair of tetralogy of Fallot: meta-analysis and meta-regression of 3,118 patients from 48 studies. J Am Coll Cardiol 2013;62:2227-43.

5. Kim YY, Ruckdeschel E. Approach to residual pulmonary valve dysfunction in adults with repaired tetralogy of Fallot. Heart 2016;102:1520-6.

6. Mangukia CV. Coronary Artery Fistula. Ann Thorac Surg 2012;93:2084-92.

7. Mitra S, Florez ID, Tamayo ME et al. Association of Placebo, Indomethacin, Ibuprofen, and Acetaminophen With Closure of

Hemodynamically Significant Patent Ductus Arteriosus in Pre-term Infants: A Systematic Review and Meta-analysis. JAMA 2018;319:1221-38.

8. Perloff JK. The Clinical Recognition of Congenital Heart Disease. Philadelphia, PA: Saunders; 2003.

9. Qureshi MY, O'Leary PW, Connolly HM. Cardiac imaging in Ebstein anomaly. Trends Cardiovasc Med 2018;28:403-9.

10. Qureshi MY, O'Leary PW, Connolly HM. Cardiac imaging in Ebstein anomaly. Trends Cardiovasc Med 2018;28:403-9.

11. Qureshi MY, Sommer RJ, Cabalka AK. Tricuspid Valve Imaging and Intervention in Pediatric and Adult Patients With Congenital Heart Disease. JACC Cardiovasc Imaging 2019;12:637-51.

12. Seward JB, Tajik AJ, Edwards WD et al. Two-dimensional echocardiographic spectrum of Ebstein's anomaly: Detailed anatomic assessment. J Am Coll Cardiol 1984;3:356-7.

Multimodality imaging in cardiovascular intervention

1. 경피적 대동맥판막 치환술

증례. 경피적 대동맥판막 치환술(Transcatheter aortic valve replacement)

대장암으로 수술받은 뒤 정기적으로 추적관찰하던 83세 남자가 호흡곤란 악화로 내원하였다. 청진에서는 수축기 심잡음(grade III, right upper parasternal border)이 청진되었으며, ECG에서는 좌심실 비대 소견이 관찰되었다. 경흉부심초음파 및 경식도심초음파를 시행하였으며, 평균 대동맥압력차(mean transaortic pressure gradient) 75 mmHg, 대동맥 판막구 면적(AV area) 0.68 cm²의 중증 대동맥판막 협착증(severe AS)으로 진단되었다(그림 8-1-1).

심장 CT에서는 대동맥판막 및 좌심실 유출로의 심한 석회화 소견이 관찰되었는데, 특히 대동맥판막의 우측 관상동맥 첨판(right coronary cusp, RCC)에서 좌심실유출로 방향으로 이어지는 큰 석회화 덩어리(calcium chunk)가 관찰되었다(그림 8-1-2). 심장 CT 영상에서 관찰되는 석회화 부위에 색상을 표시한 재구성 영상에서도 우측 관상동맥 첨판(RCC) 및 비관상동맥 첨판(non-coronary cusp, NCC)에 석회화가 심한 양상으로, 대동맥판막의 석회화가 편심성 분포(eccentric distribution)를 보임을 알 수 있었다(그림 8-1-2).

83세의 고령의 환자이며 logistic EuroSCORE 5.8%로 수술의 중등도 위험도에 해당되어, TAVR를 시행하기로 결정하였다. Medtronic CoreValve 26 mm device를 사용하여 TAVR 시술을 하였는데, 인공판막의 위치는 적절하였음에도 불구하고 투시 영상에서 유의한 판막주위 역류(paravalvular leakage, PVL) 소견이 관찰되었다(그림 8-1-3). 대동맥판막 및 좌심실 유출로의 심한 편심성 석회화 부위에서 인공판막이 충분히 확장되지 않아서 paravalvular leakage가 발생한 상태였으며, 투시 영상에서 관찰되는 역류가 뚜렷하고 AR index도 22로 계산되어, 중등도의 paravalvular leakage로 판단되었다.

중등도 이상의 paravalvular leakage가 발생한 경우, 일반적으로 post-balloon dilatation을 통해 paravalvular leakage를 줄이는 방법을 시도해볼 수 있으나, 이 환자에서는 대동맥판막과 좌심실 유출로의 심한 석회화가 관찰되었고, 특히 석회화의 편심성 분포를 보이고 있었기 때문에, aortic root rupture 등의 위험이 있고, post-balloon dilatation 시술의 효과도 충분하지 않을 것으로 예상되어, 추가적인 조치 없이 시술을 종료하였다.

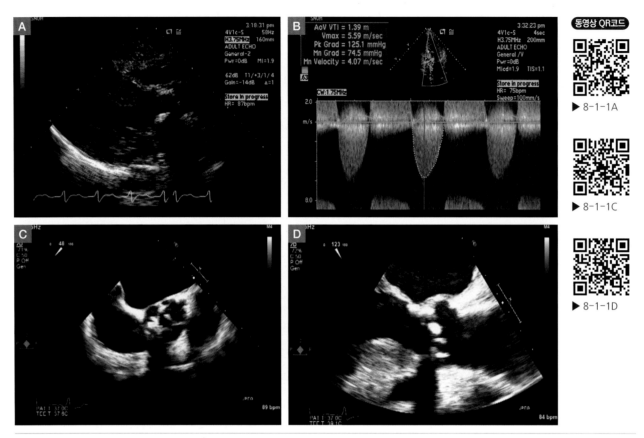

동영상 QR코드

▶ 8-1-1A

▶ 8-1-1C

▶ 8-1-1D

그림 8-1-1. 중증 대동맥판막 협착증의 심초음파 소견. (A) 경흉부심장초음파 검사의 흉골연장축영상에서 대동맥판막과 좌심실 유출로의 석회화 소견이 관찰되며, 좌심실비대가 뚜렷하게 관찰됨. (B) 대동맥판막의 최대 혈류속도 5.6 m/sec, 평균 압력차 75 mmHg로 계산되었음. (C, D) 경식도 심장초음파 검사의 60° 및 120° 영상에서 대동맥판막의 심한 석회화로 인한 대동맥판막의 움직임 저하 소견이 관찰됨. **(동영상)**

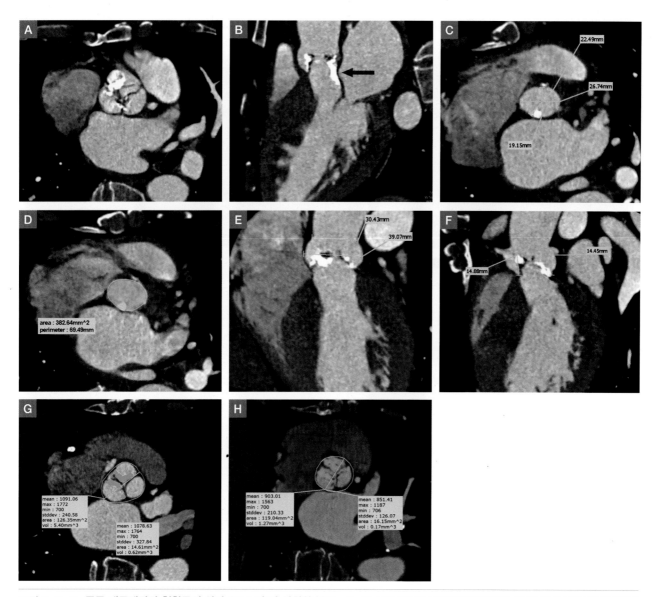

그림 8-1-2. 중증 대동맥판막 협착증의 심장 CT 소견 및 석회화 분포. (A, B) 심장 CT에서 관찰된 대동맥판막의 석회화 및 좌심실 유출로 방향으로 이어진 석회화 덩어리(➡). (C, D, E and F) TAVR 시술을 위해 심장 CT에서 대동맥판륜의 크기, 관상동맥 개구부의 높이(coronary os height) 등을 측정함. (G and H) 조영증강 영상에서 700 Hounsfield unit 이상으로 관찰되는 석회화 부위를 색상으로 표시한 결과, 우측 관상동맥 첨판(RCC) 및 비관상동맥 첨판(NCC)에 심한 석회화가 관찰되었음.

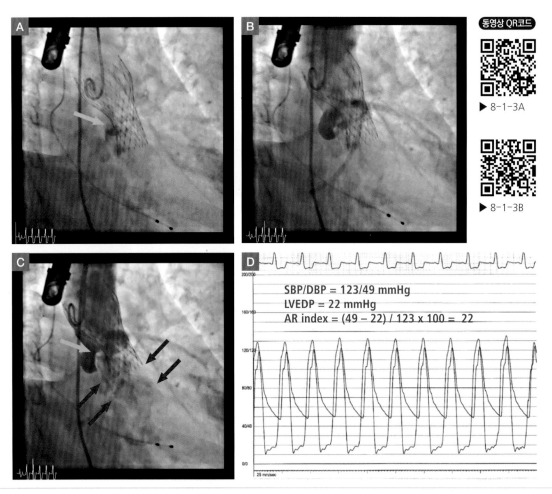

SBP/DBP = 123/49 mmHg
LVEDP = 22 mmHg
AR index = (49 − 22) / 123 x 100 = 22

그림 8-1-3. 경피적 대동맥판막 치환술의 시술 소견. (A, B) CoreValve 26 mm device로 TAVR를 시행하였으며, 인공판막의 위치는 적절하였고, 대동맥판막 및 좌심실 유출로의 편심성 석회화 부위(➡)가 투시 영상에서도 확인됨. (C) 투시 영상에서 유의한 paravalvular leakage 소견(➡)이 관찰되었으며, (D) AR index는 22로 계산됨. **(동영상)**

> **Keynote**

증상을 가진 중증 대동맥판막 협착증 환자 중에서 수술에 중등도 혹은 고위험을 가진 환자들에서 TAVR의 유용성은 여러 무작위배정 연구들에서 이미 입증이 되었다. 현재 미국과 유럽 진료지침은 이러한 환자들에서 TAVR의 시행을 강력히 권고하고 있다. 미국과 유럽 진료지침에서 surgical aortic valve replacement 혹은 TAVR를 선택하는 고려사항을 정리하면 다음과 같다(그림 8-1-4).

TAVR를 시행한 이후 발생할 수 있는 합병증 중에 삽입된 대동맥 판막 주위 누출, 즉 paravalvular leakage가 비교적 흔하게 관찰될 수 있다. 경도의 paravalvular leakage가 대부분이나 중등도 이상의 paravalvular leakage의 경우도 24%까지 보고되고 있으며, 이러한 중등도 이상의 paravalvular leakage는 사망률도 높이는 것으로 보고되고 있다. Paravalvular leakage의 발생의 기전은 크게 3가지로 설명이 될 수 있다; 1) Prosthetic valve−annulus size mismatch, 2) inappropriate placement of the prosthetic

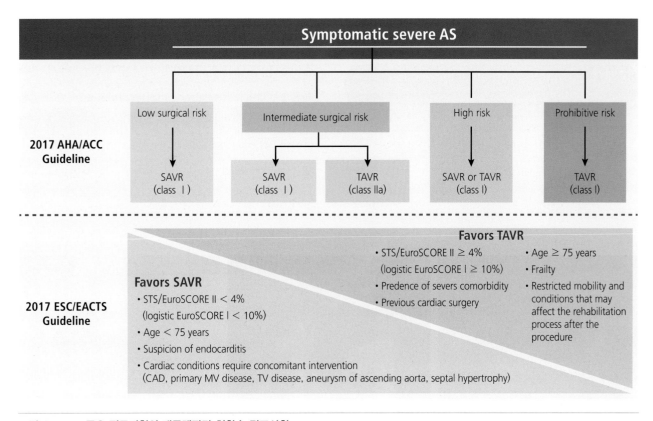

그림 8-1-4. **주요 진료지침의 대동맥판막 치환술 권고사항.** SAVR = surgical aortic valve replacement, TAVR = transcatheter aortic valve replacement, CAD = coronary artery disease, MV = mitral valve, TV = tricuspid valve.

valve, 그리고 3) incomplete apposition of the stent due to deformed native structure. Self-expandable valve의 경우, balloon-expandable valve에 비하여 paravalvular leakage가 더 많이 발생한다고 알려져 있다. 특히 TAVR 시술 전 시행되는 심장 CT에서 대동맥판막의 석회화의 편측성(eccentricity)을 평가함으로써, TAVR 시술 후 para-valvular leakage의 발생을 예측할 수 있다는 보고도 있다. TAVR 시행 후 발생하는 paravalvular leakage의 혈역학적 평가를 위해 AR index가 제시되었고, 이러한 AR index < 25 인 경우 TAVR 시행 1년 후의 사망률을 예측할 수 있음이 제시되기도 하였으나, AR index는 paravalvular leakage 이외에도 다른 요소들, 예를 들면 좌심실

경직도 등에 영향을 받을 수 있는 index이므로 해석에 주의를 요한다.

최근에는 수술의 중등도 및 고위험의 중증 대동맥판막 협착증 환자뿐만이 아니라 저위험 환자에서의 TAVR 시술의 유용성이 점차 밝혀지고 있어 향후 보다 넓은 적응증으로 TAVR가 시행될 가능성이 높다고 하겠다. 또한 이엽성 대동맥판막에서 발생하는 중증 대동맥판막 협착증에서의 TAVR도 시행이 증가하고 있다. 이엽성 대동맥판막을 TAVR로 치료한 이후, 동반된 상행대동맥확장의 진행 정도는 삼엽성 대동맥판막에서의 중증 대동맥판막 협착증을 TAVR로 치료한 경우와 크게 다르지 않다는 보고도 있다.

2. 좌심방이 폐색술

증례. 좌심방이 폐색술(Left atrial appendage occlusion)

78세 여성이 내원 3일 전 발생한 언어상실증으로 내원하였다. 환자는 당뇨, 고혈압을 앓고 있었고 동기능부전증후군으로 25년 전 심박동기삽입술을 시행 받았으며, 심방조동이 있어 리바록사반(rivaroxaban)을 매일 투여하던 중이었다. 응급실에 내원하여 시행한 두부 CT에서 좌측 해면상두개내동맥(cavernous intracranial artery)의 심한 협착 및 혈전이 의심되어 응급 동맥내 혈전용해술을 시행 받았다. 환자는 심장 원인의 색전(cardiogenic embolism)을 감별하기 위해 경식도심초음파를 시행하였으나 특이

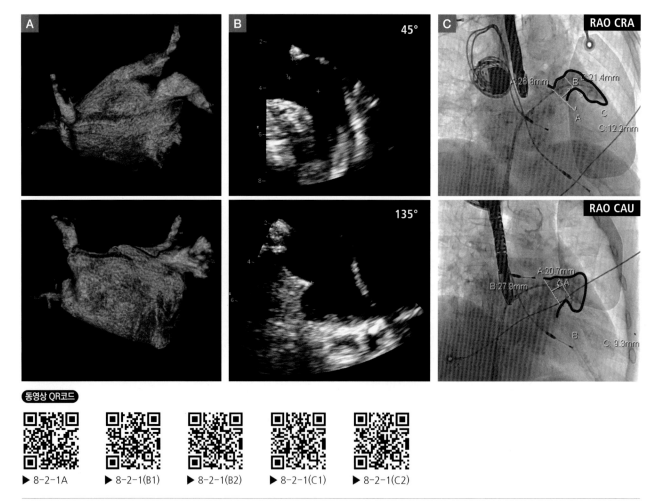

▶ 8-2-1A   ▶ 8-2-1(B1)   ▶ 8-2-1(B2)   ▶ 8-2-1(C1)   ▶ 8-2-1(C2)

그림 8-2-1. (A) 좌심방이 폐색술 전 심장 CT를 통해 3차원으로 재구성한 좌심방과 폐정맥. windsock 형태의 좌심방이가 관찰됨. (B) 좌심방이 폐색술 전 좌심방이의 경식도심초음파 소견. 각각 45°(위)와 135°(아래)에서 관찰함. (C) 좌심방이 폐색술 시행 전 좌심방이 조영술 소견. 좌심방이에 위치한 pigtail 도관을 통해 조영제를 주사하였음. (위) right anterior oblique cranial view (RAO CRA)로 경식도심초음파의 45°에서와 비슷한 모양의 좌심방이가 관찰되며, (아래) right anterior oblique caudal view (RAO CAU)로 경식도심초음파의 135°에서와 비슷한 모양의 좌심방이가 관찰됨. **(동영상)**

소견이 없어 비타민K 비의존성 경구항응고제(non-vita-min K antagonist oral anticoagulant, NOAC)의 치료 실패로 인한 뇌졸중으로 진단하였다. 환자의 CHA$_2$DS$_2$-VASc 점수는 7점으로 전신색전증 발생의 고위험군이었으며, HAS-BLED 점수는 3점으로 주요 출혈의 고위험군에 해당하여 좌심방이 폐색술(left atrial appendage occlu-sion, LAAO)을 시행하기로 결정하였다.

좌심방이 폐색술을 위해 시술 전 심장 CT(그림 8-2-1A)와 경식도심초음파(그림 8-2-1B)를 시행하였으며, 좌심방이의 모양은 windsock 형태로 확인되었다.

3차원으로 재구성한 CT(그림 8-2-2A)와 3차원 경식도심초음파 영상 분석(그림 8-2-2B)을 통해 착륙지점(landing zone)의 최대 너비가 22 mm로 측정되었으며 이에 좌심방이에 삽입할 기구(Amplatzer Amulet, Abbott)의 크기를 25 mm로 결정하였다. 시술 전 좌심방이 조영술을 통해 다시 한번 좌심방이 크기를 측정하였다(그림 8-2-1C).

경식도심초음파 유도 하에 심방중격천자(transseptal puncture)를 시행하였으며, 난원공(oval fossa)의 후하부(infero-posterior)를 통해 좌심방으로 진입할 수 있도록 유도하였다(그림 8-2-3). 심방중격천자 이후 좌심방이 내 기

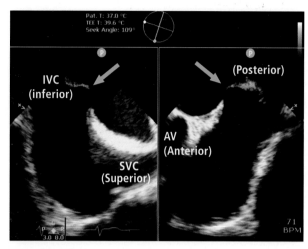

▶ 8-2-3

그림 8-2-3. 경식도심초음파 유도 하 심방중격천자(transseptal puncture). 좌측 영상은 TEE 109°의 bicaval view 로, 좌측 영상의 왼쪽은 하대정맥(inferior vena cava, IVC)이고 오른쪽은 상대정맥(superior vena cava, SVC)임. 우측 영상은 좌측 영상의 수직에 해당하는 19° 영상이며, 3차원 TEE 탐촉자를 이용할 경우 두 각도의 영상을 동시에 볼 수 있음. 우측 영상의 좌측이 환자의 앞쪽에 해당하는 대동맥판막(aortic valve, AV)이며, 영상의 우측이 환자의 뒤쪽임. 좌심방이 폐색술 시에는 난원공(oval fossa)의 후하부(infero-posterior)를 천자하여(→) 좌심방으로 진입하는 것이 좌심방이에 기구를 진입시키는 데 적합함. **(동영상)**

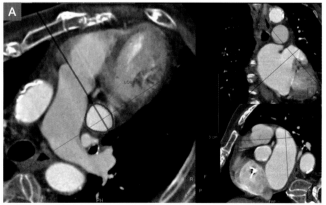

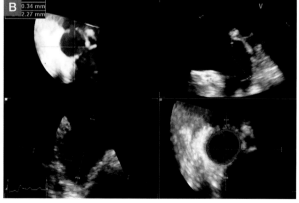

그림 8-2-2. 좌심방이 폐색술 전 착륙지점(landing zone)의 크기 측정. (A) 심전도 동기 심장 CT와 (B) 3차원 경식도심초음파를 통해 Amplatz Amulet 기구의 lobe가 위치할 착륙지점의 크기를 측정하였음(◯).

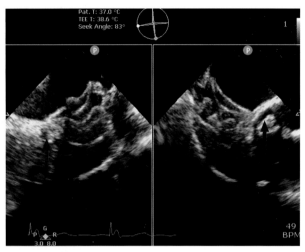

▶ 8-2-4

그림 8-2-4. 좌심방이 폐색술 중 경식도심초음파. Amplatzer Amulet 기구의 lobe의 2/3 이상이 LCX (➡)를 지나간 상태임. (동영상)

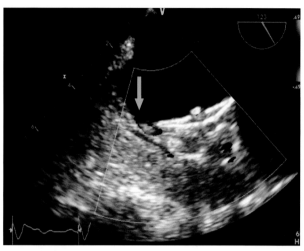

▶ 8-2-5

그림 8-2-5. 좌심방이 폐색술 1개월 후 경식도심초음파. 좌심방이 폐색 기구의 디스크와 좌심방이 입구 사이 5 mm 미만의 gap을 통해 기구 주위 누출 (➡)이 관찰됨. (동영상)

구를 위치시킬 때 기구의 크기가 적절한지, 기구 중 lobe의 2/3 이상이 좌회선관상동맥(left circumflex coronary artery, LCX)을 지나 위치했는지(그림 8-2-4), 기구 주위 누출(peri-device leakage)은 없는지 및 tug test 시에 기구가 움직이지 않는지 등을 시술 중 실시간 경식도심초음파로 확인한 후 시술을 종료하였다. 시술 직후 심낭삼출은 없었고 환자는 안정적으로 퇴원하였다.

1개월 후 경식도심초음파 추적검사에서 혈전은 관찰되지 않았다. 좌심방이 폐색 기구가 시술 직후에 비해 좌심방이 안쪽으로 약간 이동하면서 디스크와 좌심방이 입구 사이 5 mm 미만의 gap을 통해 기구 주위 누출이 확인되었으나(그림 8-2-5), 1년 후 추적관찰 검사에서 기구 주위 누출은 사라졌다. 환자는 이후 다비가트란(dabigatran) 110 mg를 하루 두 번 복용하면서 뇌졸중 재발 또는 출혈 합병증 없이 외래 추적관찰 중이다.

Keynote

심방세동은 전 세계적으로 3천3백만 명에서 이환되고 있는 질환이다. 심방세동과 관련하여 발생하는 뇌졸중은 가장 두려운 합병증으로 심방세동을 치료하지 않을 경우 전연령대에서 4-5배 정도 허혈성 뇌졸중(ischemic stroke)의 위험이 증가하는 것으로 알려져 있다. 경구용 항응고제(oral anticoagulant, OAC)가 이를 예방하는 표준치료법이고, 그 예방효과는 이미 잘 알려져 있다. 하지만, 일부 출혈의 고위험 환자군이 존재하며 이들에게 OAC가 금기가 되는 경우가 있다. 이러한 환자군에서 좌심방이 폐색술(left atrial appendage occlusion, LAAO)이 대체요법으로 등장했다.

LAAO 시행 전, 좌심방이(left atrial appendage, LAA)의 정확한 해부학적 평가는 매우 중요하다. 경식도심초음파가 시술 전, 시술 중, 시술 후 가장 널리 사용되는 방법으로 좌심방 내에 존재하는 혈전의 발견뿐만 아니라 심장 내에 다른 이상 소견의 발견에도 중요한 역할을 한다. 최근 사용이 증가하고 있는 삼차원 경식도초음파가 좌심방이의 평가 및 혈전발견에 있어 정확도가 더 높다는 보고도 있다. 경식도심초음파 이외에 심장내초음파(intra-cardiac echocardiography, ICE)도 경식도심초음파에 비견할 만한 정확도를 가지고 있다고 알려져 있다. 심장 CT는 혈전평가에 사용될 수 있는 또 다른 이미지 기법으로 좌심방이의 해부학 평가뿐만이 아니라, 시술 이후 합병증의 발생 등을 평가할 수 있게 도와준다.

현재 LAAO을 위해 유일하게 FDA에 승인을 획득한 기구는 워치맨 기구(Watchman device)로 다양한 연구들에서 그 효과, 안전성이 입증이 되었다. 특히 PROTECT AF 연구(WATCHMAN LAA System for Embolic Protection in Patients with Atrial Fibrillation)는 비판막성 심방세동을 가지고 있으면서 CHADS 점수 1점 이상이며 와파린 경구용 항응고제로 치료를 받는 환자들에서 시행된 첫 무작위배정 연구로, 워치맨 기구의 효과와 안전성을 평가하고자 계획되었다. 약 평균 2.3년의 추적 관찰기간 동안 와파린 치료에 비하여 뇌졸중, 전신색전 및 심혈관계사망의 종합종말점에 대해 비열등한(non-inferior) 결과를 얻었다. 워치맨 기구를 이용한 두번째 연구에서는 약 3.8년의 추적 관찰기간동안 워치맨 기구를 삽입 받은 그룹에서 통계적으로 의미 있는 약 40%의 일차목표위험의 감소를 보였다. 국내에서는 Amplatzer Amulet 기구가 주로 사용되고 있는데, 이는 2세대 기구로 기구 자체의 디자인 향상에 힘입어 다양한 모양의 좌심방이에서 성공적인 LAAO를 가능하게 하였다. 여러 연구들에서 효과 및 안전성이 입증이 되었으며, 유럽에서는 이미 널리 사용 중이나 FDA 승인을 위한 연구는 현재 진행중이다.

좌심방이 폐색을 위해 삽입될 기구의 안정성 및 적절한 좌심방이의 폐색을 위해 폐색기구의 크기(device sizing) 결정이 매우 중요하다. 적절한 기구보다 작은 기구가 삽입이 될 경우 기구 색전(device embolization)이 발생할 수 있고, 기구 주위로 누출(peri-device leakage)이 발생할 수 있다. 반대로, 큰 기구가 삽입이 될 경우 심장천공, 심낭삼출 및 심낭압전(cardiac tamponade)이 발생할 수 있다. 이를 위해 좌심방이의 크기가 가장 큰 시기인 심실수축기말에 좌심방이의 크기를 측정하는 것이 중요하다.

좌심방이의 입구 지름(ostium diameter), 기구 착륙지점의 지름(landing zone diameter) 및 좌심방이의 깊이(depth) 측정이 경식도심초음파의 여러 각도에서 시술 전과 시술 중에 시행되어야 한다. 사용되는 폐색 기구에 따라 측정방법이 조금 다르지만, 우리나라에서 현재 많이 사용되고 있는 Amplatzer Amulet 기구의 경우 이차원 경식도심초음파를 사용하여 최소 4개의 중식도면(mid-esophageal planes)에서 측정이 되어야 하며 일반적으로 0, 45, 90, 135°가 사용이 된다. LAA 입구는 타원형(oval shape)인 경우가 가장 흔하기 때문에 가장 큰 입구 지름은 45-90° 보다는 120-135°에서 일반적으로 얻어지는 경우가 많다. 기구 착륙지점의 지름 측정이 적절한 기구 크기 선택에 중요한데, 보통 기구 착륙지점의 지름보다 수 mm 정도 큰 기구를 선택하는 것이 보통이다. 좌심방이 폐색기구에 따른 사이즈 측정 방법은 아래 그림 8-2-6과 같다. 기구 삽입에 필요한 깊이는 10 mm 이상이며, 기구 크기가 클 경우 22 mm까지 필요한 경우도 있다.

좌심방이로 접근을 위해서는 심방중격을 통한 접근이 필요한데(atrial septal puncture), 기구를 적절한 위치로 삽입하기 위해서는 sheath가 좌심방이를 향해 일직선으로 접근할 수 있는 위치의 심방중격을 천자해야 한다. 이를 위해서는 경식도초음파 또는 심장내초음파 가이드 하에

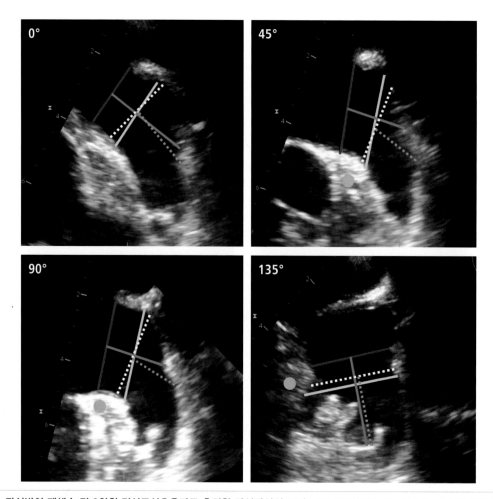

그림 8-2-6. **좌심방이 폐색술 전 2차원 경식도심초음파로 측정한 좌심방이의 크기.** 어떤 종류의 폐색 기구를 사용하는지에 따라 사이즈 측정 방법이 다름. Watchman 기구의 경우 착륙지점(landing zone)의 지름은 좌심방이 아래쪽의 LCX 위치와 좌위폐정맥의 경계에서 10-15 mm 먼 쪽을 연결한 길이가 되며(⬜ ⬜ ⬜), 좌심방이의 깊이(depth)는 착륙지점의 지름에서 수직으로 측정함(― ― ―). Amplatzer Amulet 기구의 경우 착륙지점(━━━)의 지름은 좌심방이 입구 선(━━━)에서 10 mm 먼 곳에서 측정할 수 있으며, 깊이는 기구의 축으로 예상되는 곳에서 측정함(━━━). ● 은 LCX.

심방중격의 후하방(inferior-posterior part)으로 접근하는 것이 필요하다.

Amplatzer amulet 기구의 적절한 위치로의 삽입을 시사하는 기준은 다음과 같다.

1) Two-thirds of the lobe should be positioned distal to the left circumflex coronary artery.

2) The distal part of the lobe should have the appear-ance of a flat tent, thus indicating some amount of compression on the lobe.

3) The disc should cover the LAA ostium with a con-cave appearance.

4) The flexible waist that connects the disc and the lobe should be clearly visible.

5) Fixation anchors should be engaged with the LAA wall.

시술을 종료하고 퇴원 전 경흉부심초음파를 사용하여 기구색전 등이 없음을 확인하는 것이 필요하며, 심낭삼출의 존재유무 등도 확인을 해야 한다. 경식도심초음파는 일반적으로 시술 1, 3-6, 12개월에 시행하고, 이후에는 1년에 한 번 정도 시행하도록 권고되고 있으나, 각 기관마다 시행 간격의 차이가 있을 수 있다. 폐색기구 후방 좌심방이 내부의 혈전 및 섬유화는 정상적인 소견임을 알아 두는 것이 필요하겠다. 하지만 혈전이 기구 밖(좌심방 방향)에 붙어있거나 좌심방내에 있는 경우는 정상소견이 아니다. 기구 주위로의 혈액 누출(peri-device leak)은 흔히 관찰될 수 있는 소견인데, 현재까지 이러한 소견이 뇌줄중의 위험을 증가시키는지에 대한 데이터는 알려진 바가 없다. 다만, 기구 주위의 공간이 5 mm를 넘을 경우 항응고치료가 지속되어야 한다고 권고되고 있다.

경흉부심초음파로 추적 관찰 시, 시술 중 발생한 심방중격결손에 대한 평가도 지속되어야 한다. 우좌 단락의 존재가 있는지에 대한 여부를 판별하는 것이 좋으며, agitated saline injection test를 시행하면 도움이 될 수 있다. 현재까지 시술 중 발생한 심방중격결손이 추적 관찰 중 뇌졸중이나 전신색전증의 위험을 높인다는 증거는 없다.

3. Device closure for paravalvular leakage

증례. 판막주위누출에 대한 기구 폐쇄술(Device closure for paravalvular leakage)

1977년 승모판 치환술을 받고, 1989년 승모판 치환술 및 대동맥판 치환술을 받은 뒤, 2008년 인공승모판막의 paravalvular leakage로 인해 승모판 치환술, 대동맥판 치환술 및 삼첨판륜 성형술을 다시 시행한 65세 여자가 추적관찰 중 Hb 9.0 g/dL, reticulocyte 3.94%, haptoglobin < 7 mg/dL, plasma Hb 31.7 mg/dL, LDH 1105 IU/L 등 용혈성 빈혈 소견이 확인되어 경흉부심초음파를 시행하였다.

경흉부심초음파에서는 좌심방 및 좌심실의 크기 증가 소견이 확인되었고, 인공승모판막의 개방(opening) 양상은 큰 문제 없어 보였으나, 인공승모판막의 내측(medial side)에서 paravalvular leakage가 관찰되었다(그림 8-3-1).

경흉부심초음파에서 인공승모판막의 paravalvular leakage가 있음을 확인하였으나, 인공승모판막의 acoustic shadowing 때문에 paravalvular leakage의 중증도를 평가하는 데 제한이 있었다. 정확한 평가를 위해 경식도심초음파와 심장 CT를 시행하였다(그림 8-3-2). 심장 CT 및 경식도심초음파에서 인공승모판막의 후내측(posteromedial)의 결손(dehiscence) 및 유의한 paravalvular leakage 소견이 확인되었다.

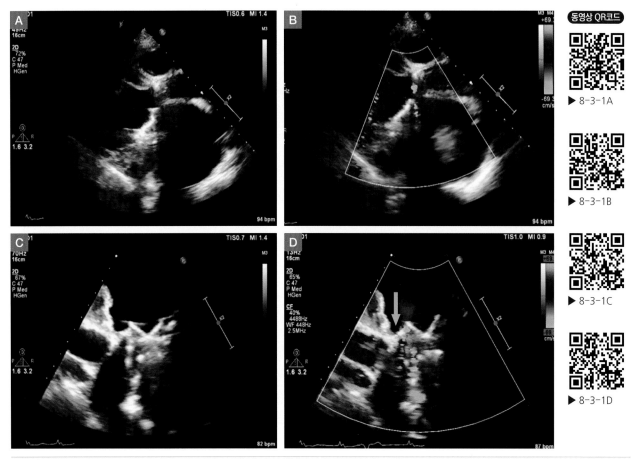

그림 8-3-1. 인공승모판막의 판막주위누출 심초음파 소견. (A, B) 경흉부심초음파의 흉골연장축단면도(parasternal long axis view)에서는 인공판막의 acoustic shadowing 때문에 정확한 평가가 어려움. (C, D) 심첨 2방도(apical 2-chamber view)의 확대영상에서 인공승모판막의 움직임과 paravalvular leakage (→)가 뚜렷하게 관찰됨. **(동영상)**

과거 3차례에 걸쳐 개심술을 시행했던 병력을 고려하여, 인공승모판막의 paravalvular leakage를 치료하기 위해 수술적 방법이 아닌 경피적 시술을 시도하기로 결정하였다. Fluoroscopy 및 경식도심초음파로 심장과 판막의 움직임을 실시간으로 관찰하면서 시술을 시행하였으며, 도관(catheter)을 paravalvular leakage가 발생한 인공승모판막의 후내측 결손 부위로 통과시킨 뒤, 혈관폐색장치(vascular plug)를 성공적으로 삽입하여 paravalvular leakage를 치료하였다(그림 8-3-3).

> **Keynote**

판막주위누출(paravalvular leakage (PVL))은 수술적 판막 치환술, 혹은 경피적 대동맥판막 치환술(TAVR) 이후에 발생할 수 있는 심각한 합병증이다. 수술적 판막 치환술 이후 발생하는 paravalvular leakage의 유병율은 대동맥 판막의 경우 2-10%, 승모판막의 경우 7-17%로 알려져 있다. 임상적으로 의미있는 중등도 혹은 중증 paravalvular leakage의 경우 TAVR 시행 후 25%까지 발생한다고

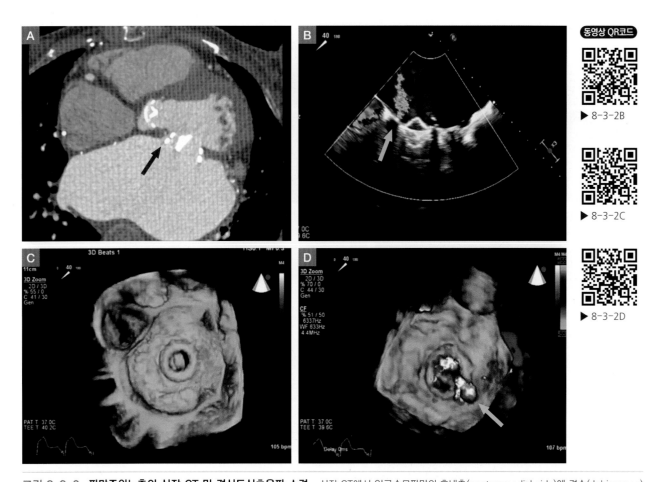

동영상 QR코드

▶ 8-3-2B

▶ 8-3-2C

▶ 8-3-2D

그림 8-3-2. 판막주위누출의 심장 CT 및 경식도심초음파 소견. 심장 CT에서 인공승모판막의 후내측(posteromedial side)에 결손(dehiscence)이 관찰됨(A, ➡). 경식도심초음파 45° 영상에서 paravalvular leakage 소견이 뚜렷하게 확인되었으며(B, ➡), 삼차원 영상의 surgeon's view에서 인공승모판막의 후내측(posteromedial)으로 유의한 paravalvular leakage가 관찰됨(C, D, ➡). **(동영상)**

알려져 있다. 대부분의 paravalvular leakage의 경우 크기가 작고 증상이 없으며 비교적 양성 경과를 밟으나, 심부전, 중증 용혈성 빈혈 혹은 심내막염과 같은 심각한 임상 경과를 밟는 paravalvular leakage가 수술적 판막 치환술 이후 약 1–5%에서 발생한다고 알려져 있으며 대부분은 승모판막치환술과 연관되어 발생한다고 한다. 임상적으로 심각하며, 증상이 동반된 paravalvular leakage의 치료로 재수술이 일차선택이었으나, 과거 수술을 시행한 환자들에서의 재수술이기 때문에 수술사망률이 높았다. 또한 장

기간의 성적 또한 기대에 미치지 못하는 경우가 많았으며, 특히 여러 번에 걸쳐 재수술이 필요한 경우는 예후가 더욱 좋지 않았다. 이러한 이유로 최근 경피적 판막주위 누출 폐쇄술(Transcatheter PVL (TPVL) closure)이 안전하고, 효과적이며, 덜 침습적인 방법으로, 일부 환자들에서 시행해 볼 수 있는 수술적 치료의 대안으로 떠올랐다.

인공 승모판막에서 발생한 paravalvular leakage의 평가에 있어서 어느 부위에서 발생했는지를 외과의사가 보는 삼차원상에서 평가하는 것이 중요하다(그림 8-3-4).

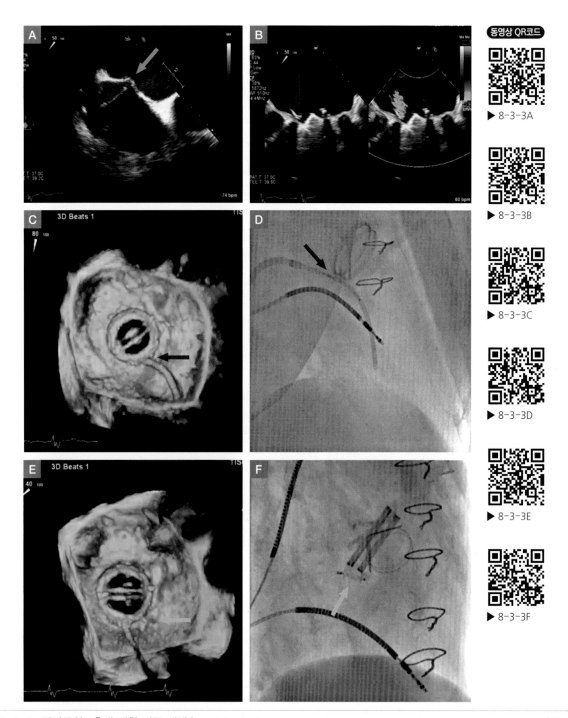

그림 8-3-3. 판막주위누출에 대한 기구 폐쇄술. 경식도심초음파로 심장 및 인공승모판막의 위치와 움직임을 확인하면서 paravalvular leakage에 대한 시술을 시행하였음. 경식도심초음파 유도 하에 심방중격 천자(septal puncture)를 시행하고(A, ➡), paravalvular leakage부위로 유도선(wire)을 통과시킴(B, ➡). 3차원 경식도심초음파 영상(C) 및 투시영상(D)에서 도관(catheter)이 paravalvular leakage 부위를 통과한 소견이 확인됨(➡). 도관을 통해 혈관폐색장치를 삽입하였고(E, ➡), 성공적으로 paravalvular leakage 부위에 고정되었음(F, ➡). **(동영상)**

그림 8-3-4에서 보듯이 clock-face를 이용한 기술법을 사용하는 것이 일반적인데, 좌심방이(LAA)는 8-9시 부위에 존재하며, 대동맥판막(AV)은 12시 방향에 존재하고 심방중격은 0-90° 사이에 존재하게 된다. 경식도심초음파의 표준 이미지 획득 views (0°, 45°, 90°, 135°)는 흰색 점선으로 표시되어 있다. 해부학적인 역류부위를 직접 관찰하는 것이 가능하도록 하기 위해 paravalvular leakage가 발생하는 부위를 직접 정의하는 것이 필요하다. 하지만, 정확한 크기 측정은 3D 색도플러 이미지가 필요하며, multiplane reconstruction을 이용하여 vena contracta area를 측정한다.

최근에는 시술 중 투시영상과 2D 혹은 3D 경식도심초음파의 fusion imaging을 사용하기도 한다.

성공적으로 시술이 끝난 이후 적절한 약물치료에 대해서는 근거 수준이 제한적인데, 기존에 항응고치료를 받았던 환자들은 그대로 사용을 하며, 항응고치료를 받지 않은 환자들은 dual antiplatelet therapy를 약 3개월간 처방받기도 한다. 일반적으로 시술을 시행하는 기관마다 차이가 있으나 시술을 시행한 이후 3개월 내에 경흉부심초음파 혹은 경식도심초음파를 시행하는 것이 권고된다. 이를 이용하여, 심실의 크기 및 기능 등을 포괄적으로 평가하고, 판막누출여부 및 기계판막의 기능을 평가하도록 권고된다.

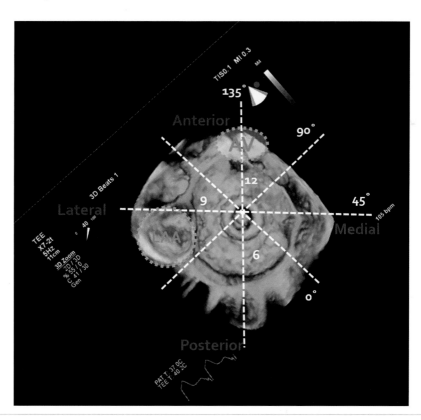

그림 8-3-4. **경식도심초음파의 승모판막** en face view

참고문헌

1. Abdel-Wahab M, Zahn R, Horack M et al. Aortic regurgitation after transcatheter aortic valve implantation: incidence and early outcome. Results from the German transcatheter aortic valve interventions registry. Heart (British Cardiac Society) 2011;97:899-906.

2. Abualsaud A, Freixa X, Tzikas A, Chan J, Garceau P, Basmadjian A, Ibrahim R. Side-by-Side Comparison of LAA Occlusion Performance With the Amplatzer Cardiac Plug and Amplatzer Amulet. J Invasive Cardiol 2016;28:34-8.

3. Adams DH, Popma JJ, Reardon MJ et al. Transcatheter aortic-valve replacement with a self-expanding prosthesis. The New England journal of medicine 2014;370:1790-8.

4. Athappan G, Patvardhan E, Tuzcu EM et al. Incidence, predictors, and outcomes of aortic regurgitation after transcatheter aortic valve replacement: meta-analysis and systematic review of literature. Journal of the American College of Cardiology 2013;61:1585-95.

5. Baumgartner H, Falk V, Bax JJ, et al. 2017 ESC/EACTS Guidelines for the management of valvular heart disease. European heart journal 2017;38:2739-2791.

6. Benjamin EJ, Blaha MJ, Chiuve SE, Cushman M, Das SR, Deo R, de Ferranti SD, Floyd J, Fornage M, Gillespie C, Isasi CR, Jimenez MC, Jordan LC, Judd SE, Lackland D, Lichtman JH, Lisabeth L, Liu S, Longenecker CT, Mackey RH, Matsushita K, Mozaffarian D, Mussolino ME, Nasir K, Neumar RW, Palaniappan L, Pandey DK, Thiagarajan RR, Reeves MJ, Ritchey M, Rodriguez CJ, Roth GA, Rosamond WD, Sasson C, Towfighi A, Tsao CW, Turner MB, Virani SS, Voeks JH, Willey JZ, Wilkins JT, Wu JH, Alger HM, Wong SS, Muntner P. Heart Disease and Stroke Statistics-2017 Update: A Report From the American Heart Association. Circulation 2017;135(10):e146-e603.

7. Berti S, Paradossi U, Meucci F, Trianni G, Tzikas A, Rezzaghi M, Stolkova M, Palmieri C, Mori F, Santoro G. Periprocedural intracardiac echocardiography for left atrial appendage closure: a dualcenter experience. JACC Cardiovasc Interv 2014;7(9):1036-44.

8. Berti S, Pastormerlo LE, Rezzaghi M, Trianni G, Paradossi U, Cerone E, Ravani M, De Caterina AR, Rizza A, Palmieri C. Left atrial appendage occlusion in high-risk patients with non-valvular atrial fibrillation. Heart 2016;102(24):1969-1973.

9. Chan SK, Kannam JP, Douglas PS, Manning WJ. Multiplane transesophageal echocardiographic assessment of left atrial appendage anatomy and function. Am J Cardiol 1995;76(7):528-30.

10. Chugh SS, Havmoeller R, Narayanan K, Singh D, Rienstra M, Benjamin EJ, Gillum RF, Kim YH, McAnulty JH, Jr., Zheng ZJ, Forouzanfar MH, Naghavi M, Mensah GA, Ezzati M, Murray CJ. Worldwide epidemiology of atrial fibrillation: a Global Burden of Disease 2010 Study. Circulation 2014;129(8):837-47.

11. Faletra FF, Pozzoli A, Agricola E et al. Echocardiographic-fluoroscopic fusion imaging for transcatheter mitral valve repair guidance. European heart journal cardiovascular Imaging 2018;19:715-726.

12. Genoni M, Franzen D, Vogt P, et al. Paravalvular leakage after mitral valve replacement: improved long-term survival with aggressive surgery? European journal of cardio-thoracic surgery : official journal of the European Association for Cardio-thoracic Surgery 2000;17:14-9.

13. Gloekler S, Shakir S, Doblies J, Khattab AA, Praz F, Guerios E, Koermendy D, Stortecky S, Pilgrim T, Buellesfeld L, Wenaweser P, Windecker S, Moschovitis A, Jaguszewski M, Landmesser U, Nietlispach F, Meier B. Early results of first versus second generation Amplatzer occluders for left atrial appendage closure in patients with atrial fibrillation. Clin Res Cardiol 2015;104(8):656-65.

14. Hart RG, Pearce LA, Aguilar MI. Meta-analysis: antithrombotic therapy to prevent stroke in patients who have nonvalvular atrial fibrillation. Ann Intern Med 2007;146(12):857-67.

15. Holmes DR, Reddy VY, Turi ZG, Doshi SK, Sievert H, Buchbinder M, Mullin CM, Sick P. Percutaneous closure of the left atrial appendage versus warfarin therapy for prevention of stroke in patients with atrial fibrillation: a randomised non-inferiority trial. Lancet 2009;374(9689):534-42.

16. Hwang IC, Hayashida K, Kim HS. Current Key Issues in Transcatheter Aortic Valve Replacement Undergoing a Paradigm Shift. Circulation journal : official journal of the Japanese Circulation Society 2019;83:952-962.

17. Ionescu A, Fraser AG, Butchart EG. Prevalence and clinical significance of incidental paraprosthetic valvar regurgitation: a prospective study using transoesophageal echocardiography. Heart (British Cardiac Society) 2003;89:1316-21.

18. Jung JH, Kim HK, Park JB et al. Progression of ascending aortopathy may not occur after transcatheter aortic valve replacement in severe bicuspid aortic stenosis. The Korean journal of internal medicine 2020 [In Press].

19. Landmesser U, Schmidt B, Nielsen-Kudsk JE, Lam SCC, Park

JW, Tarantini G, Cruz-Gonzalez I, Geist V, Della Bella P, Colombo A, Zeus T, Omran H, Piorkowski C, Lund J, Tondo C, Hildick-Smith D. Left atrial appendage occlusion with the AMPLATZER Amulet device: periprocedural and early clinical/echocardiographic data from a global prospective observational study. EuroIntervention 2017;13(7):867-876.

20. Leon MB, Smith CR, Mack M et al. Transcatheter aorticvalve implantation for aortic stenosis in patients who cannot undergo surgery. The New England journal of medicine 2010;363:1597-607.

21. Leon MB, Smith CR, Mack MJ et al. Transcatheter or Surgical Aortic-Valve Replacement in Intermediate-Risk Patients. The New England journal of medicine 2016;374:1609-20.

22. Lerakis S, Hayek SS, Douglas PS. Paravalvular aortic leak after transcatheter aortic valve replacement: current knowledge. Circulation 2013;127:397-407.

23. Mack MJ, Leon MB, Thourani VH et al. Transcatheter Aortic-Valve Replacement with a Balloon-Expandable Valve in Low-Risk Pat ients. The New England journal of medicine 2019;380:1695-1705.

24. Millan X, Skaf S, Joseph L et al. Transcatheter reduction of paravalvular leaks: a systematic review and meta-analysis. The Canadian journal of cardiology 2015;31:260-9.

25. Muller S, Feuchtner G, Bonatti J, Muller L, Laufer G, Hiemetzberger R, Pachinger O, Barbieri V, Bartel T. Value of transesophageal 3D echocardiography as an adjunct to conventional 2D imaging in preoperative evaluation of cardiac masses. Echocardiography 2008;25(6):624-31.

26. Nishimura RA, Otto CM, Bonow RO et al. 2017 AHA/ACC Focused Update of the 2014 AHA/ACC Guideline for the Management of Patients With Valvular Heart Disease: A Report of the American College of Cardiology/American Heart Association Task Force on Clinical Practice Guidelines. Circulation 2017;135:e1159-e1195.

27. Park JB, Hwang IC, Lee W et al. Quantified degree of eccentricity of aortic valve calcification predicts risk of paravalvular regurgitation and response to balloon post-dilation after self-expandable transcatheter aortic valve replacement. International journal of cardiology 2018;259:60-68.

28. Pate GE, Al Zubaidi A, Chandavimol M, Thompson CR, Munt BI, Webb JG. Percutaneous closure of prosthetic paravalvular leaks: case series and review. Catheterization and cardiovascular interventions : official journal of the Society for Cardiac Angiography & Interventions 2006;68:528-33.

29. Popma JJ, Adams DH, Reardon MJ et al. Transcatheter aortic valve replacement using a self-expanding bioprosthesis in patients with severe aortic stenosis at extreme risk for surgery. Journal of the American College of Cardiology 2014;63:1972-81.

30. Popma JJ, Deeb GM, Yakubov SJ et al. Transcatheter Aortic-Valve Replacement with a Self-Expanding Valve in Low-Risk Patients. The New England journal of medicine 2019;380:1706-1715.

31. Reddy VY, Sievert H, Halperin J, Doshi SK, Buchbinder M, Neuzil P, Huber K, Whisenant B, Kar S, Swarup V, Gordon N, Holmes D. Percutaneous left atrial appendage closure vs warfarin for atrial fibrillation: a randomized clinical trial. Jama 2014;312(19):1988-98.

32. Ruiz CE, Jelnin V, Kronzon I et al. Clinical outcomes in patients undergoing percutaneous closure of periprosthetic paravalvular leaks. Journal of the American Col lege of Cardiology 2011;58:2210-7.

33. Saia F, Martinez C, Gafoor S et al. Long-term outcomes of percutaneous paravalvular regurgitation closure after transcatheter aortic valve replacement: a multicenter experience. JACC Cardiovascular interventions 2015;8:681-8.

34. Singh SM, Douglas PS, Reddy VY. The incidence and long-term clinical outcome of iatrogenic atrial septal defects secondary to transseptal catheterization with a 12F transseptal sheath. Circ Arrhythm Electrophysiol 2011;4(2):166-71.

35. Sinning JM, Hammerstingl C, Vasa-Nicotera M et al. Aortic regurgitation index defines severity of peri-prosthetic regurgitation and predicts outcome in patients after transcatheter aortic valve implantation. Journal of the American College of Cardiology 2012;59:1134-41.

36. Sinning JM, Vasa-Nicotera M, Chin D et al. Evaluation and management of paravalvular aortic regurgitation after transcatheter aortic valve replacement. Journal of the American College of Cardiology 2013;62:11-20.

37. Smith CR, Leon MB, Mack MJ et al. Transcatheter versus surgical aortic-valve replacement in high-risk patients. The New England journal of medicine 2011;364:2187-98.

38. Taramasso M, Maisano F, Denti P et al. Surgical treatment of paravalvular leak: Long-term results in a single-center experience (up to 14 years). The Journal of thoracic and cardiovascular surgery 2015;149:1270-5.

39. Urena M, Rodes-Cabau J, Freixa X, Saw J, Webb JG, Freeman M, Horlick E, Osten M, Chan A, Marquis JF, Champagne J, Ibrahim R. Percutaneous left atrial appendage closure with the AMPLATZER cardiac plug device in patients with nonvalvular

atrial fibrillation and contraindications to anticoagulation thera-py. J Am Coll Cardiol 2013;62(2):96-102.

40. Webb JG, Doshi D, Mack MJ et al. A Randomized Evaluation of the SAPIEN XT Transcatheter Heart Valve System in Patients With Aortic Stenosis Who Are Not Candidates for Surgery.

JACC Cardiovascular interventions 2015;8:1797-806.

41. Wunderlich NC, Beigel R, Swaans MJ, Ho SY, Siegel RJ. Percuta-neous interventions for left atrial appendage exclusion: options, assessment, and imaging using 2D and 3D echocardiography. JACC Cardiovasc Imaging 2015;8(4):472-488.

CHAPTER IX 기타(Miscellaneous)

1. Cardiac trauma

> **증례. 외상성 심실중격결손(Traumatic ventricular septal defect)**

과거 수차례 반복적으로 자해한 병력이 있는 22세 여성이 5시간 전 자해로 인해 왼쪽 가슴에 자상(stab wound)을 입고 내원하였다. 친구와 다툼 후 좌측 가슴을 스스로 칼로 찌른 후 심정지가 발생하여 심폐소생술을 받고 자발순환은 회복된 상태였다(그림 9-1-1A).

내원 시 ECG는 동성빈맥 및 비특이적 ST 분절 및 T파 변화(nonspecific ST-T change)를 보이고 있었다(그림 9-1-1B). 흉부 CT에서 좌측 혈흉 및 기흉, 좌측 흉부 연조직에 공기방울이 관찰되었으며, 혈심낭 및 심장중격에 저관류 소견이 관찰되었다(그림 9-1-2).

경흉부심초음파에서는 흉부 CT에서 보이던 심낭삼출이 기질화된(organized) 양상으로 관찰되어 혈심낭이 의심되었으며, 이와 함께 비정상중격운동(abnormal septal motion, septal bounce)이 관찰되었고, 좌심실 기저부 전중격(basal anteroseptal wall)에 좌-우 단락을 동반한

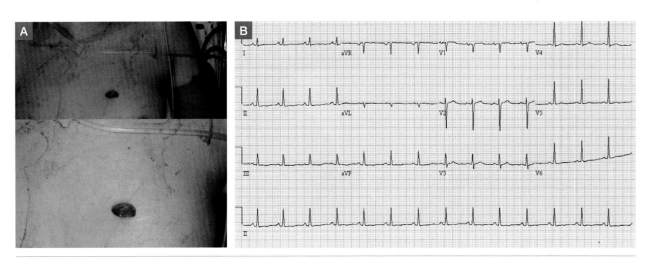

그림 9-1-1. (A) 내원 시 흉부 시진 소견. 좌측 가슴에 자상(stab wound)이 관찰됨. (B) 자발순환회복 후의 ECG.

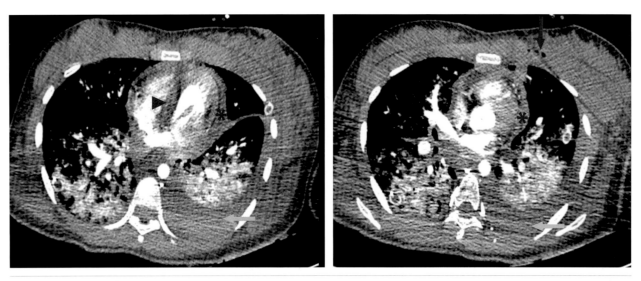

그림 9-1-2. **내원 시 흉부 CT 소견.** 좌측 혈흉(➡) 및 기흉, 좌측 흉부 연조직에 공기방울이 관찰되었으며(➡), 심장에는 혈심낭 (✱)과 심장 중격에 저관류 소견이 관찰됨(▶).

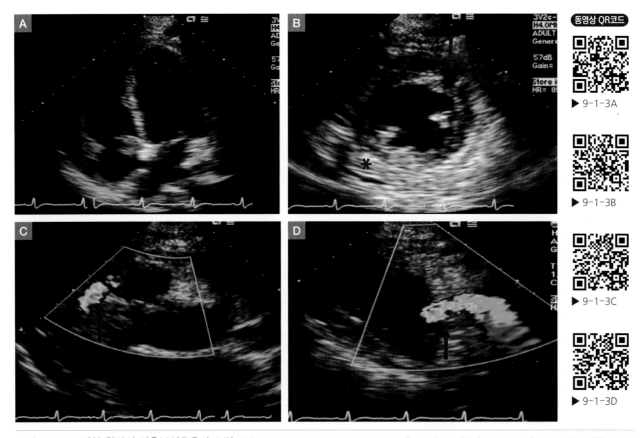

그림 9-1-3. **자상 환자의 경흉부심초음파 소견.** (A) 심첨4방도에서 우심방 옆으로 심낭삼출이 관찰되며(✱) 비정상중격운동이 관찰됨. (B) 흉골연 단축단면도에서 좌심실 뒤쪽으로 기질화된 심장삼출이 보이고 있으며(✱), 좌심실 기저부 전중격에 VSD가 관찰됨(➡). (C, D) 흉골연장축단면도(C)와 변형된 우심실 유입 영상(D)의 색도플러 소견에서 좌심실 기저부 전중격에 좌-우 단락을 동반한 VSD가 관찰됨(➡). **(동영상)**

근육 심실중격결손(muscular VSD)이 확인되었다(그림 9-1-3).

CMR 중 cine 영상에서도 심낭삼출 및 비정상중격운동과 VSD가 관찰되었으며, 우심실의 심실류 변화와 함께 좌심실의 VSD가 확인되었다(그림 9-1-4A, 4B). Phase-sensitive inversion recovery (PSIR) LGE 영상에서는 혈심낭 및 VSD, 그리고 우심실에 작은 가성심실류(pseudoaneurysm)를 확인할 수 있었다(그림 9-1-4C).

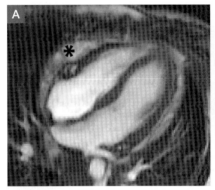
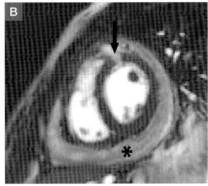
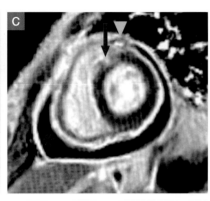

동영상 QR코드

▶ 9-1-4A   ▶ 9-1-4B

그림 9-1-4. 자상 환자의 CMR 소견. (A, B) Cine 영상 중 4방도 (A)와 단축영상 (B)에서 심낭삼출액 (✻)이 관찰되는데, 중등도의 신호강도를 보이고 내부가 균일하지 않아 일반적인 심낭삼출에 비해 혈액이나 단백질 농도가 높은 체액으로 생각됨. 좌심실 기저 전중격에는 VSD가 보임(➝). (C) Phase-sensitive inversion recovery LGE 영상에서 심낭삼출액이 매우 낮은 신호강도로 관찰되는 혈심낭 소견이 관찰됨(✻). 좌심실 기저 전중격에 VSD가 보이며(➝) 우심실에 작은 가성심실류가 관찰됨(▷). (동영상)

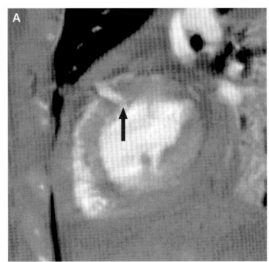
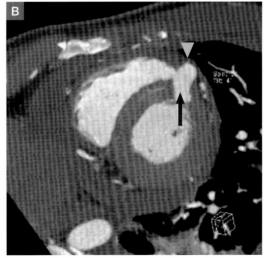

그림 9-1-5. (A) 내원 시 시행한 흉부 CT 영상으로 재구성한 VSD (➝). 심전도 동기(ECG-gated)가 이루어지지 않아 영상의 질이 좋지 않음. (B) 24일 후 시행한 심전도 동기 심장 CT 영상으로 재구성한 VSD (➝)와 우심실의 가성심실류 (▷). (A)에 비해 영상이 깨끗하게 재구성되었으며, VSD의 크기가 다소 커졌음.

환자는 추적 CT에서 VSD의 크기가 점차 커지는 소견으로(그림 9-1-5) VSD에 대해 패치봉합술을 시행받았다. 수술 소견상 우심실에 작은 가성심실류(pseudoaneurysm) 및 심실중격에 발생한 VSD를 확인하여 이를 교정하였다.

> Keynote

관통흉부손상(penetrating chest injury)에 의한 심장 손상은 생명을 위협할 수 있는 심각한 상황으로 이러한 환자들의 10% 미만이 응급실에 살아서 도착하는 것으로 되어 있다. 심장관통자상(penetrating cardiac injury)을 경험한 대부분의 환자는 과다출혈, 심장압전(cardiac tamponade) 혹은 관상동맥손상으로 인하여 적극적인 치료를 받지 못하고 사망하게 된다. 심장관통자상은 우심실 손상이 가장 흔하고(43%), 좌심실(33%), 우심방(15%), 좌심방(6%), 그리고 심낭내 대혈관(6%) 순서로 흔하게 손상이 가해지게 된다. 따라서 빠르고 정확한 진단을 통해 빠른 치료를 시행하는 것이 환자의 생명을 살리는 데에 중요한 예후인자가 된다. 경흉부심초음파는 이러한 응급상황에서 가장 적절한 평가 도구이며, 정확한 해부학적, 혈역학적 정보를 제공해 줄 수 있다. 하지만, 일부 경흉부심초음파의 영상질이 좋지 않은 환자나, 기흉 혹은 흉관이 심초음파 탐촉자(transducer)가 놓일 위치에 거치되는 경우에는 정확한 정보를 얻기 어려운 경우도 있다. 이러한 경우에 흉부 CT 및 CMR이 도움이 될 수 있다.

심장관통자상이 있는 경우, 첫 검사 시 심낭삼출만이 존재하고 뚜렷한 심장관통상을 의심할 다른 증거들이 없는 경우도 있다. 따라서 임상적으로 의심이 될 경우 빠른 시간 안에 경흉부심초음파를 반복적으로 시행하여 재평가하는 것이 필요할 수 있다.

2. 방사선치료 관련 심장 손상(Radiation-induced heart disease, RIHD)

증례. 방사선치료 관련 심근, 관상동맥 및 판막 손상

41세 남성이 4일 전 시작된 운동시 호흡곤란 및 좌위호흡(orthopnea)으로 내원하였다. 환자는 14세에 간종괴로 수술 후 Hodgkin lymphoma로 진단되어 흉부 및 복부에 방사선치료를 받고 완치된 병력이 있으며, 고혈압 및 10갑년의 과거 흡연력이 있었다. 내원 시 양 폐야에서 수포음이 들렸고 양하지 부종이 있었으나 심잡음은 청진되지 않았다. 흉부 X선에서는 심비대와 폐부종 및 양측 흉막 삼출이 확인되었으며, ECG상 심박수 122회/분의 동성빈맥 및 비특이적인 ST 분절 및 T파 변화(nonspecific ST-T change)를 보이고 있었으나 심근허혈을 시사하는 소견은 보이지 않았다(그림 9-2-1). 경흉부심초음파에서는 좌심실 구혈률 11%의 전심근 운동저하(global hypokinesia)가 관찰되었으며, 중등도의 기능적 승모판 역류(functional mitral regurgitation)가 관찰되었다(그림 9-2-2).

CMR에서는 LGE가 관찰되지 않았고 휴식기 심근관류는 정상이었다(그림 9-2-3). 이에 확장성심근증(dilated cardiomyopathy)으로 진단하였으며, 약물치료 후 증상이 호전되어 퇴원하였다.

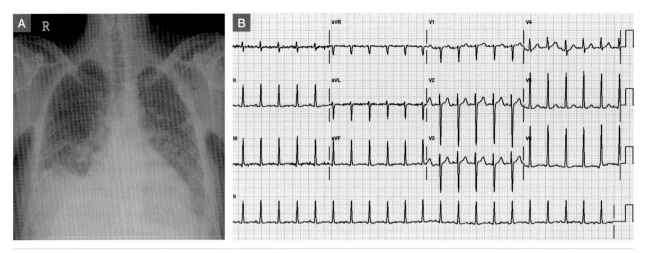

그림 9-2-1. **첫 번째 입원 시 검사소견.** (A) 흉부 X선에서 심비대 및 폐부종, 양측 흉수가 관찰됨. (B) ECG에서 동성빈맥 및 비특이적인 ST 분절 및 T파 변화가 관찰됨.

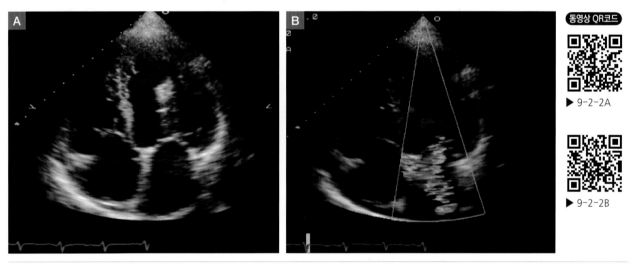

동영상 QR코드

▶ 9-2-2A

▶ 9-2-2B

그림 9-2-2. **첫 번째 입원 시 경흉부심초음파.** (A) 심첨4방도, (B) 심첨4방도의 색도플러 영상에서 심한 전심근 운동저하(severe global hypokinesia) 및 중등도의 기능적 승모판 역류(functional mitral regurgitation)가 관찰됨. **(동영상)**

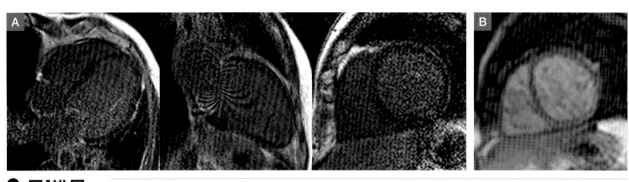

그림 9-2-3. **첫 번째 입원 시 CMR.**
(A) LGE는 관찰되지 않음. (B) 휴식기 심근관류영상에서 관류결손은 보이지 않음. **(동영상)**

▶ 9-2-3B

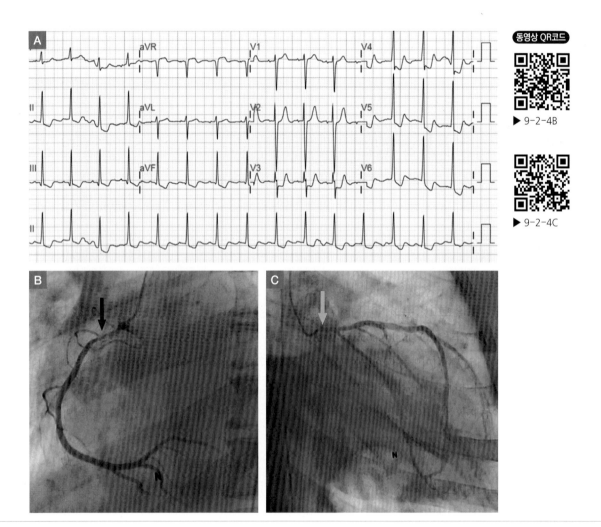

▶ 9-2-4B

▶ 9-2-4C

그림 9-2-4. (A) 두 번째 입원 시 ECG에서 심근허혈을 시사하는 하부 및 측부의 ST 분절 하강이 관찰됨. (B, C) 침습적 CAG에서 우관상동맥 입구(B, ➡)와 좌주간부(C, ➡)에 국한된 심한 협착이 관찰됨. **(동영상)**

1년 후 환자 안정 시 흉골하 통증으로 재입원하였다. ECG에서 이전에 보이지 않던 하부 및 측부의 ST 분절 하강 소견이 관찰되었으며(그림 9-2-4A), Troponin I 가 상승되어 있었다. CAG에서 좌주간부 및 RCA 입구에 국한된 심한 협착이 관찰되어 비 ST 분절 상승 심근경색으로 진단하였다(그림 9-2-4B, 4C).

경흉부심초음파에서 심첨부의 무운동증(apical akinesia)이 관찰되고 있었으며 중등도의 승모판 및 삼첨판 역류가 관찰되었고, 대동맥판 연속도플러 최대속도 2.5 m/s의

경도 대동맥판협착이 동반되어 있었다(그림 9-2-5A). 이에 응급 관상동맥우회술과 승모판막 및 삼첨판륜 성형술을 시행하였다.

3년이 더 지난 45세에 환자는 운동시 호흡곤란이 악화되어 다시 입원하였다. 검진상 양폐 하부의 호흡음이 감소되어 있었고 흉골 우상연에서 강도 4의 수축기 심잡음이 청진되었다. 경흉부심초음파에서 대동맥판 연속도플러 최대속도 3.5 m/s, 대동맥판면적 1.0 cm²로 측정되어, 대동맥판협착이 중등도로 진행한 소견이 확인되었다(그림

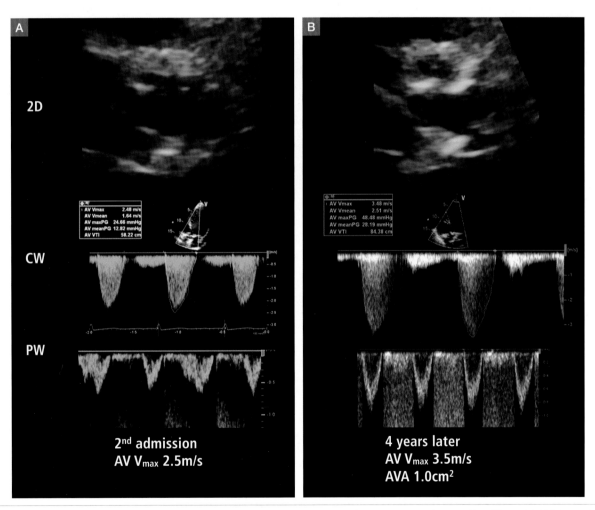

그림 9-2-5. (A) 두 번째 입원 시 경흉부심초음파. 대동맥판 연속도플러 최대속도 2.5 m/s의 경도 대동맥판협착이 관찰됨. (B) 두 번째 입원으로부터 4년 후, 세 번째 입원 시 경흉부심초음파. 대동맥판 연속도플러 최대속도 3.5 m/s, 대동맥판면적 1.0 cm²의 중등도 대동맥판협착이 관찰됨.

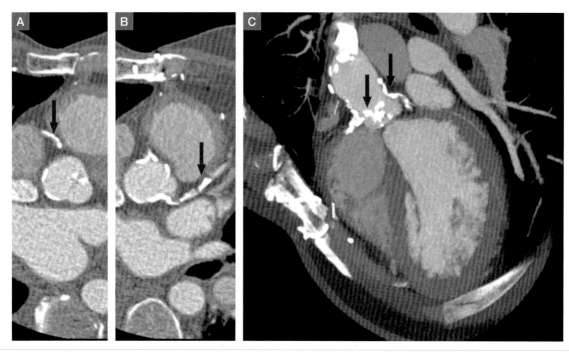

그림 9-2-6. 심장 CT. 우/좌 관상동맥의 입구(A, B), 대동맥 뿌리(aortic root)와 대동맥판막(C) 등 상체 중앙선을 따라 혈관의 심한 석회화가 관찰됨 (➞).

9-2-5B). 심장 CT에서는 상행대동맥, 대동맥 뿌리(aortic root) 및 대동맥판, 좌/우 관상동맥의 입구 등 상체 중앙선을 따라 나이에 비해 심한 혈관 석회화가 관찰되었다(그림 9-2-6). 환자는 심부전에 대한 약물치료 후 증상이 호전되어 퇴원하였고 빠르게 진행하는 대동맥판협착증 및 반복적인 심부전 악화를 동반하는 확장성 심근병증에 대해 향후 수술적 또는 경피적 대동맥판치환술(TAVR)이나 심장이식을 고려하였으나, 이듬 해 환자는 사망하였다. 사망원인은 정확히 밝혀지지 않았다.

⊙ Keynote

방사선 조사에 의한 심장질환(radiation-induced heart disease, RIHD)은 흉부 방사선 조사요법의 후유증으로 잘 알려져 있으며, 심장구조물 어느 곳도 침범이 가능한 것으로 알려져 있다. 특히, 흉부 방사선 조사요법 후 오랜 기간이 지나서 발생하기 때문에, 5년 생존율이 80-90% 이상에 달하는 유방암이나 Non-Hodgkin lymphoma 혹은 Hodgkin lymphoma 환자의 장기생존자에서 발견이 점차 늘고 있다. 전체적으로, 방사선 조사를 받지 않은 환자들에 비하여 흉부 방사선 조사요법을 받은 Hodgkin lymphoma 환자들은 20년 후 23% 정도 사망률이 증가하

표 9-2-1. RIHD의 위험인자들

Anterior or left chest irradiation location
High cumulative dose of radiation (> 30 Gy)
Younger age (< 50) at the time of radiation therapy
High dose of radiation fractions (> 2 Gy/day)
Presence and extent of tumor in or next to the heart
Inadequate or absent shielding
Concomitant chemotherapy (esp. anthracyclines)
Cardiovascular risk factors, such as hyperlipidemia, smoking etc.
Pre-existing cardiovascular disease

는 것으로 알려져 있다. 심근세포 자체는 상대적으로 방사선에 의한 손상에 덜 민감하고, 내피세포가 더 민감하기 때문에 대부분의 RIHD는 내피세포 손상과 연관이 되어 있는 것으로 알려져 있다. RIHD의 위험인자들로는 다음 표 9-2-1과 같은 것들이 알려져 있으며, RIHD에 의한 심장질환의 종류는 그림 9-2-7과 같이 정리해 볼 수 있다.

RIHD의 조기 진단을 위해 방사선 조사요법을 받은 환자들(특히 젊은 환자들)에서는 선별검사를 하도록 권고되며, 권고되는 가이드라인은 다음과 같다(표 9-2-2).

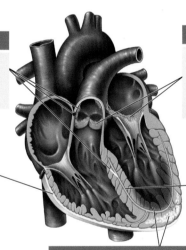

Vessels

Microvascular disease
Accelerated coronary artery disease
Macrovascular disease (Porcelain aorta)

Valves (predominantly left-sided)

Thickeding, calcification and restriction of leaflet resulting in valvular stenosis and regurgitation
Thickening and calcification of aortomitral curtain and mitral annulus

Pericardium

Acute pericarditis
Delayed chronic pericarditis
Constrictive pericarditis

Conduction system

All degrees of heart block
Sick sinus syndrome
QT prolongation

Myocardium

Acute myocarditis
Myocardial fibrosis
Ischemic/nonischemic cardiomyopathy
Restrictive cardiomyopathy

그림 9-2-7. RIHD의 다양한 임상양상.

표 9-2-2. 방사선치료 전후 심장질환 선별검사

Before radiotherapy
- Comprehensive screening and aggressive risk factor modification
- Baseline transthoracic echocardiography to detect cardiac anomalies

Annual follow-up
- Cardiovascular history and examination
- Transthoracic echocardiography if murmur detected
- Careful investigation of symptoms

5-year follow-up
- Transthoracic echocardiography for high-risk asymptomatic patients
- Non-invasive coronary artery disease assessment with stress echocardiography or stress cardiac magnetic resonance imaging
- Repeat transthoracic echocardiography at 5-year intervals

10-year follow-up
- Transthoracic echocardiography for asymptomatic non-high-risk patients
- Repeat transthoracic echocardiography every 5 years thereafter

3. Device monitoring for CRT

증례. 심장재동기화 치료 (Cardiac resynchronization therapy)

68세 남자가 3개월 전부터 발생한 호흡곤란과 흉부불

편감으로 내원하였다. 계단을 오르는 정도의 운동을 할 때 숨이 차고, 10-20분 가량 지속되며 휴식 시 호전되는 양상의 흉골하부 통증이 있었으며, 최근 증상의 빈도가 증가하는 경향을 보였다. 흉부X선 검사에서 심비대 소견이 확인되었으며, 폐부종은 관찰되지 않았고, ECG에서는 심박수 분당 92회의 정상 동율동과 함께 좌각차단이 관찰

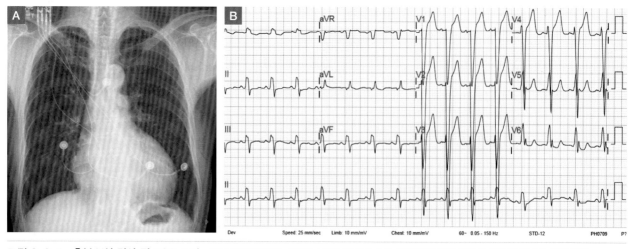

그림 9-3-1. 흉부 X선 검사 및 ECG 소견. 흉부 X선 검사에서 심비대 소견이 관찰되고(A), ECG에서 정상 동율동 및 좌각차단이 확인됨(B).

되었다(그림 9-3-1).

경흉부심초음파에서는 좌심실 직경이 72 mm로 증가

해 있었고, 좌심실의 전반적인 수축력 저하로 인해 좌심실 구혈률은 13%에 불과한 상태였다(그림 9-3-2). 좌심실 기능

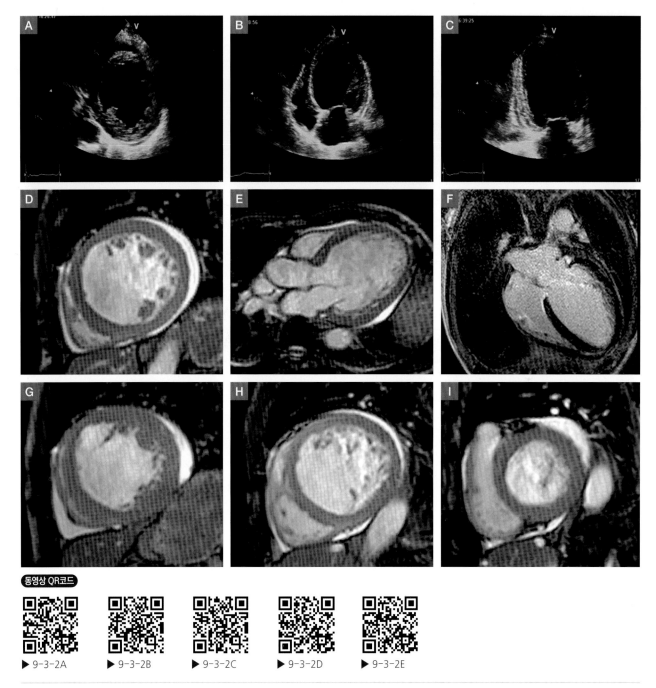

▶ 9-3-2A ▶ 9-3-2B ▶ 9-3-2C ▶ 9-3-2D ▶ 9-3-2E

그림 9-3-2. 경흉부심초음파 및 CMR 소견. 경흉부심초음파에서 좌심실의 크기 증가, 전반적인 수축력 저하(global hypokinesia) 소견이 관찰되었으며, 좌심실구혈률은 13%였음(A, B, C). CMR에서도 좌심실 기능 저하 소견이 확인되었으며(D, E), LGE 소견이 심실 중격의 심첨부부터 기저부까지 심실의 중간벽(mild-wall)과 심외막층에 다발성으로 관찰됨(F, G, H, I). **(동영상)**

저하의 원인감별을 위해 CMR을 시행한 결과, 심초음파와 마찬가지로 좌심실의 용적 증가 및 전반적인 수축력 저하 소견이 관찰되었고, strands pattern의 LGE 소견이 심실 중격의 심첨부부터 기저부까지 심실의 중간벽(mid-wall) 및 심외막층(epicardial layer)에 다발성으로 관찰되었다(그림 9-3-2).

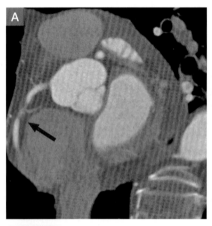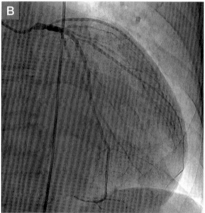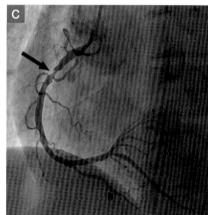

동영상 QR코드

▶ 9-3-3B   ▶ 9-3-3C

그림 9-3-3. **심장 CT와 CAG에서 확인된 관상동맥 병변.** 심장 CT에서 RCA 근위부에 80-90% 정도의 협착 소견이 관찰되었으며(A), CAG에서도 해당 부위의 유의한 협착이 확인됨(B, C). **(동영상)**

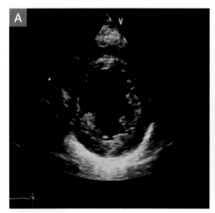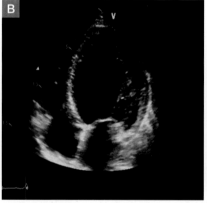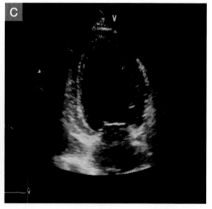

동영상 QR코드

▶ 9-3-4A   ▶ 9-3-4B   ▶ 9-3-4C

그림 9-3-4. **PCI 시행 후 경흉부심초음파 소견.** PCI를 시행하고 표준 약물치료를 유지한 뒤 3개월이 경과한 시점에도 호흡곤란 증상이 지속되었으며, 좌심실구혈률 16%로 심기능이 호전되지 않았음(A, B, C). **(동영상)**

Baseline CXR

Post-CRT 5 months CXR

Baseline TTE

Post-PCI 3 months TTE

Post-CRT 5 months TTE

동영상 QR코드

▶ 9-3-5C ▶ 9-3-5D ▶ 9-3-5E ▶ 9-3-5F ▶ 9-3-5G ▶ 9-3-5H

그림 9-3-5. PCI 및 CRT 시행 전후 경과. 최초 내원 당시 시행한 흉부 X선 검사(A)에 비해, CRT 후 흉부 X선 검사(B)에서 심비대가 뚜렷하게 호전된 양상이 확인됨. 경흉부심초음파 소견을 비교해보면, 최초 내원 시점(C, D)과 PCI 시행 후(E, F)에는 좌심실의 크기 및 좌심실구혈률의 유의한 변화가 없었으나, CRT 치료 후에는 좌심실의 크기가 감소하고 좌심실구혈률이 45%로 호전된 결과를 확인할 수 있음(G, H). **(동영상)**

추가로 시행한 심장 CT에서 RCA 근위부의 80-90%의 협착 소견이 관찰되었으며, CAG에서도 RCA 근위부의 유의한 병변이 확인되었다(그림 9-3-3).

운동 시 악화되고 휴식 시 호전되는 양상의 흉골하 부위 통증을 호소하던 환자로서, RCA 근위부 병변에 대해 PCI를 시행한 뒤, 심부전에 대한 표준 약물치료를 유지하였다. 하지만 PCI 및 약물치료에도 불구하고, 시술 후 3개월이 경과한 시점에도 심기능이 호전되지 않았고, 호흡곤란 증상도 지속되고 있었다(그림 9-3-4).

이에 CRT를 시행하였으며, 이후 5개월이 경과한 시점에 시행한 흉부 X선 검사에서 심비대가 뚜렷하게 호전되었고(그림 9-3-5), 경흉부심초음파에서도 좌심실 용적이 감소하고 좌심실구혈률이 크게 호전된 양상이 확인되었다(그림 9-3-5).

> **Keynote**

좌심실이 정상적인 기능을 유지하기 위해서는 전부하(preload), 후부하(afterload), 수축력(contractility) 및 동시수축성(synchronicity)의 4가지가 필수적인 요소이다. 좌심실의 기능 저하가 발생하면서 일부에서는 좌심실의 비동시성 수축(dyssynchronous contraction)이 유발되고, 이것은 좌심실의 수축력을 더욱 악화시키게 된다. 진행된 심부전의 경우 심전도상에서의 QRS 간격의 증가가 약 30% 정도에서 발생하며, 좌각차단의 형태로 나타날 수 있다. 이러한 전도장애를 통해 심실의 전기-기계 지연(electro-mechanical delay)을 초래하게 되고, 이로 인한 QRS 간격의 증가 및 심실의 비동시성 수축은 심부전의 악화, 돌연사 및 사망률의 증가와 관계가 있는 것으로 알려져 있다.

CRT는 3개의 전극이 우심방, 우심실, 그리고 좌심실의 측벽을 조율할 수 있도록 관상정맥동(coronary sinus)을 통한 전극을 함께 삽입하게 된다. 심방 전극으로 심방의 전기적 흥분을 감지하고, 일정한 시간 간격으로 좌심실과 우심실이 동시에 수축할 수 있도록 조율할 수 있다. CRT를 통하여 좌심실과 우심실의 동시수축 혹은 조화로운 수축을 가져오고, 이완기시 충만시간을 증가시킬 수 있으며, 심실의 수축력을 호전시키고, 심실역재형성(reverse remodeling)을 가져올 수 있다. 이는 결과적으로 심부전의 사망률을 감소시키는 것으로 보고되었다. 좌심실과 우심실의 동시성 수축을 조율하기 위한 다양한 기법의 심초음파 검사를 이용한 연구가 있었으나, 초기의 기대와는 달리 크게 도움이 되지 않았으며, 임상에 적용하기는 어려운 것으로 받아들여지고 있다.

현재 미국 진료지침에 따르면 CRT 삽입의 적응증은 다음과 같다.

1) 적절한 약물치료에도 불구하고 증상이 지속되는 환자(NYHA II-III 혹은 거동이 가능한 NYHA IV)
2) 좌심실 구혈율 35% 이하
3) 좌각차단(left bundle branch block)
4) QRS duration > 150 msec

■ 참고문헌

1. Bleeker GB, Schalij MJ, Molhoek SG et al. Relationship between QRS duration and left ventricular dyssynchrony in patients with end-stage heart failure. Journal of cardiovascular electrophysiology 2004;15:544-9.

2. Bradley DJ, Bradley EA, Baughman KL et al. Cardiac resynchronization and death from progressive heart failure: a meta-analysis of randomized controlled trials. Jama 2003;289:730-40.

3. Bromberg BI, Mazziotti MV, Canter CE, Spray TL, Strauss AW, Foglia RP. Recognition and management of nonpenetrating cardiac trauma in children. J Pediatr 1996;128:536-41.

4. Campbell NC, Thomson SR, Muckart DJ, Meumann CM, Van Middelkoop I, Botha JB. Review of 1198 cases of penetrating cardiac trauma. Br J Surg 1997;84:1737-40.

5. Chung ES, Leon AR, Tavazzi L et al. Results of the Predictors of Response to CRT (PROSPECT) trial. Circulation 2008;117:2608-16.

6. Cowgill LD, Campbell DN, Clarke DR, Hammermeister K, Groves BM, Woelfel GF. Ventricular septal defect due to non-penetrating chest trauma: use of the intra-aortic balloon pump. J Trauma 1987;27:1087-90.

7. Desai MY, Jellis CL, Kotecha R, Johnston DR, Griffin BP. Radiation-associated cardiac disease: A practical approach to diagnosis and management. JACC Cardiovasc Imaging 2018;11(8):1132-1149.

8. Desai MY, Windecker S, Lancellotti P, Bax JJ, Griffin BP, Cahlon O, Johnston DR. Prevention, diagnosis, and management of radiation-associated cardiac disease. J Am Coll Cardiol 2019;74(7):905-927.

9. Donnellan E, Phelan D, McCarthy CP, Collier P, Desai M, GriffinB. Radiation-induced heart disease: A practical guide to diagnosis and management. Cleve Clin J Med 2016;83(12):914-922.

10. Epstein AE, DiMarco JP, Ellenbogen KA et al. 2012 ACCF/AHA/HRS focused update incorporated into the ACCF/AHA/HRS 2008 guidelines for device-based therapy of cardiac rhythm abnormalities: a report of the American College of Cardiology Foundation/American Heart Association Task Force on Practice Guidelines and the Heart Rhythm Society. Journal of the American College of Cardiology 2013;61:e6-75.

11. Gagliardi G, Constine LS, Moiseenko V, Correa C, Pierce LJ, Allen AM, Marks LB. Radiation dose-volume effects in the heart. Int J Radiat Oncol Biol Phys 2010;76(3 Suppl):S77-85.

12. Galper SL, Yu JB, Mauch PM, Strasser JF, Silver B, Lacasce A, Marcus KJ, Stevenson MA, Chen MH, Ng AK. Clinically significant cardiac disease in patients with Hodgkin lymphoma treated with mediastinal irradiation. Blood 2011;117(2):412-8.

13. Hancock SL, Donaldson SS, Hoppe RT. Cardiac disease following treatment of Hodgkin's disease in children and adolescents. J Clin Oncol 1993;11(7):1208-15.

14. Hee-Jung Yun, Seung-Won Jin, Young-Yong Ahn, Joo-Hyun Lee, Young-Joo Kim, Jong-Beom Kwan, Ho-Joong Youn, Keon Park, Jun-Chul Park, Chi-Kyung Kim, Jae-Hyung Kim, Soon-Jo Hong, Kyu-Bo Choi. A case of Isolated Ventricular Septal rupture following non-penetrating chest trauma. J Cardiovascular Ultrasound 2001;9:157-60.

15. Karrel R, Shaffer MA, Franaszek JB. Emergency diagnosis, resuscitation, and treatment of acute penetrating cardiac trauma. Ann Emerg Med 1982;11:504-17.

16. Kashani A, Barold SS. Significance of QRS complex duration in patients with heart failure. Journal of the American College of Cardiology 2005;46:2183-92.

17. Lancellotti P, Nkomo VT, Badano LP, Bergler-Klein J, Bogaert J, Davin L, Cosyns B, Coucke P, Dulgheru R, Edvardsen T, Gaemperli O, Galderisi M, Griffin B, Heidenreich PA, Nieman K, Plana JC, Port SC, Scherrer-Crosbie M, Schwartz RG, Sebag IA, Voigt JU, Wann S, Yang PC. Expert consensus for multi-modality imaging evaluation of cardiovascular complications of radiotherapy in adults: a report from the European Association of Cardiovascular Imaging and the American Society of Echocardiography. J Am Soc Echocardiogr 2013;26(9):1013-32.

18. Meyer RM, Gospodarowicz MK, Connors JM, Pearcey RG, Wells WA, Winter JN, Horning SJ, Dar AR, Shustik C, Stewart DA, Crump M, Djurfeldt MS, Chen BE, Shepherd LE. ABVD alone versus radiation-based therapy in limited-stage Hodgkin's lymphoma. N Engl J Med 2012;366(5):399-408.

19. Mu lder DG. Stab Wound of t he Hea r t. Ann Surg 1964;160:287-91.

20. Park HE, Chang SA, Kim HK et al. Impact of loading condition on the 2D speckle tracking-derived left ventricular dyssynchrony index in nonischemic dilated cardiomyopathy. Circulation Cardiovascular imaging 2010;3:272-81.

21. Rollins MD, Koehler RP, Stevens MH, Walsh KJ, Doty DB, Price RS, Allen TL. Traumatic ventricular septal defect: case report and review of the English literature since 1970. J Trauma 2005;58:175-80.

22. Rotman M, Peter RH, Sealy WC, Morris JJ, Jr. Traumatic ventricular septal defect secondary to nonpenetrating chest trauma. Am J Med 1970;48:127-31.

23. Rutqvist LE, Lax I, Fornander T, Johansson H. Cardiovascular mortality in a randomized trial of adjuvant radiation therapy versus surgery alone in primary breast cancer. Int J Radiat Oncol Biol Phys 1992;22(5):887-96.

INDEX